Les Fées-du-phénix

ISABELLE ROY

Les Fées-
du-phénix

La tempête de Ceithir

Pour Anne,

Moi aussi, quand j'avais ton âge,
j'adorais lire! Peut-être qu'un jour,
c'est toi qui va me dédicacer ton livre!
Bienvenue dans l'univers fantastique
et rempli d'action des fées-du-phénix!

Bonne lecture

Isabelle Roy

Hurtubise

Catalogage avant publication de Bibliothèque et Archives nationales du Québec et Bibliothèque et Archives Canada

Roy, Isabelle, 1984-

Les Fées-du-phénix

Sommaire: t. 1. La tempête de Ceithir.
Pour les jeunes.

ISBN 978-2-89723-014-2 (v. 1)

I. Titre. II. Titre: La tempête de Ceithir.

PS8635.O911F43 2012   jC843'.6   C2012-941263-5
PS9635.O911F43 2012

Les Éditions Hurtubise bénéficient du soutien financier des institutions suivantes pour leurs activités d'édition :

- Conseil des Arts du Canada ;
- Gouvernement du Canada par l'entremise du Fonds du livre du Canada (FLC) ;
- Société de développement des entreprises culturelles du Québec (SODEC) ;
- Gouvernement du Québec par l'entremise du programme de crédit d'impôt pour l'édition de livres.

Maquette de la couverture : René St-Amand
Illustration de la couverture : Magali Villeneuve
Maquette intérieure et mise en pages : Martel en-tête

Copyright © 2012, Éditions Hurtubise

ISBN 978-2-89723-014-2 (version imprimée)
ISBN 978-2-89723-015-9 (version numérique PDF)

Dépôt légal : 4e trimestre 2012
Bibliothèque et Archives nationales du Québec
Bibliothèque et Archives Canada

Diffusion-distribution au Canada :
Distribution HMH
1815, avenue De Lorimier
Montréal (Québec) H2K 3W6
www.distributionhmh.com

Diffusion-distribution en Europe :
Librairie du Québec/DNM
30, rue Gay-Lussac
75005 Paris FRANCE
www.librairieduquebec.fr

Imprimé au Canada
www.editionshurtubise.com

À Véronique, Laurence, Manon.
Trois femmes magnifiques, uniques, magiques.

1

Le clan Castel

UN RAYON DE SOLEIL entra par la fenêtre du dortoir
et illumina les paupières de Tolyco. Cette dernière, qui était plongée dans un agréable rêve quelques
secondes plus tôt, grimaça. Elle posa une main sur son
visage et soupira. Elle se serait volontiers rendormie,
mais le souvenir de ce qui l'attendait aujourd'hui
remonta en elle et un nœud se forma aussitôt au fond
de son estomac.

Tolyco se tourna sur le ventre en gardant les yeux
obstinément fermés. Ses ailes tombèrent de chaque côté
du lit, frôlant le sol de pierre.

Des mouvements dans le dortoir lui indiquèrent
qu'elle n'était pas la seule à être réveillée. D'autres fées
commençaient à s'activer avec nettement plus d'entrain
qu'elle.

D'ordinaire, les fées du clan Castel ne dormaient pas
au château, elles préféraient passer la nuit dans d'immenses plantes appelées dionées. Mais un événement
inattendu s'était produit quelques jours plus tôt et un
grand nombre de visiteurs s'étaient déplacés des quatre
coins du continent pour assister à la fête spéciale de ce
soir. Beaucoup de fées provenant d'autres clans étaient
aussi venues et Amonialta, la chef du clan Castel, avait

installé les visiteuses dans les confortables dionées afin qu'elles se sentent à leur aise. Les hôtesses avaient donc dû se sacrifier et s'installer dans les dortoirs du château.

Tolyco grimaça de nouveau en sentant ses ailes courbaturées par le petit lit en métal brossé.

C'étaient des sorciers qui avaient bâti le château des centaines d'années auparavant. Ils l'avaient offert aux fées afin de souligner leur merveilleuse contribution à la société. Malheureusement, ils n'avaient pas pensé que les fées aimaient dormir entourées de la nature. Ils avaient donc construit deux immenses dortoirs remplis de lits cordés les uns à la suite des autres. Ces derniers étaient toujours restés inutilisés, exception faite de cette fois-ci.

Autour de Tolyco, des fées commençaient à murmurer. Elle entendait leurs conversations plus animées qu'à l'ordinaire.

— J'ai hâte à ce soir ! Je crois que ce sera une fée-d'eau, dit l'une d'entre elles.

— La cuisinière a entendu dire que c'était une fée-de-terre, objecta une autre.

— Impossible ! déclara une nouvelle voix plus aiguë. Violaine m'a dit qu'elle avait vu une fée-mère tenir un paquet dans ses bras, et il avait une couleur orangée...

Les voix s'éloignèrent puis disparurent lorsqu'elles passèrent la porte.

Tolyco avait de la difficulté à participer à l'engouement général qui régnait depuis quelques jours au clan Castel. Elle ne pensait pas à la fête qui allait se tenir le soir, elle ne songeait qu'à ce qui l'attendait dans les heures à venir.

Elle s'étira et laissa sa tête retomber lourdement sur l'oreiller. Elle savait qu'elle essayait de repousser le moment où elle devrait se lever, car elle redoutait cette journée. Soudain, un bruissement se fit entendre tout près d'elle, suivi d'un chuchotement :

— Je sais que tu ne dors pas… allez, debout !

Tolyco entrouvrit les paupières de quelques millimètres et aperçut un éclat bleu suivi d'un sourire étincelant.

— Je n'en ai pas envie, protesta-t-elle.

— Moi non plus, mais on n'a pas vraiment le choix, dit son amie Satria. Et puis, je suis certaine que tu as faim…

Ce fut cet instant que choisit l'estomac de Tolyco pour émettre des gargouillis éloquents.

— Bon, très bien, dit-elle en rabattant sa couverture, sentant que toute protestation serait inutile, mais je veux passer à la douche d'abord. Je te rejoindrai là-bas.

— D'accord, dit Satria. À tout de suite.

Elle tourna les talons et sortit du dortoir, ses longs cheveux blonds ondulés voletant autour d'elle.

Tolyco s'étira une dernière fois et partit en direction des salles de bain. Elle aimait beaucoup Satria. C'était sa seule amie au clan Castel. D'ordinaire, les fées développaient des affinités avec les membres de leur propre groupe, mais pas Satria et Tolyco.

Tolyco était une fée-de-feu et Satria une fée-d'eau. Elles étaient nées le même jour et, par un hasard des plus étranges, elles ne ressemblaient pas physiquement aux autres fées de leur famille respective.

Les fées-de-feu avaient toutes des cheveux et des ailes orange qui faisaient penser à un coucher de soleil et leurs yeux étaient dorés. Tolyco avait pour sa part des cheveux aussi rouges que du sang et des yeux noirs en amande. Ses ailes, au milieu de son dos, arboraient plusieurs teintes de rouge et leurs extrémités étaient cerclées d'une ligne noire.

Quant aux fées-d'eau, elles avaient des cheveux, des ailes et des yeux bleu ciel tandis que Satria, elle, possédait une chevelure d'un blond presque blanc. Elle avait de grands yeux violets et ses ailes arboraient tous les dégradés de bleu.

Personne n'avait jamais pu expliquer la raison de ces différences physiques. Satria et Tolyco avaient grandi en étant à part des autres et, dès qu'elles avaient été en âge d'éprouver leurs pouvoirs, une distinction majeure était apparue. Leur magie était différente... À cette époque, les autres fées du clan Castel s'étaient mises à éviter Satria et Tolyco. Cela ne s'était jamais vu, une fée dont les pouvoirs étaient moins puissants que ceux de ses consœurs. C'était un sujet tabou, honteux au sein du clan et, même si les autres fées ne les ignoraient pas, leur relation restait froide, distante, comme si elles ne voulaient pas être associées à ces deux êtres qui ne ressemblaient en rien aux fées normales. Tolyco était contente d'avoir Satria comme amie. Elle la considérait en fait comme sa sœur et elles étaient inséparables.

Tolyco se dépêcha de se préparer pour aller la rejoindre.

Satria entendit le brouhaha provenant de la salle à manger bien avant d'y parvenir. Elle pénétra dans une vaste salle aérée. En raison des nombreux invités, ses portes étaient grandes ouvertes afin de l'allonger jusqu'à l'extérieur où l'on retrouvait une terrasse qui surplombait un somptueux jardin aux couleurs éclatantes. Le soleil inondait la salle à manger et il y avait beaucoup plus de gens qui circulaient entre les tables qu'à l'habitude.

En temps normal, on ne retrouvait au château que les fées du clan Castel. Parfois, de jeunes sorciers venaient y séjourner pour parfaire leur éducation. Il y avait aussi des villageois qui travaillaient au château, mais aujourd'hui, on retrouvait un nombre impressionnant de sorciers dont certains, très âgés, discutaient avec des fées que Satria ne connaissait pas. Des membres de la royauté avaient envoyé leurs représentants – ils ne se déplaçaient jamais eux-mêmes – et beaucoup d'autres habitants des villes et villages avoisinants avaient été invités. Il y avait même deux ou trois enchanteurs, ces hommes grands et massifs aux cheveux longs et à la barbe rousse, qui marchaient avec un œil affamé autour des tables où était disposé le repas du matin.

Satria se fraya un chemin dans la foule jusqu'au festin. Elle vit qu'il y avait plus de choix qu'habituellement. On avait disposé des mets typiques des fées comme de la mousse de rose rouge ou de l'orge sucrée en bâton, mais elle préféra prendre des œufs avec un morceau de pain grillé qu'elle tartina de miel. De l'autre côté de la table, une femme aux cheveux cendrés lui tendit une tasse de thé fumant en souriant. C'était Fabienne, une domestique du château qui habitait un village voisin du nom de Pontireau et qui avait développé des affinités avec Satria.

— Merci, Fabienne, dit Satria en prenant la tasse. Comment vas-tu ?

— Bien, mais on est très occupés depuis ces deux derniers jours, répondit-elle en rajustant son tablier. Il y a tellement à faire pour la grande fête de ce soir, mais j'ai hâte ! Je vais me faire remplacer, alors je pourrai y assister !

— C'est génial !

— Oui ! Et en plus, la couturière du château a accepté de me prêter une robe pour l'occasion.

Fabienne s'interrompit, car son tablier était en train de se faire tirer sous la table.

— Gaby, arrête s'il te plaît, ordonna Fabienne en renouant son tablier sur ses larges hanches.

Satria s'étira le cou et vit une petite fille d'à peine cinq ans sortir de sous la table et la regarder avec de grands yeux ronds.

— C'est ma fille, expliqua Fabienne. Elle a toujours rêvé de venir au château et je trouvais que la fête de ce soir était une bonne occasion pour qu'elle puisse voir des fées… mais ne dit à personne qu'elle est ici s'il te plaît. Je ne suis pas censée l'emmener au travail.

— Ne t'inquiète pas, je ne dirai rien, la rassura Satria.

Elle comprenait que Fabienne veuille emmener sa fille au château. Les fées étaient très estimées, surtout auprès des enfants. Dans la plupart des grandes villes du continent, des clans de fées s'occupaient de veiller sur la population. Elles avaient toujours apporté leur aide et leur soutien à la société. Généralement, dès qu'un clan de fées était créé, plusieurs villages se formaient tout autour. Les humains se sentaient en sécurité près des fées et ils pouvaient travailler comme domestiques au clan en échange d'un salaire généreux.

Satria se pencha vers la fillette.

— Bonjour, je m'appelle Satria.

La fillette se cacha dans les jupes de sa mère, intimidée.

— Allez, présente-toi, insista sa mère en la poussant doucement vers l'avant.

— Je m'appelle Gabrielle, dit la fillette à voix basse en dévisageant Satria.

— Eh bien, Gabrielle, je suis enchantée de faire ta connaissance.

— Mais…

Gabrielle hésita un instant, tordant ses pieds sur le sol. Elle prit une inspiration et déclara, les sourcils froncés :

— Tu n'es pas une fée, tu ne leur ressembles pas.

Le sourire de Satria se crispa malgré elle.

— On ne dit pas ça ! gronda Fabienne. Ce n'est pas poli.

Fabienne posa une main sur le bras de Satria, la faisant lever les yeux.

— Je suis désolée, Satria. Elle ne sait pas ce qu'elle dit, c'est une enfant...

Satria balaya l'air de sa main pour montrer que ce n'était rien.

— Je sais, ce n'est pas grave, dit-elle en se forçant à sourire. Bon, je dois y aller. On se voit ce soir à la fête.

— Oui... à ce soir... et je suis désolée, Satria...

— Allons, ce n'est rien. À tantôt.

Elle s'éloigna en essayant d'ignorer la conversation que Fabienne continuait avec sa fille :

— Pourquoi as-tu dit qu'elle n'était pas une fée ? Tu as vu, elle a de belles grandes ailes...

— Mais, maman ! Tu as remarqué ses cheveux et ses yeux ? Ils ne sont pas de la bonne couleur ! Et ses ailes non plus ! Alors, ça ne peut pas vraiment être une fée ! déclara la fillette, sûre d'elle.

Satria accéléra le pas. Si seulement c'était uniquement la couleur qui la différenciait des autres, ça ne serait pas si grave...

Elle sortit sur la terrasse et s'installa à une table où il restait quelques places. Une fée-d'eau qui était assise près d'elle se tourna et lui adressa un sourire pincé.

— Es-tu prête pour aujourd'hui ? lui demanda la fée.

— Je crois que oui. J'ai révisé toute la semaine, répondit Satria d'une voix plus hésitante qu'elle ne l'aurait voulu.

C'était exactement cela le problème, songea Satria. Tolyco et elle n'avaient jamais pu exécuter leur magie correctement. Chaque fois qu'elles avaient essayé d'appliquer une incantation, il y avait eu des complications : soit il ne se passait strictement rien, ce qui créait un malaise grandissant pendant que leurs enseignantes et les autres élèves attendaient en silence que quelque chose se produise ; soit elles réussissaient – rarement – à produire un souffle de magie qui se transformait aussitôt en énergie incontrôlable qui avait failli blesser des personnes à plusieurs reprises.

Satria se souvint de la fois où elle devait simplement transformer de la rosée en une petite mare d'eau. Toutes les autres élèves avaient réussi sans problème cet exercice. Quand vint son tour, Satria n'avait pas trop compris comment, mais son enseignante s'était retrouvée plantée dans un buisson de ronces après que sa magie eut dérapé sans même qu'elle s'en aperçoive. Elle avait été tellement honteuse…

Elle vit que la fée-d'eau à ses côtés l'observait toujours.

— Es-tu certaine que tu devrais te présenter à l'épreuve d'aujourd'hui ? l'interrogea cette dernière sur un ton cassant. L'incantation sera plus compliquée cette fois-ci.

— Euh…

Satria sentit son visage s'empourprer, mais avant qu'elle n'ait pu répondre, une autre voix retentit derrière elle :

— Elle le sait, ça fait des semaines qu'elle s'y prépare, alors garde tes commentaires pour toi, Océane.

— Pas besoin de le prendre comme ça, Tolyco, rétorqua Océane en repoussant ses longs cheveux bleus. Je me disais juste qu'elle devrait peut-être éviter un moment pénible pour tout le monde…

— C'est à son enseignante de décider ça. Pas à toi.

Tolyco prit place en face de Satria.

Océane les dévisagea tour à tour et haussa les épaules avant d'ajouter avec un sourire de dédain :

— Très bien, alors on se voit tantôt en classe, Satria. Tu nous éblouiras avec tes talents…

Elle se leva et quitta la table en ricanant.

Satria regarda son assiette avec nettement moins d'appétit.

— Elle a raison, tu sais, dit Tolyco.

Satria leva des yeux surpris sur Tolyco qui semblait triste et résignée.

— Nous n'avons jamais réussi à effectuer une incantation convenablement, continua Tolyco. Les enseignantes nous ont toujours fait passer aux niveaux suivants parce qu'elles ne savent pas quoi faire d'autre. Ça ne s'est jamais vu avant, des fées sans pouvoirs.

— Tu te trompes, s'offusqua Satria. Elles nous ont fait passer les niveaux parce qu'en dépit de notre magie défaillante, nous savons la théorie sur le bout de nos doigts.

C'était vrai. Dès que Satria et Tolyco avaient vu qu'elles n'avaient pas ou peu de dons, elles avaient commencé à étudier toutes les matières enseignées au clan Castel avec une énergie et une rigueur peu commune. Elles tenaient au moins à exceller dans un domaine. Elles s'étaient donc démarquées par leur savoir, mais Tolyco trouvait tout de même cela insuffisant.

Depuis qu'elle était toute petite, elle aimait les défis. Elle était aventureuse et n'avait peur de rien. Elle rêvait de voyager et de parcourir le continent, mais tous ces plans n'étaient pas réalisables sans pouvoirs magiques. Elle savait que son amie avait un goût du risque moins développé.

Satria avait accepté son sort avec plus de facilité, mais elle savait que Tolyco souffrait beaucoup de leurs différences, alors elles continuaient toutes deux leur formation magique.

Amonialta, la première fée du clan Castel, leur avait avoué qu'elle n'avait jamais vu un tel phénomène. Elle pensait que leur problème résultait peut-être de leurs différences physiques. Elle avait donc encouragé les deux fées à persévérer et à avoir une plus grande confiance en elles, chose qui n'était pas facile après tous les échecs qu'elles accumulaient.

L'incantation d'aujourd'hui était importante. Elles devaient prononcer une formule complexe que les élèves étudiaient depuis des semaines. Si elles réussissaient, elles pourraient ensuite passer au dernier niveau.

— Ce n'est pas tout de savoir la théorie, protesta Tolyco. Les enseignantes ne pourront pas nous faire passer si nous échouons.

Satria se pencha vers Tolyco.

— Tu connais cette formule à la perfection et moi aussi, insista-t-elle. Tu sais ce qu'Amonialta a dit. Nous devons avoir confiance en nous. Je sais que tu peux y arriver.

Tolyco réussit à sourire à Satria. Elle avait encore un gros doute, mais elle hocha la tête avec fermeté.

— Tu as raison. On peut le faire.

Satria n'était pas dupe, elle voyait bien l'incertitude dans les yeux de son amie.

— Tolyco, je crois réellement que tu peux réussir. Tu as toutes les qualités pour devenir une excellente fée.

— Merci, répondit sincèrement celle-ci.

Elles terminèrent leur déjeuner en vitesse.

— C'est l'heure d'y aller, déclara Tolyco en observant le soleil dans le ciel.

— Viens, on passe par le jardin, proposa Satria.

Elles auraient pu voler en ligne directe jusqu'à leur classe, mais il y avait une raison pour laquelle Satria tenait à faire passer son amie à cet endroit.

Le jardin qui entourait le château était rempli de fleurs majestueuses toutes plus colorées les unes que les autres. Les visiteurs qui venaient au château étaient toujours impressionnés par le spectacle époustouflant qui s'offrait à eux.

En fait, ces fleurs avaient été placées à cet endroit dans un but précis : le parfum qu'elles dégageaient était magique. Les fleurs ressentaient la colère, l'anxiété ou encore la tristesse et leurs effluves s'adaptaient à ces fortes émotions. Elles produisaient une odeur permettant de calmer les angoisses des gens qui passaient près d'elles. Plusieurs conflits entre les fées et les sorciers avaient pu être réglés grâce à ces plantes apaisantes. Quand un sorcier arrivait de mauvaise humeur, les fées le faisaient passer par ce sentier. Il devenait aussitôt beaucoup plus enclin à dialoguer avec Amonialta.

— D'accord, répondit machinalement Tolyco, la gorge nouée.

Elle sentait qu'elle avait peut-être besoin de l'effet calmant de ce lieu.

— Tu crois vraiment que nous allons un jour réussir à utiliser notre magie convenablement ? interrogea Tolyco pendant qu'elles s'engageaient dans le sentier.

— Même si ce n'est pas le cas, nous pourrons toujours faire autre chose.

— Comme quoi ?

Satria se tut. Elle savait qu'aucune des réponses qui lui venaient à l'esprit ne pourrait contenter son amie. Elle préféra donc éviter la question.

— Amonialta trouvera bien quelque chose à notre goût. Elle a toujours eu confiance en nous.

Tolyco n'en était pas si sûre. Satria et elle représentaient un embarras pour le clan. Elle était au moins certaine que jamais elles ne seraient expulsées. Elles y étaient nées et seule une offense grave pouvait autoriser le renvoi d'une fée, mais Amonialta aurait peut-être quelques problèmes à leur trouver une profession qui ne requérait aucune magie.

Elles traversèrent le jardin et Tolyco se sentit ragaillardie lorsqu'elles en ressortirent.

— On se voit tantôt! lança-t-elle à Satria.

— Oui… bonne chance.

Elles partirent chacune de leur côté, perdues dans leurs pensées.

2

L'épreuve de Tolyco

Tolyco vola jusqu'à sa classe qui se trouvait du côté sud du château. Elle récitait inlassablement la formule dans sa tête, comme elle l'avait fait une bonne partie de la nuit. Elle la savait parfaitement, ce qui lui redonna confiance.

En contournant le château, elle vit les autres fées-de-feu qui étaient déjà sur place, attendant l'enseignante. Elles étaient une dizaine à discuter.

Tolyco s'avança et surprit leur conversation animée :

— C'est vrai ! s'exclama l'une d'entre elles. Je suis certaine que c'est une fée-de-feu.

— Peut-être as-tu mal compris ? coupa une autre. Après tout, on nous aurait avertis !

— La cérémonie est ce soir, alors on va le savoir bien assez vite, affirma une troisième fée.

— Avez-vous vu le nouvel apprenti sorcier ? Il est craquant…, intervint une autre fée en frémissant des ailes.

Lorsque Tolyco atterrit dans l'herbe près des fées, elles lui lancèrent un bref regard et continuèrent à converser comme si elle n'était pas là. Tolyco était habituée à ce que les autres élèves l'ignorent. Ses consœurs ne comprenaient pas pourquoi elle pouvait être si différente. Cela les dérangeait, car la notoriété de leur groupe s'en trouvait affectée.

— Bonjour à vous toutes ! tonna une voix forte.

Le silence s'installa immédiatement dans le groupe pendant qu'une fée aux ailes orangées comme des flammes s'approchait d'elles. C'était Kalixte, l'enseignante de Tolyco depuis bientôt six ans. Elle avait un regard perçant et une démarche assurée qui faisait battre ses cheveux en cadence sur ses épaules. Tolyco vit un petit sorcier rabougri qui la suivait dans son sillage. Sa bouche était tordue par les profondes rides qui marquaient son visage et un large monocle encadrait un œil gris. Il observait les fées avec curiosité tandis que Kalixte prenait place devant ses élèves assises en demi-cercle.

— Aujourd'hui est une journée importante, déclara-t-elle en agitant ses ailes comme pour chasser la nervosité des jeunes fées. Vous allez devoir faire vos preuves en réussissant une incantation de difficulté supérieure.

Un large sourire illumina le visage de Kalixte.

— Mais tout d'abord, j'aimerais vous faire part d'une grande nouvelle. Comme vous le savez toutes, une fée est née au clan Castel il y a quelques jours de cela. Cette nouvelle est déjà un événement formidable en soi, mais il y a plus encore. Amonialta m'a permis de vous annoncer que la nouvelle venue est… une fée-de-feu !

Les fées se mirent toutes à applaudir et à battre des ailes en riant. Tolyco ressentit une réelle joie en entendant la nouvelle. La naissance d'une fée n'était pas chose si fréquente.

Kalixte leva la main pour faire taire l'enthousiasme et enchaîna :

— Bien entendu, la fête de ce soir donnée en l'honneur de la nouvelle venue sera présidée par Amonialta et par moi-même en tant que représentante de notre groupe. Je m'attends donc à un comportement irréprochable de votre part. Vous devrez aussi – comme le veut la tradition – effectuer le rituel de bienvenue afin qu'elle devienne officiellement un nouveau membre de la famille de feu du clan Castel.

Quelques fées reprirent leurs applaudissements, mais Kalixte les rappela à l'ordre.

— Je voudrais aussi vous présenter Barcélius.

Le petit sorcier s'avança et salua les fées d'un signe de tête.

— Barcélius est un sorcier appartenant à la confrérie des sorciers d'As. Il fait partie des nombreux invités qui se sont déplacés pour assister à la fête de ce soir… et il tenait à participer à un de nos cours.

Kalixte avait dit cette dernière phrase en pinçant les lèvres. Elle devait craindre que sa présence déconcentre les fées.

— Est-ce que l'une d'entre vous aurait l'amabilité d'expliquer à Barcélius comment notre magie fonctionne afin qu'il puisse suivre sans problème ?

Comme personne ne se proposait, Kalixte désigna Tolyco.

— Peux-tu le lui expliquer s'il te plaît ?

Tolyco prit une grande inspiration et récita :

— La magie des fées est unique. Nos formules magiques ne sont pas de simples mots écrits sur une feuille, ce sont en fait des partitions de musique.

Devant le regard attentif du sorcier, elle enchaîna :

— Pour produire notre magie, nous devons chanter. Ce n'est pas nécessairement des paroles intelligibles. La plupart du temps, il suffit de produire la vibration caractéristique au niveau de notre gorge ou de notre diaphragme pour faire naître nos pouvoirs. Cette vibration doit ensuite être modelée selon la partition de musique et suivre les quatre caractéristiques du son musical ; soit la hauteur, le timbre, l'intensité et la durée.

— Merveilleux. Merci, Tolyco, dit Kalixte. La précision dans ce genre d'exercice est primordiale. C'est pourquoi les fées reçoivent une formation rigide et sévère qui s'échelonne sur plusieurs années. La maîtrise de nos pouvoirs est essentielle, car le moindre écart à la partition peut entraîner des dégâts irréparables.

— Comme c'est intéressant ! s'exclama le petit sorcier qui se balançait d'avant en arrière sur ses talons. Et qui donc s'occupe de composer vos partitions musicales ?

— Ce sont les fées-virtuoses qui les écrivent pour toutes les fées, répondit Kalixte. Elles font un travail magnifique.

— Excellent, commenta Barcélius. J'ai bien hâte d'assister à votre démonstration de magie.

— Nous allons commencer à l'instant, déclara Kalixte en se tournant vers ses élèves qui semblaient avoir retrouvé leur nervosité d'un coup. Prenez quelques minutes pour vous échauffer et vous concentrer. Récitez la partition dans votre tête comme nous l'avons déjà répétée.

Les fées s'éloignèrent pour se préparer individuellement.

Tolyco tenta tout d'abord de retrouver une respiration normale, mais son cœur battant fort dans sa poitrine ne l'aidait pas. Ensuite, elle récita la formule dans sa tête. Elle ferma les yeux pour se concentrer sur les notes complexes qu'elle allait devoir chanter.

Lorsque le temps fut écoulé, elle rejoignit ses consœurs et Kalixte, qui les conduisit un peu plus loin.

L'enseignante arrêta à la hauteur d'une grosse fleur jaune qui sortait du sol en se tordant dans tous les sens. Sa tige était large et aucune feuille ne poussait à sa base.

La fleur possédait des pétales qui arrivaient à la hauteur du menton de Kalixte. Plusieurs autres spécimens identiques étaient dispersés derrière elle.

— Ces fleurs d'Hirpal ont été créées par les sorciers d'Ostandos, énonça Kalixte d'une voix forte en désignant la fleur en question. Elles ont de merveilleuses propriétés magiques pour guérir les animaux. Comme elles sont conçues artificiellement, la lumière du soleil ne leur suffit pas. Nous avons donc pour tâche d'assurer leur survie en leur procurant un rayonnement accru. La formule que vous avez apprise sera donc utilisée à cet effet. Je vous demande d'être prudentes, ces plantes sont très fragiles et peuvent mourir si elles sont trop exposées à notre chaleur. Je vais effectuer le sortilège en premier et ensuite, ce sera à votre tour.

Kalixte se plaça devant la fleur, déploya ses ailes avec grâce et ferma les yeux. Une musique diffuse se fit entendre au niveau de sa gorge. C'était une plainte profonde, basse et mélancolique. Tolyco suivait chaque note avec concentration. C'était très subtil, la fleur ne bougeait pas et rien ne laissait croire que leur enseignante était en train de la nourrir en énergie si ce n'était de la douce lumière qui baignait les alentours. Après quelques minutes de ce spectacle, Kalixte ouvrit les yeux et la mélodie se dissipa. Les pétales qui étaient auparavant repliés se dressaient maintenant vers le soleil avec vigueur.

— Très bien, dit Kalixte. Vous avez toutes vu comment procéder, ce n'est pas sorcier… euh, non… je veux dire compliqué.

Kalixte jeta un rapide coup d'œil à Barcélius qui fit comme s'il n'avait rien entendu.

— Bon. Placez-vous devant une fleur. Flammarielle, tu peux commencer.

Les fées, nerveuses, défilèrent une à une. La plupart d'entre elles reçurent comme commentaire qu'elles n'avaient pas diffusé suffisamment de chaleur et seulement deux d'entre elles réussirent parfaitement l'exercice, mais Kalixte semblait tout de même satisfaite. Puis, vint le tour de Tolyco.

Tous les regards étaient fixés sur elle tandis qu'elle fermait les yeux pour invoquer sa magie.

Au début, tout se passa bien. Elle se rappelait chaque note et les sentait vibrer dans sa gorge. Elle se détendit et prit de l'assurance. Ce fut lorsque la mélodie prit de l'ampleur que quelque chose se dérégla. La vibration se mit à l'envahir. Tout son corps trembla dangereusement sans qu'elle puisse intervenir et elle perdit le contrôle.

Les paupières toujours closes, elle entendit Kalixte crier son nom et tenter d'interagir avec son incantation, mais Tolyco était maintenant possédée par la musique et son enseignante était incapable d'interférer. Avec la force du désespoir, Tolyco mit ses mains sur sa gorge et voulut mettre fin au sortilège, mais elle ne maîtrisait plus rien. Elle décida de comprimer l'air dans sa gorge pour contenir la force de la magie quand Kalixte cria quelque chose qu'elle ne comprit pas.

Soudain, le pouvoir jaillit d'elle avec une telle force qu'elle fut brutalement projetée contre le sol.

Elle ouvrit les yeux et lorsque sa vision cessa d'être embrouillée, elle vit les autres fées qui la regardaient avec stupeur. Kalixte était plus loin, en train d'aider Barcélius qui était étendu sur le sol.

— Que s'est-il passé ? demanda faiblement Tolyco en se redressant sur ses coudes.

— C'est… c'est toi qui l'as poussé, bredouilla une des fées.

— Quoi ?

— Oui, répondit la fée-de-fée qui semblait apeurée. C'est ta magie qui a poussé Barcélius. On l'a toutes vu.

Tolyco vit la fleur d'Hirpal devant elle. Elle était aplatie sur le sol, carbonisée.

Sa tête tournait et elle avait de la difficulté à rassembler ses idées. Elle vit le petit sorcier, visiblement ébranlé, se relever lentement. Kalixte venait dans sa direction.

— Ça va ? Tu n'as rien ? demanda son enseignante.

— Non, répondit faiblement Tolyco.

— Ce qui vient de se passer est absolument inacceptable.

Tolyco sentit une boule remonter dans sa gorge, mais Kalixte ne fit pas attention au regard suppliant de son élève. Elle se frottait le front et semblait contrariée.

— Heureusement, j'ai réussi à dévier une bonne partie de la magie avant qu'elle n'atteigne Barcélius. J'avais prévenu Amonialta que ce n'était pas une bonne idée de te laisser participer aux classes avancées, mais elle n'a pas voulu m'écouter. Tu nous as toutes mises en danger et nous sommes chanceuses que les dégâts se limitent à cela.

Tolyco se mit à trembler. Elle entendait à peine la voix de Kalixte qui continuait de lui expliquer qu'elle était exclue de sa classe. Une seule pensée la hantait : elle ne serait jamais une vraie fée. Elle avait des ailes, mais c'était tout. Elle ne ressemblait même pas physiquement aux autres fées-de-feu.

Une fée sans pouvoirs, cela ne s'était jamais vu. Elle était pourtant la preuve vivante que c'était possible. Ses pensées se dirigèrent vers Satria ; elle avait le même problème. Pourquoi ? Qu'avaient-elles donc de si différent ? Elle aurait tellement aimé qu'elle et son amie soient douées en magie.

Elle vit ses consœurs qui parlaient entre elles en la montrant du doigt.

Tolyco jugea qu'elle en avait assez pour aujourd'hui. Elle se releva et dit à Kalixte qu'elle s'en allait.

Cette dernière s'interrompit au milieu de sa phrase.

— Il n'en est pas question, tu es sous ma responsabilité et s'il t'arrivait quelque chose…

— Il ne m'arrivera rien.

Tolyco ouvrit ses ailes et ajouta :

— Je ne ferai pas de magie.

Lorsqu'elle s'envola, elle ne put s'empêcher de penser qu'elle n'en ferait plus jamais.

3

L'épreuve de Satria

SATRIA ÉCOUTAIT DISTRAITEMENT les propos de son enseignante en regardant au loin. Elle espérait que tout allait bien pour Tolyco. C'était si important pour son amie de réussir cette épreuve…

— Hum… hum.

C'était Odèle, l'enseignante de Satria, qui s'éclaircissait la gorge bruyamment en agitant ses grandes ailes bleues avec mécontentement. Le soleil approchait de son zénith et elle sentait que la concentration de ses filles diminuait. D'un regard circulaire, elle s'assura qu'elle avait repris l'attention du groupe avant d'enchaîner :

— Les fées de votre cycle apprennent à traiter les plantes artificiellement conçues par les sorciers d'Ostandos. Ces sorciers ont, il y a plus de trois cent cinquante ans de cela, effectué des expérimentations sur des plantes qui avaient déjà des vertus médicinales. Dans la plupart des cas, ces expériences magiques furent totalement désastreuses. Parfois même, elles provoquèrent de véritables catastrophes. Plusieurs sorciers ont perdu la vie dans cette saga du pouvoir et de la domination sur la nature. Mais l'important est que certaines découvertes aient porté fruit. Des plantes ayant des propriétés magiques considérables ont réussi à survivre dans la nature, mais elles nécessitent une attention spéciale pour s'épanouir pleinement. C'est donc nous qui avons pour tâche d'assurer la survie de ces végétaux particuliers.

Odèle se déplaça près d'un arbuste aux feuilles vertes qui s'allongeaient en pointe.

— L'espèce que nous allons utiliser pour l'épreuve d'aujourd'hui se nomme chérins. C'est un arbuste protecteur qui entoure des petites fleurs appelées chérinettes. Un seul pétale de chérinette peut fournir une grande quantité d'énergie. Approchez-vous afin que je puisse vous les montrer, mais gardez une distance de quelques mètres afin de ne pas vous faire attaquer.

Les fées s'avancèrent avec curiosité. Satria se mit au premier plan pour observer cette plante intrigante.

— Les chérins ont un instinct de protection très développé. Voyez ce qui se passe si j'essaye d'atteindre les chérinettes sans utiliser l'incantation qui les calme.

Odèle déploya ses ailes et s'envola très haut dans le ciel. Elle avait à peine parcouru quelques mètres que les longues feuilles des chérins se plièrent pour laisser place à d'immenses dards effilés. Les tiges, qui semblaient courtes au premier coup d'œil, poussèrent avec une rapidité fulgurante vers Odèle. Les élèves semblaient terrorisées. Certaines commencèrent même à pousser des cris apeurés. Odèle leur ordonna d'une voix forte de reculer. Satria comprit la raison de cette demande lorsqu'elle vit des lianes onduler sournoisement dans l'herbe vers les fées. Elle recula précipitamment en écartant les bras afin d'amener avec elle les autres fées toujours paniquées.

Odèle évita adroitement les tiges et les dards qui tentaient de l'atteindre et elle plongea au centre de l'arbuste. Elle disparut une seconde puis ressortit du feuillage avec un unique pétale au creux de sa main. Elle se posa au sol, à quelques pas des chérins qui, étonnamment, avaient repris leur place et semblaient maintenant inoffensifs.

Odèle observa ses élèves avec un sourire amusé.

— Vous voyez maintenant pourquoi il faut user de prudence avec ces plantes.

— Pourquoi ont-elles cessé de vous attaquer ? interrogea une étudiante.

— Nous ne sommes pas censées affronter de réels dangers avant le neuvième cycle, rétorqua une autre.

— Ne pourrions-nous pas simplement les laisser tranquilles et trouver de l'énergie ailleurs ? proposa la fée qui se tenait aux côtés de Satria.

— N'avez-vous pas noté quelque chose d'inhabituel tout au long de l'affrontement ? demanda patiemment Odèle.

Satria avait en effet observé quelque chose d'anormal, mais elle n'osait prendre la parole devant ses consœurs qui étaient à bout de nerfs chaque fois qu'elle parlait ou qu'elle ratait une incantation.

Odèle semblait avoir remarqué que Satria connaissait la réponse, car elle la fixa intensément.

— Satria, tu n'as pas paniqué comme certaines autres fées. Tu étais pourtant au premier rang et bien près du danger. Peux-tu m'expliquer pourquoi ?

— Eh bien… Je crois que c'est parce que les chérins n'ont jamais essayé d'attaquer vos ailes, se risqua Satria.

— Excellent ! la complimenta son enseignante, un sourire satisfait aux lèvres. Les chérins veulent et doivent protéger leurs précieux trésors, les chérinettes. Le seul pétale que vous voyez ici peut décupler les forces de simple potion de sorcier. Les plantes ressentent que nous ne sommes pas des ennemies. Si un humain avec de mauvaises intentions passait près des chérins, je ne donne pas cher de sa vie, mais lorsqu'il s'agit de nous, je dirais que c'est davantage un jeu de force qu'un combat réel. Comme Satria l'a brillamment remarqué, les dards et les tiges n'ont jamais touché mes ailes, la partie la plus fragile et vulnérable d'une fée. Pourquoi ? Parce qu'en réalité, cette plante voulait uniquement me montrer de quoi elle était capable, m'empêcher d'atteindre mon but sans me blesser.

— Mais elle a tenté de nous attaquer ! s'écria une des fées.

— Il est vrai que les chérins ont du caractère et se laissent parfois un peu emporter, mais c'est un risque à prendre. C'est pourquoi les fées-virtuoses ont mis au point une formule qui met les chérins hors d'état de nuire, ce qui nous permet d'accéder aux chérinettes et de cueillir leurs pétales beaucoup plus facilement. Nous allons maintenant mettre en pratique cette formule que vous avez apprise.

Son regard tomba sur la seule fée du groupe aux cheveux blonds.

— Satria, pourquoi ne ferais-tu pas la démonstration ?

La fée-d'eau sentit un frisson glacé la parcourir. Pourquoi Odèle lui demandait-elle cela ?

— Viens, je dois d'abord t'aider à te préparer, dit Odèle en tendant la main vers elle.

Satria avança dans un silence de mort. Elle imaginait le regard moqueur des autres élèves dans son dos. Elle s'arrêta à la hauteur de son enseignante, qui lui dit sur le ton de la confidence :

— Je ne t'ai pas choisie pour te punir, Satria.

Cette dernière lui lança un regard suppliant.

— Je crois réellement que tu peux y arriver, insista Odèle. Il suffit de te concentrer. Tu es courageuse et perspicace, alors utilise tes talents à bon escient.

Satria n'était pas convaincue. De quels talents Odèle pouvait-elle parler ? Elle était son enseignante depuis maintenant six ans et jamais la jeune fée n'avait pu prouver qu'elle possédait des dons pour la magie. Au contraire, elle avait plutôt tendance à tout faire rater.

À contrecœur, elle s'envola pour aller se positionner au-dessus des chérins. Dès qu'elle s'immobilisa, la plante recourba ses feuilles, laissant voir ses dards menaçants.

Satria commença son incantation.

Les notes de musique résonnèrent dans sa gorge, produisant un son envoûtant. Elle devait rester concentrée pour ne pas laisser sa nervosité prendre le dessus. Elle dosa l'intensité et se laissa emplir par la mélodie. Les feuilles vertes des chérins reprirent graduellement leur position initiale.

Elle ouvrit sa gorge pour laisser libre cours à la musique, mais quelque chose se produisit : les notes se multiplièrent malgré elle. C'était comme si elles se répercutaient en écho pour former un vacarme assommant. Les chérins n'apprécièrent guère cette incantation qui, mal formulée, les irritait. Ils replièrent de nouveau leurs feuilles et laissèrent voir leurs dards pointus. Satria ne savait pas quoi faire. Elle devait continuer, mais les notes devenaient de plus en plus assourdissantes. Elle n'avait plus d'emprise sur la mélodie. Deux tiges équipées de dards s'étirèrent dans sa direction. Satria gémit lorsque l'une d'elles lui entoura la cheville et que l'autre encercla sa taille. Elle arrêta net de chanter et toute la magie qu'elle essayait de contenir se déversa en créant une énorme bourrasque de vent sur les chérins qui devinrent fous de rage.

Elle se débattit et essaya de se dégager des deux tiges qui la maintenaient prisonnière. Un dard lui entailla le genou et un grognement de douleur s'échappa de ses lèvres lorsqu'elle sentit un filet de sang couler le long de sa jambe.

Odèle avait ordonné aux élèves de reculer et elle volait maintenant à la hauteur de Satria.

— Tu ne dois pas te débattre ! lui cria-t-elle. Je vais essayer une formule pour les calmer.

Satria s'immobilisa, mais la tige lui serra davantage le ventre. Elle devait agir, sinon elle allait étouffer. Elle entendit Odèle qui tentait d'endormir la plante avec une formule d'apaisement, mais cela n'avait aucun effet. Une autre tige qu'elle n'avait pas vue s'enroula autour d'une de ses ailes et lui arracha un cri de surprise. La douleur brouilla sa vision et elle sentit qu'elle perdait des forces. Elle essaya en vain de la saisir dans son dos, car elle compressait son aile douloureuse. Des points noirs dansaient devant ses yeux. Elle mordit dans la tige verte enroulée autour de sa taille, et aussitôt un goût âcre se répandit dans sa bouche, mais cela fonctionna, la tige se retira.

Elle entendit des cris d'épouvante provenant de ses consœurs et ne put s'empêcher de penser qu'il n'y avait qu'elle pour se placer dans une pareille situation. Elle savait qu'elle devait maintenant agir vite, car les dards qui l'avaient épargnée jusqu'à présent ne tarderaient pas à l'assaillir.

— Satria ! s'écria Odèle. Tu dois rester immobile, j'ai presque réussi mon envoûtement.

Mais Satria jugea qu'elle n'avait pas le temps d'attendre. Elle avait toujours une tige qui lui encerclait la cheville et une autre qui comprimait son aile meurtrie. Elle frappa à l'aveuglette derrière elle. Soudain, sa main rencontra la tige qui serrait son aile et, sans hésiter, elle y enfonça ses ongles. Elle sentit la pression diminuer et la liane se retirer. La plante commençait à perdre de sa vitesse, probablement grâce à l'envoûtement d'Odèle.

Satria en profita pour enlever la plante qui était autour de sa cheville au moment où elle s'affaissait. Les chérins s'écrasèrent lourdement au sol dans un bruit sourd en soulevant un nuage de sable. Odèle cria le nom de Satria pendant que les autres fées reculaient pour se placer à une distance raisonnable de la plante maintenant inerte.

Odèle tenta d'apercevoir Satria à travers le mur de sable, mais elle ne faisait que se cogner sur les épaisses tiges charnues au sol. Elle changea de tactique en survolant les chérins. Elle vit alors un peu plus loin, couché au sol, le corps immobile de son élève.

— Satria !

Odèle se précipita à ses côtés. Satria leva la tête et la regarda avec un air étonné. Elle se releva péniblement sur les coudes et reprit son souffle. Sa tête tournait et sa jambe était engourdie.

La bouche d'Odèle était plissée d'inquiétude.

— Est-ce que ça va ? demanda-t-elle.

Satria ne se souvenait pas d'avoir vu Odèle si soucieuse.

— Oui, je crois…, balbutia-t-elle lentement.

Elle tenta de rester debout, mais ses forces l'abandonnèrent et elle retomba.

— Reste là, ordonna Odèle en posant une main ferme sur son épaule. Je vais faire venir des fées-soignantes afin qu'elles te transportent à l'infirmerie. Ce qui vient de se produire est grave et on doit t'examiner. Il y a un poison dans les dards. Il est faible, mais tu dois tout de même prendre l'antidote.

Elle donna l'ordre à une élève d'aller chercher de l'aide et, lorsqu'elle se retourna vers Satria, elle semblait encore plus anxieuse.

— Tu es très pâle. Cela doit être à cause du poison dans ta jambe.

Elle soupira et enchaîna à contrecœur :

— Amonialta m'a dit que si tu ne réussissais pas cette épreuve, tu n'aurais pas le droit de continuer ton apprentissage magique…, j'ai bien essayé de la convaincre, mais… tu sais, si tu avais continué ton incantation, beaucoup de personnes auraient pu être blessées, car tu ne contrôlais plus du tout ton pouvoir. Tu devrais rencontrer Amonialta avant de revenir dans ma classe, mais je ne crois pas que tu pourras continuer…

Odèle regarda ce qui restait des chérins.

Satria détourna les yeux et vit l'amas de tiges emmêlées qui gisait au sol. Comment cela avait-il pu se produire ? Elle le savait bien pourtant, elle n'avait jamais réussi une incantation convenablement.

— Tout cela dépasse mon entendement… Satria ?

Satria avait senti ses forces la quitter tout au long des propos qu'avait tenus son enseignante. Elle n'était pas certaine d'avoir bien saisi la fin ou du moins, elle ne voulait pas l'entendre. Elle essaya d'articuler quelque chose, mais tout se mit à tournoyer et elle perdit connaissance.

4

La naissance d'une fée-de-feu

Tolyco erra longtemps dans la forêt. Elle n'avait pas envie de retourner au château. Elle ne voulait voir personne.

Elle avait l'impression qu'elle n'allait plus jamais être la même. Tout autour d'elle lui était devenu étranger, comme si sa place ne se trouvait plus ici. Mais c'était pourtant tout ce qu'elle connaissait.

Elle s'appuya contre un gros chêne pour réfléchir aux derniers événements.

Une fée-d'eau passa près d'elle et stoppa net en la dévisageant.

— Tu n'es pas à l'infirmerie ? s'étonna-t-elle.

Tolyco se demanda pourquoi elle lui posait cette question.

— Je vais bien, répondit-elle. Pourquoi irais-je à l'infirmerie ?

— Je ne parlais pas de toi, dit la fée-d'eau. Satria est là-bas et je croyais que tu irais la voir.

— Satria est à l'infirmerie ? s'écria Tolyco, soudainement inquiète. Que lui est-il arrivé ?

— Tu n'es pas au courant ? Elle a perdu connaissance après avoir été atteinte par un poison.

Tolyco n'attendit pas d'avoir davantage d'explications, elle déploya ses ailes, remercia la fée et s'envola.

Elle décida de prendre un raccourci en entrant dans l'infirmerie par une fenêtre ouverte.

— Hé ! On n'a pas le droit de passer par les fenêtres du château ! la réprimanda aussitôt la chef des fées-soignantes. Ce règlement doit être respecté à la lettre afin de s'assurer de la sécurité…

— Violaine, s'il te plaît, coupa Tolyco, où est Satria ? Je viens d'apprendre la nouvelle.

Violaine, qui portait un bracelet en argent représentant une fiole avec un soleil à l'intérieur – le signe des fées-soignantes –, ouvrit ses ailes où de superbes nuances de rose et de lilas s'entrecroisaient. Elle avait un nez aquilin et ses cheveux tirés vers l'arrière étaient attachés en un chignon qui lui donnait un air sévère. Elle regarda Tolyco avec désapprobation et, après un long soupir d'insatisfaction, lui indiqua le lit où reposait Satria.

— Merci, Violaine, dit Tolyco, reconnaissante.

— Ne crois pas que tu peux éviter les règlements parce que ton amie est malade.

— Je ne le referai plus, promit Tolyco. Comment va-t-elle ?

— Ça va aller, elle va s'en remettre, répondit doucement Violaine avant de s'éloigner.

Tolyco s'approcha de Satria qui dormait dans un lit d'un blanc immaculé. Des ouvertures y avaient été aménagées afin que les fées puissent y passer leurs ailes. Satria était couchée sur le dos et ses grandes ailes reposaient sur le sol en captant la lumière du soleil. Tolyco prit sa main et la serra.

Satria s'agita, ouvrit les yeux et regarda autour d'elle avec surprise.

— Comment te sens-tu ? demanda Tolyco.

Satria fronça les sourcils.

— Je me suis battue avec une plante…

— À ce que je vois, elle a gagné, dit Tolyco d'un air moqueur.

Elles se turent et Satria vit une ombre passer dans les yeux de son amie.

— Ça n'a pas été ?

— Non, je crois que j'ai vraiment tout gâché cette fois, murmura Tolyco.

Satria ne posa pas de questions. Elle se doutait que l'épreuve de Tolyco ne s'était pas passée comme elle le désirait et elle la connaissait suffisamment pour savoir que cette dernière ne voudrait pas en discuter maintenant. Mais ça ne la dérangeait pas, Tolyco lui en parlerait en temps et lieu, quand elle serait prête.

Elle jugea cependant qu'elles avaient un besoin urgent de se changer les idées.

Sans prévenir, elle repoussa sa couverture et se redressa dans son lit.

— Si tu veux, on va rencontrer Amonialta, déclara-t-elle.

— Euh, je croyais que tu devais te reposer, hésita Tolyco en fronçant les sourcils.

— On m'a donné de l'essence de prusse. Cette boisson est très forte et je me sens en pleine forme. De toute façon, tu connais Violaine, elle serait prête à me garder un mois pour être absolument certaine que je suis guérie.

— C'est vrai… mais pourquoi irait-on voir Amonialta ?

— Je ne sais pas, répondit Satria en haussant les épaules. Pour qu'elle puisse nous dire quel sera notre avenir ou ce qu'elle attend de nous à présent.

Tolyco resta silencieuse un moment.

— Je suis d'accord pour que l'on sorte d'ici, dit-elle enfin, mais je préférerais ne pas aller rencontrer Amonialta tout de suite. Tu comprends… Je me doute de ce qu'elle va nous dire et je n'ai pas envie de l'entendre pour l'instant.

— Je comprends, assura Satria en se levant. J'ai vu Fabienne au déjeuner et elle m'a dit que les domestiques étaient débordés aujourd'hui, alors, si tu veux, on pourrait aller les aider à préparer la fête de ce soir.

— Bonne idée, approuva Tolyco. Allons-y.

— Reste à savoir comment on pourrait éviter que Violaine nous voie.

— On n'a qu'à sortir par la fenêtre, suggéra simplement Tolyco.

Satria imagina la réaction de Violaine si elle se rendait compte qu'elles avaient violé un de ses sacro-saints règlements. Elle étira la tête jusque dans le corridor et vit qu'il était désert.

— Viens, cria Tolyco qui avait déjà enjambé la balustrade de la fenêtre et qui se préparait à sauter.

— Non. Si quelqu'un nous voyait de l'extérieur, nous serions vraiment dans le pétrin.

Elle risqua de nouveau un œil dans le corridor.

— La voie est libre, passons par le château.

Tolyco abdiqua et elles se faufilèrent dans le corridor.

Le château, qui grouillait habituellement de gens, était désert. Tout le monde devait s'affairer pour la cérémonie qui débuterait dans quelques heures. La naissance d'une fée n'était pas fréquente et était toujours soulignée de façon importante.

— Je me demande quelle fée est née, dit Satria.

— C'est une fée-de-feu, répondit Tolyco.

— Vraiment! Une nouvelle fée-de-feu! Félicitations!

— Merci.

Elles arrivèrent rapidement à la terrasse extérieure qui avait été embellie pour l'occasion. Plusieurs domestiques s'activaient à la décoration qui arborait les couleurs orangées des fées-de-feu. Des tables et des chaises en bois étaient disposées en demi-cercle face à un piédestal en marbre blanc. Des draperies dorées et des torches enflammées ornaient la terrasse.

Satria vit Fabienne qui s'affairait à préparer la fête et alla à sa rencontre.

— Bonjour, Satria! la salua Fabienne lorsqu'elle la vit. Que fais-tu ici?

— Tolyco et moi nous sommes dit que vous auriez peut-être besoin d'un coup de main, alors nous sommes venues vous aider.

— Vraiment! C'est si gentil à vous! s'extasia la domestique en déposant le lourd plateau de nourriture qu'elle transportait. Nous aurions voulu disposer davantage de torches, mais nous avons de la difficulté à atteindre le sommet des draperies, dit-elle. Avec vos ailes, ça serait plus facile si vous vous en occupiez…

— C'est comme si c'était fait! affirma Tolyco en tapant dans ses mains. Où sont ces torches?

Fabienne le leur indiqua avec joie et elles se mirent au travail. Tolyco apprécia cette tâche manuelle et minutieuse qui lui changeait les idées. Elle était reconnaissante envers Satria de ne pas l'avoir bombardée de questions. Une boule solide se formait dans son estomac chaque fois qu'elle repensait à son épreuve et elle n'avait pas envie d'en parler. Lorsqu'elle aurait un peu moins mal, elle dirait tout à Satria. Cette seule pensée la réconfortait un peu: au moins, elle n'était pas seule.

Le soleil commençait à décliner dans le ciel lorsque Satria et Tolyco terminèrent leur travail. Elles retournèrent aux dortoirs pour se préparer. Elles enfilèrent la tenue traditionnelle des fées qui consistait en un corset et une jupe fluide. Des bottes de cuir sans talon et lacées jusqu'aux genoux venaient compléter l'ensemble.

Amonialta tenait à ce que les fées du clan Castel portent des ensembles classiques et identiques. La seule différence entre les habits était la couleur qui variait selon le type de fée. Satria arborait un costume bleu clair tandis que celui de Tolyco était orangé. Amonialta ne voulait pas que ses fées se maquillent ou portent des bijoux. Elles s'attardèrent donc à l'élaboration de leur coiffure.

Tolyco remonta ses longs cheveux rouges et les maintint en place avec des pinces. Son visage ainsi dégagé était mis en valeur par ses yeux noirs comme l'ébène.

Satria laissa ses cheveux bouclés et volumineux encadrer son visage opalin. Ses lèvres rouges et ses grands yeux violets lui conféraient l'allure d'une poupée de porcelaine.

Elles lissèrent leurs ailes avec une huile qui leur donna instantanément un fini brillant, finirent de lacer leurs bottes et retournèrent à la terrasse. Le crépuscule s'était installé, teintant le ciel de rose et de mauve. Les torches enflammées ajoutaient une lueur orangée au paysage. Les invités commençaient à affluer et les conversations allaient bon train. Les fées du clan Castel, vêtues de leurs costumes traditionnels, étaient facilement reconnaissables parmi la foule. Les villageoises, quant à elles, portaient des robes colorées et les sorciers des costumes sombres.

D'autres clans de fées du continent étaient réputés pour organiser de nombreuses fêtes extravagantes, mais Amonialta était de nature plus sobre. Les réceptions données au clan Castel étaient rares et c'est pourquoi les villageois des environs se déplaçaient en grand nombre pour en profiter. Ils se paraient de leurs plus beaux atours et se pavanaient avec assurance.

Un groupe de fées passa près de Satria en riant bruyamment. Elles lançaient des coups d'œil appréciateurs en direction de deux sorciers que Satria reconnut comme étant des nouveaux qui allaient rester quelque temps au clan Castel afin de parfaire leur apprentissage.

Satria ne comprenait pas ce que les fées trouvaient aux sorciers qui venaient dans leur clan. Ils étaient tous chétifs et affichaient un air hautain. De larges cernes creusaient souvent leurs visages, car ils passaient la plupart du temps le nez dans leurs livres et parlaient la bouche pincée en étant convaincus de tout connaître.

Tolyco s'était d'ailleurs fait un plaisir de contredire l'un d'entre eux pendant un repas. Il affirmait que les fées étaient moins talentueuses que les sorciers et que leur pouvoir était trop limité. Tolyco lui avait alors judicieusement fait remarquer qu'il était ici justement pour remplir les lacunes qu'il avait en matière de magie et que c'étaient toujours les clans de fées qui étaient sollicités pour aider les sorciers à s'améliorer.

Le sorcier s'était étranglé dans sa soupe et n'avait plus ajouté un mot. Il était ensuite allé se plaindre à Amonialta, qui avait fait des remontrances à Tolyco.

Satria vit une des fées se faire pousser par ses amies pour aller parler aux sorciers. Cette dernière se mit à pouffer de rire tout en agitant ses ailes nerveusement.

Tolyco s'amusait à détailler les tenues des femmes lorsqu'elle vit Barcélius, le petit sorcier rabougri qu'elle avait renversé un peu plus tôt, qui marchait dans sa direction en discutant avec un autre sorcier. Comme elle n'avait aucune envie de lui parler, elle traîna Satria jusqu'à la table des rafraîchissements. Elles prirent une limonade et se placèrent un peu en retrait pour observer l'agitation de la fête.

Tous les invités étaient maintenant arrivés et les gens discutaient avec entrain en buvant du vin chaud ou de la liqueur de cédrat, qui était très rafraîchissante. Des éclats de rire fusaient de temps en temps en couvrant le chant des criquets du jardin.

Amonialta, la première fée du clan Castel, fit son entrée sous de chauds applaudissements. Elle portait une robe blanche à plusieurs volants et ses cheveux tout aussi blancs étaient retenus par un ruban. Malgré son âge avancé, les invités étaient éblouis par sa prestance et son élégance. Ses ailes étaient si grandes qu'elles s'étalaient sur le sol comme une longue traîne ; elles étaient diaphanes et percées de milliers de petits trous qui captaient la lumière, donnant ainsi une impression de transparence et de délicatesse.

Elle s'avança en saluant discrètement les convives de la main.

Seillax, la chef des fées-guerrières et sa plus proche conseillère, fit signe à Amonialta pour qu'elle la rejoigne. Elle portait le costume traditionnel des fées-guerrières : un corset couleur fauve, un pantalon dans la même teinte qui s'arrêtaient aux genoux et un petit poignard accroché à la ceinture. Ses cheveux étaient coupés court, ce qui mettait son visage – joli, mais sévère – en valeur. Elle discutait avec un sorcier à l'air austère et Amonialta se joignit à eux.

Les domestiques du château arrivèrent avec des plats aux parfums capiteux qu'ils disposèrent sur la table immense qui sillonnait la terrasse. La table du banquet était recouverte de décorations florales dont les couleurs passaient de l'orange pâle au jaune canari, avec de légères touches de rouge. Les mets fins avaient été minutieusement sélectionnés pour que les teintes s'harmonisent avec les couleurs des fées-de-feu. L'effet était magnifique. L'hommage à la nouvelle fée-de-feu était réussi et apprécié des invités, si l'on se fiait à leurs exclamations admiratives.

Satria et Tolyco eurent de la difficulté à choisir tant le nombre de plats abondait. Munies de leurs assiettes bien remplies, elles prirent place à une table aux côtés de villageois et discutèrent poliment avec eux pendant le repas.

Lorsque tous les convives eurent terminé leurs assiettes, Amonialta se leva avec Seillax et elles se placèrent de chaque côté du piédestal en marbre blanc. Les invités se turent graduellement et attendirent, fébriles. Une silhouette encapuchonnée se glissa jusqu'au piédestal en tenant un paquet emmitouflé contre elle. Dans un silence complet, elle le déposa doucement sur la dalle et retira sa cape. C'était l'enseignante de Tolyco et la représentante des fées-de-feu, Kalixte. Elle ouvrit un par un les coins du tissu enveloppant le paquet et révéla la nouvelle fée-de-feu.

Un magnifique bébé aux pommettes rondes et aux cheveux bouclés agitait ses petits poings dans les airs en gazouillant.

Amonialta sourit au bébé avec fierté avant de s'adresser à la foule en ouvrant les bras :

— Bonsoir et bienvenue à vous tous ! Je vous remercie de vous être déplacés en si grand nombre pour célébrer une naissance dans le peuple des fées. J'ai l'honneur et le grand plaisir de vous annoncer que la nouvelle venue est une fée-de-feu.

Des applaudissements jaillirent avec force pour souligner la nouvelle. Amonialta attendit avant de continuer d'une voix forte :

— J'inviterais les fées-de-feu du clan Castel à venir nous rejoindre à l'avant.

Dans un vacarme de chaises raclant le sol, les fées-de-feu se levèrent et allèrent se placer en file derrière

Amonialta. Tolyco hésita avant d'aller rejoindre le groupe, mais Satria la poussa gentiment au creux du dos.

— Tu es une des leurs, Tolyco, vas-y.

Tolyco prit place dans la file et attendit avec les autres.

Amonialta enchaîna :

— Les naissances ne sont pas nombreuses et c'est pourquoi nous devons protéger les petites fées. Elles sont l'espoir de notre royaume. Nous assurons la paix sur le continent, nous collaborons avec les sorciers pour les nouvelles découvertes magiques et nous évoluons toujours plus en matière de sortilèges. Notre rôle est important et nous devons montrer le bon exemple. Je compte sur vous – elle se tourna vers les fées-de-feu – pour accueillir cette nouvelle venue comme votre propre sœur et pour la protéger.

Ces dernières acquiescèrent en silence.

— Le nom du bébé est Treffla, annonça fièrement Amonialta. J'inviterais maintenant les fées-de-feu à accueillir, comme le veut la tradition, leur nouvelle sœur.

Seillax tendit une tige en bois de rose à Amonialta. Cette dernière la saisit et plaça l'extrémité au-dessus d'une torche enflammée. Dès que le bout de bois s'enflamma, Amonialta l'approcha de la petite Treffla et chanta un sortilège de bienvenue, très doucement, comme une comptine. Elle souffla ensuite sur la tige et regarda les volutes de fumée s'élever dans les airs.

Elle invita Kalixte à faire de même. Les autres fées-de-feu passèrent l'une à la suite de l'autre en récitant chacune leur tour l'incantation. Tolyco n'était pas inquiète, le sortilège était trop faible pour dégénérer et elle avait hâte de voir le nouveau-né. En attendant son tour, elle remarqua que les domestiques du château avaient arrêté leur travail pour contempler la cérémonie.

Tous les convives avaient le sourire aux lèvres et semblaient apprécier grandement la comptine qui était reprise par chaque fée.

Satria, qui observait le rituel en souriant, sentit soudainement un courant étrange dans le vent, comme s'il venait de tourner brusquement. Elle jeta des coups d'œil autour d'elle, mais personne ne semblait avoir ressenti cela, pas même les fées-d'air. Elle haussa les épaules et retourna à la cérémonie. C'était le tour de Tolyco.

Cette dernière se plaça devant le piédestal et observa Treffla. Elle était mignonne avec sa bouche en cœur et ses minuscules ailes orange qui dépassaient à peine de ses épaules. Tolyco souhaita silencieusement à la petite fée d'être heureuse dans la vie. Elle prit le bâton et l'approcha des flammes. Comme il prenait feu, une ombre passa brusquement au-dessus d'elle et un coup de vent éteignit la tige.

Étonnée, Tolyco leva les yeux et vit une chose étrange. Elle ne pouvait dire si c'était une fée ou un immense oiseau. Elle ne voyait qu'un enchevêtrement d'ailes et de tissu se débattre contre le vent en essayant visiblement de ne pas s'écraser au sol. Une bourrasque fit tournoyer la masse, qui se mit à dégringoler rapidement vers le bébé-fée.

Sans réfléchir, Tolyco empoigna Treffla. Une seconde plus tard, la chose s'effondra lourdement sur le piédestal.

Satria se leva en ignorant les exclamations de surprise des invités et se dirigea rapidement vers Tolyco. Cette dernière, sous le choc, regardait la petite fée dans ses bras qui avait bien failli se faire écraser par la créature ailée.

Tolyco entendit Satria l'appeler et arriver à ses côtés en courant. Elle vit tout le monde s'agiter autour d'elle. Certains invités avaient peur et d'autres essayaient de s'approcher afin de voir de plus près la cause de cet énervement.

Tolyco regarda plus attentivement l'enchevêtrement de tissu et se rendit compte que la créature en question était un homme. Un homme avec des ailes. Elle sursauta.

C'était impossible, cela n'existait pas…

L'homme ailé laissa échapper un râle douloureux en se tournant et Tolyco vit qu'une de ses ailes saignait abondamment.

Satria avança la main et toucha l'épaule de l'homme, qui sursauta et tourna son visage vers elle. Des yeux pâles la fixèrent avec étonnement. Il essaya de parler, mais un étrange gargouillis et du sang sortirent de sa bouche.

— Ne dites rien, nous allons vous soigner, dit Satria.

L'homme tenta de se relever, mais ses forces semblaient l'abandonner. Il prit une grande inspiration et lâcha dans un souffle :

— Vous êtes… en danger. Vous allez toutes mourir.

Au prix d'un immense effort, il empoigna la main de Satria et ajouta dans un râle :

— Sauvez-vous.

Et il perdit connaissance.

5

La tempête

Tolyco était figée. La petite gigotait dans ses bras pendant qu'elle fixait l'homme inerte.

Un silence pesant s'installa dans l'assistance.

Satria jeta un coup d'œil à Amonialta. Son visage était impassible. Seillax avait posé une main sur son bras pour l'éloigner de l'inconnu.

Subitement, un courant d'air glacé souffla sur la nuque de Tolyco. Elle se tourna vers Satria qui regardait au-dessus d'elle, terrorisée. Tolyco suivit son regard et vit avec effroi le ciel se transformer sous leurs yeux. Un nuage sombre et dense se formait en tournoyant au-dessus de leurs têtes. Il était si vaste, si menaçant, c'était comme si la nuit venait de tomber d'un seul coup.

Le nuage noir comme de l'encre prit de l'expansion, roula dans le ciel et enveloppa les alentours avec une rapidité surprenante. Puis brusquement, le vent s'abattit en une bourrasque assez violente pour déstabiliser les gens, accompagné aussitôt d'un éclair qui zébra le ciel. Le coup de tonnerre qui s'ensuivit provoqua une frayeur générale parmi les invités, qui tentèrent de retourner à l'intérieur du château, mais un autre éclair s'abattit brutalement sur l'entrée de la terrasse. D'énormes blocs de pierre se détachèrent de la façade du château comme au ralenti et s'écrasèrent sur le sol dans un bruit sourd, bloquant l'unique accès. Les gens, affolés, s'enfuirent dans tous les sens pour éviter l'éboulement. Le vent devint si puissant que les fées durent replier leurs ailes dans leur dos pour éviter d'être emportées par une rafale. Satria et Tolyco virent d'autres éclairs fracasser tout ce qui se trouvait sur leur passage.

Amonialta avait commencé à donner des instructions à Seillax, qui s'empressa de diriger les fées-guerrières afin qu'elles aident les invités à se mettre à l'abri. Comme le château n'était plus accessible, plusieurs d'entre eux couraient dans le jardin et vers la forêt. Tolyco glissa le bébé dans le creux de son bras pour le protéger de la pluie qui avait commencé à tomber si fort qu'elle lui pinçait la peau. Satria était toujours à ses côtés, mais les autres fées avaient pris la fuite.

— On doit se mettre à l'abri ! lui cria-t-elle.

Satria regarda l'homme ailé qui était toujours inconscient sur le piédestal. La foudre s'abattit de nouveau sur le château, provoquant un éclat de lumière soudain. La pluie et le vent se mirent à redoubler d'ardeur.

Satria prit sa décision. Elle empoigna l'inconnu et le hissa sur son dos. Dès que Tolyco comprit ce que son amie essayait de faire, elle l'aida en portant une partie du poids de l'homme sur ses épaules.

Elles s'éloignèrent en claudiquant lentement et, quelques instants plus tard, la foudre percuta le piédestal, qui fut réduit en pièces sous l'impact.

Satria essaya de voir quelque chose à travers le rideau de pluie.

— Où allons-nous ? hurla-t-elle à Tolyco.

Tolyco scruta les environs. Elle ne vit personne, pas même Amonialta ou une fée-guerrière. Une source de lumière au loin capta son attention. Des colonnes du château s'étaient affaissées les unes sur les autres, laissant un espace où elles pourraient se glisser en attendant la fin de la tempête.

Elles avaient tellement de difficulté à s'entendre à cause du vacarme que Tolyco se contenta de lui pointer la direction à prendre. Elles devaient longer le château à travers le jardin pour s'y rendre et d'ordinaire, cette courte distance ne leur aurait pas pris plus d'une minute ou deux.

Elles avancèrent difficilement en tentant de ne pas glisser sur la terre gorgée d'eau. Le vent était si fort qu'elles devaient se pencher vers l'avant pour arriver à avancer. L'homme sur leurs épaules était grand et costaud, et Tolyco devait se courber davantage pour protéger Treffla qui pleurait.

Satria se demanda ce que pouvait bien être cette tempête. Elle était trop puissante. Son attention fut détournée lorsqu'elle vit enfin l'endroit où Tolyco voulait qu'elles se rendent. Il lui sembla qu'il était encore bien loin. Elle craignit les éclairs qui faisaient trembler le château et qui risquaient de provoquer des éboulements sur elles à chacune de leurs manifestations. Elle se pencha à l'oreille de Tolyco :

— Pars devant ! Tu dois mettre Treffla en sécurité !

Tolyco secoua la tête.

— Je ne te laisserai pas toute seule !

— Tu reviendras après pour m'aider ! cria Satria. Tu dois mettre le bébé en lieu sûr…

Tolyco sentit le minuscule paquet coincé sous son bras gigoter et des pleurs lui parvinrent. Elle abdiqua.

— D'accord ! Mais je vais revenir ensuite !

Elle aida Satria à hisser l'homme sur ses épaules et elle partit seule à l'avant. Sans la charge sur son dos, il lui était beaucoup plus facile de se déplacer. Après plusieurs minutes, elle avait effectué une bonne partie du chemin et elle était maintenant tout près de l'abri.

La foudre frappa soudainement le château dans un énorme craquement, ce qui provoqua une puissante explosion. Tolyco se tourna juste à temps pour voir de gros blocs de pierre s'effondrer à l'endroit même où se trouvait Satria. Avec effroi, elle vit son amie se faire ensevelir sous les débris en quelques secondes.

— Satria! appela-t-elle de toutes ses forces.

La pluie et la poussière des débris l'empêchaient de voir quoi que ce soit. Elle voulait retourner tout de suite aider Satria – elle ne pouvait concevoir que son amie ne s'en soit pas sortie –, mais elle devait d'abord mettre Treffla en sûreté.

Elle continua d'avancer le plus rapidement possible vers l'abri qui semblait ne jamais se rapprocher. La panique l'envahissait à chacun de ses pas.

Après de longues minutes qui lui parurent interminables, Tolyco arriva enfin. Une rafale la fit tanguer et elle dut s'appuyer sur la colonne de pierre pour ne pas tomber. À sa grande surprise, des mains surgirent de l'ouverture et la tirèrent. Elle descendit quelques marches et constata que la source de lumière provenait d'une torche qui illuminait la pièce. Plusieurs autres personnes avaient aussi trouvé refuge à cet endroit. Elle aperçut des fées, des domestiques et des sorciers qui l'observaient, leurs yeux exprimant tous de la peur.

Sans hésiter, elle tendit le bébé en pleurs à la chef des fées-soignantes, Violaine, qui le cala dans le creux de son bras et l'emmena au fond de la pièce pour le calmer.

Tolyco remarqua alors que leur abri était une vaste salle qui contenait principalement de vieux meubles.

— Quel est cet endroit? demanda-t-elle précipitamment à la ronde.

— Une pièce secrète du château, répondit Cassur, une des fées-guerrières qui se tenait près d'elle. Quand des colonnes sont tombées, elles ont ouvert un espace qui mène ici. Il y a bien un couloir qui conduit au château, mais il est trop dangereux d'y aller pour l'instant, d'autres sections pourraient encore s'écrouler. Les fées-d'eau s'occupent d'empêcher la pluie d'inonder cette pièce.

Elle indiqua d'un geste trois fées aux ailes bleues qui marmonnaient des formules afin de dévier les rigoles d'eau qui entraient dans l'abri.

— Où sont les autres ? s'enquit rapidement Tolyco.

— Nous ne savons pas… certaines personnes ont été vues courant vers le château ou dans les bois… mais nous ne pouvons rien faire pour l'instant.

— Qu'est-ce que cette tempête ? renchérit la jeune fée-de-feu.

La fée-guerrière haussa les épaules, l'air complètement dépassée.

— Nous ne comprenons pas, répondit-elle. Elle ne semble pas naturelle. C'est trop soudain et trop violent. Nous n'avons jamais rien vu de tel.

Tolyco vit des fées acquiescer aux dires de la fée-guerrière. Elles avaient déjà dû en discuter avant son arrivée.

— Je dois y retourner, dit Tolyco en repoussant une mèche de cheveux mouillés qui tombait devant ses yeux.

Son affirmation fit naître une rumeur inquiète dans la salle. Cassur fronça les sourcils et agita ses mains comme si elle voulait effacer les paroles de Tolyco.

— Non, c'est impossible. Je me dois de vous protéger…

— Satria est prise sous les décombres, l'interrompit Tolyco.

Elle l'avait dit avec autorité, mais elle sentit sa voix trembler légèrement.

Le visage décomposé, Cassur se tordit les mains en essayant de trouver quoi dire ou quoi faire.

— On ne peut pas aider les autres. On ne peut rien pour l'instant. Les ordres sont clairs, nous devons rester en sécurité jusqu'à la fin de cette tempête.

Tolyco tourna les talons avec obstination et se dirigea vers la sortie rapidement.

— Tolyco! Je ne te donne pas la permission de repartir! cria Cassur au bord de la panique.

Stupéfaite, Tolyco s'arrêta et dévisagea la fée-guerrière. Un silence glacial s'était abattu dans l'abri. Tous les regards s'étaient tournés vers elles et seuls les pleurs déchirants de la petite Treffla continuaient de résonner.

— Je n'ai pas demandé de permission, murmura Tolyco.

Sur ce, elle grimpa les marches rapidement pour retourner dans la tempête sans un regard derrière elle.

6

Un abri précaire

DANS LE LOINTAIN, Satria entendit comme un vacarme étouffé. Elle ouvrit les yeux, mais la pénombre continuait de l'envelopper. Sa tête et une de ses ailes mal repliée la faisaient souffrir. Elle palpa la roche qui l'entourait et tout lui revint en mémoire : le mur qui s'effondrait sur elle et la manière dont elle avait réussi à zigzaguer pour éviter les roches qui tombaient à une vitesse fulgurante. Elle ne savait pas comment, mais elle s'était logée de justesse dans une mince cavité.

Un gémissement la fit sursauter et elle se cogna la tête. L'étranger qu'elle devina étendu à ses côtés geignait de douleur.

C'était lui qui les avait prévenus de cette catastrophe. Il devait connaître la nature de cette tempête et aussi la façon de l'arrêter.

« Ou peut-être pas », se dit Satria avec dépit. Sinon, il ne nous aurait pas conseillé de nous sauver.

— Sauvez-vous…, marmonna encore l'étranger d'une voix faible.

— Ça, on le sait, mais ça risque d'être un peu compliqué en ce moment, rétorqua Satria.

Elle pensa à Tolyco qui était toujours aux prises avec la tempête et souhaita qu'elle ait réussi à atteindre l'abri.

Il fallait qu'elle trouve un moyen de sortir de là. Son refuge temporaire pouvait s'effondrer n'importe quand. Elle palpa la pierre autour d'elle, mais elle n'y voyait pas grand-chose. Soudain, ses doigts rencontrèrent un filet d'eau. Il y avait une fente qui laissait passer la pluie. Elle appuya ses mains sur les contours du trou et poussa de toutes ses forces, mais rien ne se produisit. Elle envisagea un instant d'utiliser la magie, mais y renonça aussitôt. Il s'était produit suffisamment de catastrophes pour l'instant. Elle changea de tactique et appuya son épaule sur la partie supérieure de la fente, là où la roche semblait fendillée sous ses doigts. Elle poussa et sentit les parois grincer et bouger légèrement. Une pluie de poussière tomba sur sa tête et elle éternua avec force.

Elle n'était pas certaine d'utiliser la meilleure technique, car tout pouvait s'écrouler sur elle si elle déplaçait les mauvaises pierres. Elle continua son inspection en souhaitant trouver une sortie rapidement. Elle pouvait entendre les grondements du tonnerre à l'extérieur. Rien ne semblait calmé.

Lorsque Tolyco se retrouva de nouveau dans la tempête, elle ne vit absolument rien. La noirceur était complète et le vent hurlait de plus belle. Elle partit dans la direction qu'elle croyait être la bonne.

Soudain, la foudre frappa un éboulis de pierres droit devant elle. La lumière momentanée lui permit de voir l'endroit où Satria se trouvait. Elle s'élança sans hésiter vers l'amas de roches fumantes.

Satria commençait à s'accoutumer à la noirceur. Elle avait réussi à trouver une grosse roche qui branlait sans affecter le reste de la structure. Malheureusement, la pierre en question se trouvait du côté de l'inconnu inconscient. Satria essaya de se mouvoir dans l'espace restreint. Elle se retrouva dans une position assise plutôt inconfortable. Elle replia ses ailes derrière son dos pour avoir plus de liberté de mouvement. L'homme était couché sur le dos devant elle et la roche qui pouvait servir de porte de sortie était de l'autre côté de son corps.

Elle ramena ses genoux vers elle et s'apprêtait à pousser le bloc quand un éclair frappa violemment son abri. Des fragments de roches tombèrent sur elle et toute la structure trembla. Elle resta immobile le temps de la secousse. Lorsque les dernières vibrations s'estompèrent, elle ne perdit pas une seconde et commença à frapper à un rythme régulier et de toutes ses forces le bloc massif. Elle fut vite étourdie tant par ses efforts que par le manque d'air.

« C'est impossible, cette chose est beaucoup trop lourde. Elle n'a même pas bougé », songea-t-elle.

Un autre éclair ébranla la grotte et cette fois-ci, des roches beaucoup plus grosses se détachèrent du plafond. Une pierre lui entailla l'épaule et une autre tomba entre le mur et son dos, ce qui l'obligea à se recroqueviller davantage. Elle redoubla d'ardeur pendant que le plafond continuait de trembler au-dessus d'elle.

Tolyco arriva devant les roches empilées les unes sur les autres et s'empêcha de penser à Satria écrasée sous cette montagne. Elle fit le tour en essayant de la trouver. Elle revint vite à son point de départ sans avoir perçu aucun signe d'elle. Elle dut se résigner à accepter que son amie se trouvât sous les décombres. Sans attendre, elle commença à pousser et à dégager les débris.

Dans l'abri, l'homme ailé entrouvrit les yeux. Il ne comprenait pas où il était. Il resta immobile et laissa les brumes de son cerveau se dissiper.

Ses yeux distinguèrent une fille près de lui, placée dans une position impossible, en train de taper sur quelque chose qui se trouvait derrière lui. Elle semblait très affaiblie, mais elle cognait avec constance et énergie. Il dégagea son bras et saisit la jambe de la fille dans son élan. Elle sursauta avec force et faillit l'assommer. Elle avait presque oublié la présence de l'homme tant elle était concentrée sur sa tâche.

— Je peux savoir ce que tu essayes de faire ? demanda-t-il.

Sa voix était encore rauque, mais ce n'était plus un râle.

— Il faut sortir d'ici, répondit-elle. Cette roche est assez grosse pour que l'on se glisse à l'extérieur si je réussis à la bouger.

— La tempête est arrivée, devina-t-il.

— Oui, quelques secondes après toi.

— On est à l'abri ici, pourquoi cherches-tu à sortir…

Sa voix se perdit quand la structure trembla encore et que de petits cailloux se détachèrent du plafond. Ils attendirent en silence que la secousse cesse. Satria se rendit compte qu'elle avait retenu son souffle. Elle prit une grande inspiration et regarda l'homme devant elle.

— Je vois, se contenta-t-il de répondre.

Il se tourna sur le côté et poussa la pierre avec force, mais rien ne se produisit. Il s'arrêta et Satria le vit inspecter la structure avec minutie.

— Elle est coincée dans le sol, déclara-t-il après un moment. Il faudrait creuser et tirer la pierre de notre côté en espérant qu'elle ne soit pas enfoncée trop profondément.

Il commença à creuser avec ses mains la terre lourde et boueuse. Satria lui fit signe de lui laisser de la place et, à force de contorsions, ils arrivèrent à avoir chacun un espace pour creuser. Ils travaillèrent en silence, concentrés sur leur tâche. De la poussière et des cailloux continuaient de tomber sur eux comme une menace incessante.

Tolyco creusait pour retirer des pierres. Tandis qu'elle libérait le bas, des roches du haut se détachaient du monticule. Elle devait donc se retirer précipitamment pour les éviter, mais au moins, les morceaux trop lourds pour elle se dégageaient tout seuls. Elle saisit un gros bloc de pierre dans ses mains et tira de toutes ses forces. Étrangement, elle eut l'impression qu'on tirait aussi de l'autre côté. Elle lâcha la pierre et, à sa grande surprise, celle-ci s'enfonça à l'intérieur du monticule.

Elle s'approcha et sursauta lorsqu'elle vit une paire d'yeux la fixer dans le noir.

L'homme ailé se tenait dans l'ouverture. Il se dégagea avec agilité et se tourna pour aider une autre silhouette à sortir. Tolyco vit un reflet bleu à travers le rideau de pluie et faillit perdre connaissance. Satria était en train de s'extirper de l'amas de rochers. Au grand soulagement de Tolyco, elle semblait indemne.

Satria aperçut son amie et se jeta dans ses bras.

— Tu n'as rien ? lui demanda Tolyco.

— Je vais bien. Où est Treffla ?

— Dans l'abri, avec les autres. Allons-y.

Elles avancèrent en direction du refuge et l'inconnu les suivit. Satria remarqua que ses ailes saignaient et qu'il semblait exténué. Par contre, il était éveillé et elles n'avaient plus besoin de le porter, ce qui faisait une grande différence. Ils progressèrent silencieusement et avec lenteur dans la tempête.

Lorsqu'ils furent presque arrivés à destination, un nouvel éclair toucha la terrasse et Satria vit une silhouette au loin, étendue sur le sol. Elle s'arrêta subitement et essaya de repérer ce qu'elle avait vu, mais l'éclat de la foudre était imprimé sur sa rétine et elle ne distinguait plus rien.

L'homme ailé s'arrêta à son tour et scruta l'endroit que Satria fixait.

—Je crois qu'il y a quelqu'un là-bas, dit-elle en pointant l'endroit où elle avait décelé une forme.

—J'y vais, dit-il sans hésitation. Mettez-vous à l'abri.

—Mais…

Elle n'eut pas le temps d'en rajouter davantage, il était déjà parti vers la terrasse.

Tolyco lui prit le bras pour qu'elles continuent d'avancer. Lorsqu'elles furent à quelques pas de l'abri, des fées leur tendirent la main pour les aider à entrer dans le refuge. Satria remarqua tout de suite que seulement la moitié des invités étaient présents. Les blessés étaient étendus sur le sol et les quelques fées-soignantes présentes leur prodiguaient les soins de base. Les fées-d'eau s'occupaient toujours de repousser l'eau qui s'infiltrait dans le refuge. Les autres étaient assis et attendaient que la tempête cesse. Trois fées-guerrières s'étaient regroupées à l'avant et discutaient des mesures à prendre.

Satria se dirigea vers elles.

—Vous devez aider l'homme qui est resté dehors. Il est allé chercher des gens qui sont pris dans la tempête, dit-elle.

—C'est trop dangereux, répondit l'une d'entre elles. Les autres fées-guerrières sont sorties pour aider les gens, mais aucune n'est encore revenue. Nous avons reçu l'ordre de rester à l'intérieur et d'empêcher quiconque de sortir jusqu'à ce que cela se calme.

—Mais il y a des gens qui sont piégés par cette tempête! s'insurgea Tolyco avec colère. Nous devons les aider!

—Nous ne pouvons rien pour eux. Nous devons attendre patiemment et avec calme, répéta la fée-guerrière sur un ton résigné. Ce sont les ordres.

Tolyco fut tellement déconcertée et choquée par sa réponse qu'elle resta là, sans réagir. Voyant que son amie devenait de plus en plus rouge, Satria jugea préférable de s'interposer.

— Nous attendrons, merci, dit-elle en entraînant Tolyco avec elle.

— Qu'est-ce qui te prend enfin ? s'insurgea la fée-de-feu dès qu'elles se furent éloignées.

— Ça suffit ! Tu sais bien que l'on doit obéir aux ordres et qu'on ne doit pas les discuter. Par contre, on peut se rendre utiles à autre chose.

— Comme quoi ? demanda Tolyco, mécontente.

Satria réfléchit en regardant autour d'elle. Elle aperçut avec soulagement Fabienne et sa fille, Gabrielle, assises au milieu d'un groupe de domestiques du château. Il faisait froid dans la pièce et tous les gens étaient trempés. Satria elle-même était parcourue de frissons. Elle jeta un coup d'œil à Tolyco qui ne semblait pas indisposée par la température. Les fées-de-feu n'avaient jamais froid.

— Tu dois réchauffer les enfants, décida Satria. Prends-les dans tes bras et transmets-leur ta chaleur.

— Juste les enfants ?

— Oui, ce sont eux qui risquent le plus de tomber malades. Et comme nous aurons probablement beaucoup de blessés lorsque la tempête sera terminée, ça pourra éviter d'avoir d'autres malades à soigner.

— Et toi ?

— Il y a de vieux meubles au fond de la pièce qui sont tombés sous le poids des colonnes. Je vais voir s'ils contiennent des couvertures ou des vêtements secs qui pourraient être distribués. Sinon, on pourra toujours se servir des panneaux de bois pour fabriquer des civières de fortune.

— D'accord.

Elles se séparèrent et Satria se dirigea au fond de la pièce. Elle commença à ouvrir les portes des grosses armoires. Elle y trouva tout un assortiment de nappes et de tabliers, un ensemble de vaisselle en porcelaine ébréchée, un nécessaire à couture, des pots de fleurs, des herbes séchées, des brosses, des serpillières et un buste de statue représentant un sorcier.

Satria distribua aux gens les nappes et les tabliers qui pouvaient temporairement servir de couvertures. Elle fit envoyer aux fées-soignantes les aiguilles et le fil ainsi que les herbes séchées. Dès que tout fut réparti, elle commença à démanteler les armoires pour obtenir des panneaux de bois. Les fées-soignantes pourraient ensuite les utiliser en guise d'attelles ou de brancards. Plusieurs personnes vinrent l'aider. Cela leur permettait de pouvoir s'occuper et de penser à autre chose malgré le tonnerre qui ne cessait de gronder au-dessus de leur tête.

Satria jeta un coup d'œil à Tolyco et vit qu'elle avait rassemblé tous les enfants en cercle autour d'elle. Ils étaient serrés les uns contre les autres et elle passait ses mains sur leurs visages ou les serrait dans ses bras chacun leur tour tout en leur racontant des histoires pour les rassurer.

Les fées-guerrières virent ce que faisait Tolyco et elles ordonnèrent aux autres fées-de-feu de faire la même chose avec les adultes. Plusieurs groupes se formèrent donc pour que les fées-de-feu puissent réchauffer les gens.

Satria tourna la tête et vit l'homme ailé entrer avec une fée inconsciente dans les bras. Il était couvert de sang et semblait épuisé, mais il avait une démarche assurée lorsqu'il se dirigea vers une fée-soignante. Il écouta ses instructions et déposa doucement la fée sur le sol. Soulagé, il se releva et ses yeux firent rapidement le tour de la pièce. Il croisa le regard de Satria et un imperceptible sourire souleva ses lèvres.

Aussitôt, une fée-guerrière se plaça devant lui et le menaça avec son arme : une longue lance en bois avec une pointe en fer ornée du symbole des fées-guerrières, un triangle avec un œil en son centre.

L'étranger sembla peu impressionné et lança un regard dubitatif à la fée qui le tenait en joue.

— Nomme-toi et invoque la raison de ta présence ici, tonna-t-elle d'une voix forte qui fit taire les conversations autour d'eux.

Comme il ne répondait pas, elle le piqua légèrement avec sa lance en répétant sa question.

Dès que la pointe de la lance le toucha, il l'arracha des mains de la fée et la projeta plus loin. Aussitôt, les autres fées-guerrières se précipitèrent pour entourer l'homme et le tenir en joue.

— Je suis venu pour vous avertir du danger, mais je suis arrivé trop tard, dit-il d'une voix grave qui résonna contre les parois de l'abri.

— Tout ce que nous savons, riposta la fée, furieuse, c'est que vous semblez avoir apporté cette tempête avec vous. Nous ignorons qui vous êtes et aussi à quelle espèce magique vous appartenez.

— Vous ne comprenez pas, dit-il calmement. La tempête va empirer. Elle détruit absolument tout sur son passage et votre abri ne pourra plus tenir bien longtemps.

Comme pour confirmer ses dires, le plafond trembla violemment sous l'impact de la foudre.

— Il faut évacuer et se rendre dans un lieu plus sûr… le château doit avoir des passages souterrains, d'autres pièces secrètes conçues pour protéger des attaques ennemies. Il faut s'y rendre sur-le-champ.

Il se tourna vers l'entrée :

— Je m'appelle Léo. Je viens du royaume des sorciers d'Ostandos.

— Baissez vos armes !

Toutes les fées sursautèrent en entendant la voix autoritaire d'Amonialta. Elle se tenait à l'entrée de l'abri, trempée, mais toujours aussi distinguée. Satria remarqua que l'étranger ne s'était pas adressé aux fées-guerrières, mais à Amonialta.

La chef du clan Castel se dirigea vers lui et le scruta avec attention.

— Quel sorcier vous envoie ? demanda-t-elle.

— Merloch Oustos, le dynaste des charmes de la congrégation des sorciers d'Ostandos.

Léo sembla hésiter un instant, puis il ajouta :

— C'est mon père.

Ces derniers mots avaient été soufflés comme s'il regrettait de les avoir prononcés.

— Vous a-t-il donné un sortilège pour arrêter cette tempête ?

— Oui. Les sorciers ont écrit une partition pour vous, mais elle est compliquée et nous ne sommes pas certains qu'elle pourra tout calmer.

Amonialta resta silencieuse un instant, puis hocha la tête avec vigueur.

— Tant pis, nous devons essayer. C'est devenu incontrôlable en si peu de temps. Montrez-moi la formule.

Léo sortit un paquet de feuillets froissés de sa chemise et les remit à Amonialta.

— Il faut cinq fées pour l'exécuter, marmonna Amonialta en parcourant rapidement les partitions musicales.

Elle releva la tête avant de déclarer d'une voix forte :

— Je veux toutes les enseignantes présentes avec moi immédiatement. Vous devrez apprendre cette formule rapidement. Nous allons l'appliquer dans quelques minutes.

Elle distribua les feuillets aux fées qui se rassemblèrent. Il y avait Odèle et Kalixte, les enseignantes de Satria et Tolyco, ainsi qu'Alice, la représentante des fées-de-terre, et Mirago, la représentante des fées-virtuoses.

Amonialta commençait elle aussi à apprendre la partition lorsque Léo la retint.

— Nous devons évacuer, insista-t-il.

Celle-ci réfléchit un instant puis refusa :

— Nous n'avons pas le temps, mais Alice pourra effectuer un renforcement du plafond avec les autres fées-de-terre. Elles connaissent les formules adéquates.

Alice, qui se trouvait près d'elle, hocha la tête avec vigueur et donna ses ordres aux fées-de-terre qui s'étaient regroupées dans un coin de la salle.

Amonialta s'apprêtait déjà à retourner à l'extérieur quand Tolyco s'avança vers elle en rassemblant son courage :

— Amonialta… il manque encore la moitié des gens qui sont pris dans la tempête. Il faut les amener ici, en sécurité.

Amonialta posa un regard grave sur elle.

— Si quelqu'un sort, il pourrait y laisser sa vie. Nous ne pouvons pas risquer cela.

— Mais…

— Ça suffit ! lui intima Amonialta au moment même où la foudre frappait de nouveau.

Elle observa la foule, devenue silencieuse et apeurée, et tourna des yeux sombres vers Tolyco.

— Je suis consciente qu'il y a des gens prisonniers de la tempête. C'est le peuple dont je suis responsable qui est au-dehors, l'aurais-tu oublié ? Si nous envoyons des fées, elles se perdront elles aussi et je refuse de les mettre en danger.

Sans un mot de plus, elle se détourna et fondit vers la sortie avec les enseignantes qui la suivirent d'un air concentré.

Dès qu'elles furent hors de la salle, un bourdonnement effréné reprit alors que les fées-d'eau continuaient de s'activer et que les fées-de-terre s'occupaient de renforcer le plafond. Tolyco rejoignit les enfants – non sans avoir jeté un regard buté en direction de l'extérieur – et Satria retourna à ses penderies qui étaient presque toutes démontées. Pendant les minutes qui suivirent, Satria essaya de ne pas penser aux gens prisonniers de la tempête. Elle était d'accord avec Tolyco : si des personnes se portaient volontaires pour aller aider les gens, alors elles devraient avoir l'autorisation d'y aller. Mais les lois du clan Castel étaient très strictes et les fées n'avaient pas le droit de désobéir.

Satria était en train de fabriquer une civière lorsqu'elle remarqua un changement autour d'elle. Elle leva la tête et essaya de percevoir d'où venait cette impression. Ce fut en regardant à l'entrée du refuge qu'elle comprit.

Le vent avait changé, il était moins puissant. Elle se dirigea vers le seuil de l'abri.

La tempête était moins forte. Satria pouvait toujours voir les nuages noirs cracher des éclairs, mais ils étaient moins fréquents et la pluie ne tombait plus comme un rideau.

Amonialta et les enseignantes étaient placées en cercle plus loin et récitaient une incantation qui élevait une source d'énergie bleue vers le ciel.

Satria se tourna pour chercher Tolyco du regard. Elle la vit en train de discuter avec une fée-soignante aux côtés de Léo. Il avait bu une infusion de malériane qui allait guérir ses blessures plus rapidement, mais qui causait une forte somnolence. Étendu sur le dos, il gardait néanmoins les yeux ouverts et observait en silence tout ce qui se passait. Satria s'étonna qu'il fût encore éveillé malgré le puissant élixir qu'on lui avait donné. Elle attira le regard de Tolyco et lui fit signe de venir. Son amie fut là en un instant.

— Qu'y a-t-il ? demanda Tolyco en arrivant près d'elle.

Elle avait une entaille au-dessus du sourcil, ses longs cheveux rouges étaient en bataille et elle avait plusieurs ecchymoses aux bras et aux jambes, tout comme Satria.

— Je crois que ça se calme à l'extérieur. L'incantation semble fonctionner.

En effet, l'orage était terminé et la pluie diminuait en intensité. Tolyco pouvait maintenant distinguer clairement Amonialta et les enseignantes qui diffusaient leur énergie bleue partout dans le ciel.

— On devrait aller voir dans la forêt s'il y a des gens qui s'y sont réfugiés, proposa aussitôt Tolyco.

— Je ne sais pas, hésita Satria. Amonialta a dit…

— Amonialta a interdit que nous allions dans la tempête, l'interrompit Tolyco. Or, il n'y a plus de tempête.

— Mmm, dit Satria, peu convaincue. Devrions-nous avertir les autres ?

Tolyco hésita un instant.

— Non, elles vont vouloir organiser des troupes et cela peut prendre beaucoup de temps. Allons-y d'abord et nous reviendrons chercher de l'aide si nous en avons besoin.

— Bon, d'accord.

Elles quittèrent discrètement l'abri sans s'apercevoir que Léo les suivait des yeux.

À l'extérieur, le temps s'était considérablement amélioré ; seuls quelques nuages gris restaient encore visibles. Les enseignantes avaient terminé leur sortilège et s'étaient rassemblées autour d'Amonialta pour discuter à voix basse.

Satria et Tolyco n'eurent aucun mal à s'éclipser dans la forêt en sillonnant entre les nombreux débris qui jonchaient le sol.

Tout était détruit. Beaucoup d'arbres étaient déracinés et le château était éventré. Brusquement, Satria s'arrêta et Tolyco faillit la heurter.

— Quoi ? Qu'est-ce qu'il y a ? demanda-t-elle.

— Je crois que j'ai entendu quelque chose.

Sans hésiter, elle partit dans la forêt en volant à toute vitesse, suivie de Tolyco qui la talonnait. Elles arrivèrent à un chêne qui s'était écrasé sur le sol. Tolyco entendit une fée appelant faiblement à l'aide. Sa jambe s'était coincée sous le tronc.

— Il faut soulever l'arbre et le pousser dans le fossé, dit Satria après avoir rapidement évalué la situation.

— Ça ne sera pas long, nous allons te sortir de là, dit Tolyco à Delphie, la fée-d'air qui était coincée. Tiens le coup.

Delphie hocha péniblement la tête.

— D'accord... merci.

Elles prirent chacune un côté du chêne et le soulevèrent avec difficulté. Il était lourd et la pluie avait rendu son écorce glissante. Satria allait l'échapper lorsqu'elle sentit une poigne d'acier soulever le tronc avec force. Elle faillit tout lâcher lorsqu'elle vit Léo à côté d'elle qui manipulait l'arbre avec une aisance toute naturelle. Elle se remit de sa surprise et ils travaillèrent en silence afin de déplacer rapidement l'arbre dans le fossé. Dès que cela fut fait, Léo s'occupa de recueillir Delphie. Il la prit dans ses bras avant de s'adresser à Satria et Tolyco :

— Je vais aller la porter. Vous deux, continuez à chercher les autres et je vais revenir vous aider.

Ils travaillèrent ainsi jusqu'à épuisement, plusieurs personnes étant restées coincées sous les débris. Léo parlait peu et ses mouvements étaient efficaces et précis. D'autres fées prirent le relais et Amonialta insista pour que Satria, Tolyco et Léo aillent se reposer. Les deux fées prirent le chemin du château et Léo, qui semblait sur le point de flancher, fut interpellé par Seillax.

— Toi ! Suis-nous. Nous devons t'interroger.

— Il peine à se tenir debout, protesta Satria. Laissez-le se reposer un peu.

La fée-guerrière, qui n'avait visiblement pas l'habitude qu'on lui réponde, jeta un regard contrarié à Satria avant de rétorquer :

— C'est gentil à vous de vous soucier de sa santé, mais jusqu'à nouvel ordre, cet homme est notre prisonnier et nous allons l'interroger immédiatement.

Satria et Tolyco restèrent stupéfaites. Il n'y avait que Léo qui n'eut pas de réaction. En fait, cela ne l'étonnait pas que les fées veuillent l'interroger rapidement. Les sorciers d'Ostandos l'avaient prévenu qu'il serait probablement questionné sur la tempête, et cela, avec ou sans son consentement.

Amonialta arriva soudainement derrière Léo et posa une main sur son épaule avant de prendre la parole.

— Nous devons interroger cet homme afin de mieux nous préparer si la tempête devait se reproduire, dit-elle à l'intention de Satria et Tolyco. Allez vous reposer. Nous amènerons Léo à l'infirmerie dans peu de temps.

Tolyco hocha la tête et prit la direction du château avec Satria.

Léo fut ramené dans l'abri de fortune qui était maintenant presque désert, les blessés ayant été transférés à l'infirmerie. Amonialta se rendit jusqu'au fond et ouvrit une porte dissimulée dans le mur. Léo la suivit dans un corridor qui s'enfonçait dans les profondeurs du château. Elle pénétra finalement dans une salle qui ressemblait davantage à un cachot. L'humidité suintait des murs et une unique lanterne à la lumière crue était déposée sur une petite table. Amonialta le fit asseoir sur une chaise, puis elle revint avec la même fée-guerrière au regard froid qui l'avait apostrophé plus tôt.

— Léo, je te présente Seillax, la chef des fées-guerrières. Ce sera elle qui te posera des questions. Je tiens pour acquis que tu feras tout pour nous aider et que nous pouvons donc compter sur ta franchise.

Léo acquiesça.

— Très bien. Seillax, je te laisse avec lui. Fais-moi signe lorsque tu auras terminé.

Seillax attendit qu'Amonialta s'éloigne avant de s'asseoir face à Léo. Elle commença sans attendre.

— Quel est votre nom ? interrogea-t-elle avec calme.

— Léomire Roorke Avery Oustos, répondit Léo en se calant dans sa chaise.

— Qui vous a envoyé nous prévenir de cette tempête ?

— Le dynaste des charmes de la congrégation des sorciers d'Ostandos.

— Ce sorcier est votre père ?

— Oui.

— Et quel est son nom ?

— Merloch Roorke Oustos.

— Et qui est votre mère ?

Léo fixa Seillax sans broncher.

— Répondez à la question, ordonna-t-elle.

— Je n'en vois pas l'intérêt.

Seillax réfléchit, puis se dit que ce n'était pas important pour l'instant.

— Comment saviez-vous que cette tempête allait arriver ?

— Elle est passée sur notre territoire également.

Léo ne put s'empêcher de grimacer en repensant à cet événement.

— Vous avez subi beaucoup de pertes ? demanda-t-elle.

— Aucun mort heureusement, mais beaucoup de blessés et la plupart des bâtiments ont été détruits.

— Quand cela s'est-il passé ?

— Il y a plus de trente jours.

— Et vous ne nous avertissez que maintenant ! s'écria Seillax.

— Nous avons affronté cette tempête plus long-temps que vous, dit-il en passant une main dans ses cheveux qui restèrent hérissés sur sa tête. Et même si elle perdait graduellement de la force, nous avons dû mettre au point la formule pour l'arrêter. Lorsque nous avons finalement réussi à l'enrayer, nous avons remar-qué que le noyau restait présent et qu'il se déplaçait.

— Le noyau ?

— De petites particules de lumière et de magie dans l'air. Nous croyons que c'est ce qui a déclenché la tempête. D'ailleurs, il doit y en avoir encore ici. C'est en constatant que ces particules se déplaçaient que je me suis porté volontaire pour prévenir votre clan.

— Mais vous n'êtes pas arrivé à temps, lui reprocha Seillax.

Léo lui jeta un regard noir avant d'expliquer :

— Plus ces particules se déplaçaient vers votre terri-toire et plus elles prenaient de la vitesse. Ces trois der-niers jours, je ne me suis jamais arrêté et j'ai dû me sustenter en vol afin de ne pas perdre le noyau de vue.

Seillax resta songeuse avant d'ajouter :

— Comment saviez-vous que cette... chose se diri-geait vers nous ? Elle aurait pu changer de trajectoire en chemin ou tout simplement disparaître.

— Vous savez de quelle sorte de tempête il s'agit, n'est-ce pas ? demanda Léo à mi-voix.

Seillax resta silencieuse, mais il vit dans ses yeux qu'elle avait compris. Il enchaîna :

— Cette tempête n'est pas naturelle. Elle est composée en partie de magie noire. Les particules magiques sont restées en suspens pendant quelques heures au-dessus de nous. Elles changeaient constamment de direction. Puis, elles sont parties rapidement vers votre clan. Nous ne pouvions être absolument certains qu'elle vous visait, mais nous avons préféré ne pas courir de risques. Les sorciers ont écrit une formule adaptée à votre magie et ils m'ont envoyé afin que je vous la transmette.

— Mais vous croyez que la tempête n'est pas complètement disparue ? demanda Seillax.

Léo haussa les épaules, geste qu'il regretta, car la douleur lui vrilla les ailes.

— Je n'en sais rien. Vous devriez demander aux fées-d'air de faire les vérifications qui s'imposent. Elles pourront trouver des particules s'il en reste, mais...

— Mais quoi ?

— Mais vous savez comme moi que peu importe ce que vous trouverez, cette tempête reviendra. Et la prochaine fois, rien ne pourra l'arrêter.

Seillax l'observa longuement.

— Ça suffira pour l'instant, déclara-t-elle.

Elle fit un signe aux fées-guerrières qui étaient restées postées près de la porte tout au long de l'interrogatoire.

— Amenez-le à l'infirmerie. Veillez à ce qu'il reçoive des soins.

Elle se leva et, sans un regard pour le prisonnier, se dirigea vers la sortie.

Léo se fit escorter jusqu'à l'infirmerie pour y être soigné, mais il était tellement fatigué qu'il s'endormit pendant que l'on recousait ses plaies. La dernière chose qu'il vit avant de sombrer dans le sommeil fut les deux gardiennes qui surveillaient sa porte.

7

Les cicatrices

L E DORTOIR était plongé dans la pénombre, mais Satria ne dormait pas. Elle s'était assoupie une heure ou deux, pour se réveiller en sursaut parce qu'elle rêvait que le château s'effondrait sur elle.

Elle était couchée sur le sol, près de Tolyco. Les invités étaient exténués et on leur avait laissé les lits du dortoir. Les dionées, les plantes dans lesquelles les fées dormaient habituellement, avaient été très abîmées par la tempête. Les fées du clan Castel s'étaient donc installées dans les allées du dortoir, sur des matelas et des piles de couvertures.

L'air était chaud et des bruits de respiration lente et de raclements de gorge parvenaient aux oreilles de Satria qui n'avait plus sommeil. Elle se leva et sortit sur la pointe des pieds.

Avant de s'endormir, elle avait dit à Tolyco que lorsqu'elle se réveillerait, elle irait aider à l'infirmerie. C'est donc là qu'elle se rendit.

Il faisait encore sombre, mais la nuit achevait. Il n'y avait plus aucune trace de nuages et l'éclat de la lune éclairait doucement les corridors. La tempête n'avait sévi que pendant un court laps de temps, mais aux yeux de tous, elle avait paru durer une éternité.

Satria arriva à l'infirmerie, bondée, mais calme et silencieuse. Elle vit Violaine qui préparait des onguents et alla à sa rencontre.

— Ah! Satria, dit celle-ci à mi-voix en repoussant une mèche de ses cheveux qui était couverte d'onguent. Je me demandais où tu étais passée.

— Euh…

Satria se souvint brusquement qu'elle était partie sans avertir Violaine dans l'après-midi. Son départ en douce de l'infirmerie avec Tolyco lui semblait bien loin.

Devant son embarras, Violaine balaya l'air de la main.

— Ce n'est pas grave. Mais toi, comment vas-tu? Tu n'es pas blessée?

Elle détailla Satria de la tête aux pieds en fronçant les sourcils.

— Non, ne t'inquiète pas. Je suis venue pour vous aider.

— Tu ne seras pas de trop, la remercia Violaine en soupirant. Plusieurs fées-soignantes tombaient de fatigue et j'ai dû les envoyer se reposer.

— Comment cela se passe-t-il ici? s'enquit Satria en jetant un œil à la ronde.

— Pas trop mal. Plus personne ne manque à l'appel… et il n'y a aucun mort. La plupart des personnes s'étaient cachées dans la forêt. Il y a beaucoup d'ecchymoses légères et des gens en état de choc que nous avons installés dans la bibliothèque. Ceux qui sont grièvement blessés sont ici. Beaucoup de fées ont des blessures aux ailes. Elles sont donc très affaiblies et ont besoin de calme. Si tu pouvais passer les voir et appliquer cet onguent sur leurs ailes, ça m'aiderait beaucoup.

— D'accord.

Violaine lui donna la fiole qui contenait la pommade et se rendit au chevet d'un sorcier qui avait une entaille à la jambe.

Satria fit le tour des lits et appliqua doucement la décoction qui apaisait et accélérait la guérison des blessures aux ailes. Certaines fées étaient assoupies et Satria travaillait avec délicatesse pour ne pas les réveiller. D'autres pleuraient et Satria leur chuchotait des paroles douces pour les rassurer.

Bientôt, le soleil se lèverait et les activités reprendraient, mais pour l'heure, tout était calme. On n'entendait que les murmures des fées-soignantes et un bruissement d'étoffes lorsqu'elles se déplaçaient. Elles avaient éteint les bougies, la lumière de la lune étant suffisante pour baigner la pièce d'un doux halo. Satria arriva à un lit qui était entouré de rideaux blancs. Elle les entrouvrit légèrement et vit Léo, l'homme ailé, qui dormait sur le dos. Au contraire des autres fées qui laissaient leurs ailes pendre mollement lorsqu'elles dormaient, les siennes étaient tendues et raides. Satria se demanda quel genre de vie il pouvait mener pour dormir de la sorte, toujours sur ses gardes.

Elle s'approcha doucement et posa une main sur son épaule. Il sursauta violemment et se jeta en bas du lit, adoptant une position de défense malgré ses ailes blessées qui devaient le faire souffrir. Satria resta immobile en attendant qu'il reprenne ses sens.

Léo dut faire un effort pour se souvenir du lieu où il était. Lorsqu'il remarqua la fée qui se tenait devant lui, tout lui revint en mémoire. Il se rappela avoir vu ces mêmes yeux violets lorsqu'il était tombé sur le piédestal et quand il s'était retrouvé enseveli sous les rochers.

Satria avait noué ses cheveux en un chignon lâche et plusieurs mèches qui s'en étaient échappées encadraient son visage doux et ses grands yeux curieux.

Elle lui montra la petite fiole qu'elle tenait.

—Je veux seulement appliquer cet onguent sur tes ailes, dit-elle à mi-voix.

Il se rendit compte qu'il l'effrayait et il retourna s'asseoir sur le lit.

— Nous n'avons pas eu l'occasion de nous présenter... je m'appelle Léo.

Il lui tendit une main qu'elle serra.

— Satria, dit-elle en retrouvant son sourire.

Après une petite hésitation, elle s'installa derrière lui et déposa un peu de pommade sur un linge propre qu'elle appliqua sur ses ailes massives.

Il était plus jeune qu'elle ne l'avait cru. Dans la tempête, elle ne s'était pas attardée à ses traits, mais lorsqu'il avait bondi du lit, elle avait pu voir qu'il n'était pas beaucoup plus vieux qu'elle. Il avait des yeux bleu ciel. Ses cheveux lisses étaient châtains avec des reflets dorés.

Ses ailes ne ressemblaient pas à celles des fées. Elles étaient épaisses comme du cuir et plus larges, dans les tons de terre avec quelques touches de vert foncé. Pendant qu'elle appliquait l'onguent, elle remarqua trois longues cicatrices qui traversaient son aile droite. Elle regarda plus attentivement et vit que les mêmes cicatrices ornaient aussi son dos, comme si l'arme qui avait causé cela avait traversé le cuir épais des ailes jusqu'à la peau. Elle passa le bout de son doigt sur la ligne de chair tailladée.

— Ça ne fait pas mal, confia Léo après que Satria eut suivi le contour des trois cicatrices.

Elle sursauta en se rendant compte de l'impolitesse qu'elle venait de commettre.

— Je suis désolée, s'empressa-t-elle de dire. Je ne voulais pas...

— Ce n'est pas grave... ça ne me dérange pas.

Satria continuait d'appliquer la pommade et elle ne put s'empêcher de poser la question qui lui brûlait les lèvres :

— Comment t'es-tu fait cela ?

Elle se mordit les lèvres, espérant ne pas le mettre en colère avec sa curiosité déplacée, mais il ne sembla pas décontenancé.

Il se plaça plus confortablement et commença son récit à voix basse pendant qu'elle continuait de soigner ses ailes :

— À l'école de sorciers où j'allais, il arrivait parfois qu'ils envoient quelques-uns des élèves en mission…

— Vraiment ? intervint Satria. C'est étrange, Amonialta n'enverrait jamais un élève en mission.

— Disons que… l'école où j'ai reçu ma formation est particulière. Et nous ne partions jamais seuls. La mission en question était assez simple et considérée comme peu dangereuse. Des paysans d'un village voisin venaient nous porter des provisions. Pendant quelques jours, nous n'avons pas eu de nouvelles d'eux. Ce n'était probablement rien de grave, mais un mentor a envoyé deux élèves pour s'en assurer. Il a choisi deux amis qui n'avaient pas froid aux yeux et qui étaient prêts à tout pour faire leurs preuves.

Léo sourit à ce souvenir.

— Marcus et moi sommes donc partis et, arrivés à la lisière du village, nous avons compris que quelque chose clochait. Il y avait une drôle d'odeur dans l'air, comme du soufre mélangé à de la boue. Les animaux n'avaient pas été traits depuis plusieurs jours et leurs mugissements faisaient tout un vacarme. Pour cette mission, les ordres étaient clairs : si nous voyions quelque chose d'inhabituel, nous devions rentrer au plus vite alerter nos mentors. Mais Marcus est plutôt téméraire et il a continué dans la rue principale. Je l'ai suivi. Nous avons parcouru la moitié du village sans y voir qui que ce soit et ce fut en arrivant sur la place publique que nous les avons aperçus.

Léo poussa un profond soupir.

— Ils étaient là, une bande de pilleurs qui devaient déjà avoir épuisé toutes les réserves d'alcool du village. Nous avions déjà entendu parler de ces voleurs qui se promenaient de village en village. Ils emprisonnaient les habitants et vivaient sur les lieux jusqu'à l'épuisement des vivres. Nous nous sommes dissimulés derrière une maison et nous avons écouté ce qui se disait. Ils se disputaient. L'un d'eux, le chef de la bande, voulait qu'ils tuent les villageois pour éliminer les témoins gênants. Certains s'opposaient un peu, mais l'avis général allait en ce sens. Marcus et moi n'avons pas perdu de temps et nous nous sommes mis à la recherche des prisonniers. Il a fallu se séparer après un certain temps, car il y avait trop de terrain à couvrir. Nous sommes donc partis chacun de notre côté et je suis tombé sur une maison aux volets clos avec un homme qui gardait la porte. Je lui ai asséné un coup et il s'est évanoui. Je suis entré dans la maison…

Léo se passa une main sur le visage comme pour effacer les images qu'il revoyait.

— L'intérieur était bondé de villageois qui n'avaient rien mangé depuis plusieurs jours. J'ai essayé de les convaincre de me suivre dehors afin qu'ils puissent s'échapper, mais ils avaient trop peur et refusaient de bouger. C'est là que quelque chose s'est abattu dans mon dos… je crois bien que c'était une hache. J'avais si mal que j'ai eu à peine conscience que l'on me traînait sur le sol. Je suis revenu à moi au milieu de la bande de pilleurs, fous de rage en me voyant. J'ai aussitôt reçu deux autres coups – cette fois, je suis certain que c'était une hache, car j'ai vu l'homme qui m'a frappé – et je crois que je serais probablement mort si Marcus n'avait pas bondi au milieu de la cohue et saisi l'arme de mon agresseur. Il l'a fait tournoyer au-dessus de sa tête et l'a lâchée sur le chef qui est aussitôt tombé. Dès que les autres hommes ont vu cela, ils sont devenus désorganisés. Marcus en a profité pour utiliser sa magie et il a réussi à les mettre tous hors d'état de nuire. De mon côté, j'ai été incapable de l'aider, car j'étais en train de me vider de mon sang. Marcus a libéré les villageois et m'a porté jusqu'à l'école. Les mentors m'ont soigné et ça m'a pris plusieurs semaines avant de pouvoir voler sans que les cicatrices ne s'ouvrent de nouveau.

Satria hocha la tête.

—Nos ailes sont notre force et notre faiblesse, murmura-t-elle. Elles sont solides, mais si nous les blessons, la douleur sera suffisante pour que nous perdions connaissance. Mais le pire, ce sont les coupures. Si une fée se coupe à une aile, elle peut perdre beaucoup de sang dans un court laps de temps. C'est pourquoi nous devons toujours les protéger.

Léo approuva silencieusement.

Satria avait terminé d'appliquer l'onguent, mais elle resta là, immobile et silencieuse, tout comme Léo.

Puis, Violaine vint à sa rencontre.

— Satria, si tu as terminé, tu peux venir m'aider avec un patient qui a le bras cassé.

— Oui, certainement, s'empressa de dire la fée-d'eau en se levant.

Elle se tourna vers Léo et posa une main sur son épaule.

— Repose-toi maintenant.

—D'accord, répondit-il les yeux mi-clos. Hé, Satria…

Elle allait repartir, mais s'arrêta dans son élan.

— Oui?

— Merci.

8

La réunion secrète

TOLYCO S'ÉTAIT RÉVEILLÉE abruptement. Le soleil s'infiltrait à travers les lourds rideaux du dortoir et l'avait tirée du sommeil.

Satria n'était pas à ses côtés, mais cela ne la surprit pas. Tolyco décida de ne pas traîner. Elle se leva et, après une rapide toilette, prit la direction de l'infirmerie. Elle longea les corridors déserts du château. Tout le monde devait être occupé à réparer les dégâts que la tempête avait causés.

Elle allait tourner à un embranchement lorsqu'elle entendit des voix chuchotées qui venaient vers elle. Elle ralentit et écouta la conversation.

— Je pense que c'est plus menaçant que ce que l'on croit, dit une voix.

— Amonialta a parlé du secteur des Bannis. J'espère que nous n'aurons pas à nous aventurer là-bas.

Tolyco reconnut la voix de deux fées-guerrières.

— Nous ne pourrons pas aller sur le territoire de ces sorciers. Ils nous déclareront la guerre encore une fois si nous exigeons de passer.

— De toute façon, il n'y a absolument rien dans cette partie du continent. Je suis certaine qu'Amonialta se trompe.

— Moi, j'ai l'impression qu'elle a raison. J'ai entendu Seillax dire à Odèle qu'il y aurait une réunion secrète ce soir dans la salle Impériale du château. Seules les fées les plus importantes seront conviées. Qu'est-ce que je donnerais pour y assister! ajouta la fée sur un ton envieux.

— Tu n'as aucune chance, alors oublie ça! Tu crois que nous pourrons dormir dans les dionées ce soir? Je préfère...

Les deux fées passèrent près de Tolyco qui se plaqua rapidement contre le mur. Elles ne la virent pas et continuèrent leur chemin.

Tolyco resta immobile un instant, son cœur battant la chamade à cause de ce qu'elle venait d'entendre.

Une rencontre secrète allait se tenir le soir même dans la salle Impériale. Tolyco aussi aurait donné beaucoup pour y assister. Mais à la différence des deux fées-guerrières, elle savait comment y arriver.

Comme Satria l'avait prévu, dès que le soleil avait commencé à poindre, le calme de l'infirmerie s'était dissipé. Il y avait maintenant plusieurs patients éveillés qui discutaient bruyamment entre eux. Les fées-soignantes s'occupaient de transférer certains patients dans d'autres salles afin de garder les cas les plus lourds à l'infirmerie, ce qui créait beaucoup de déplacements. Pour ajouter à tout cela, les domestiques distribuaient les repas en passant dans les allées avec leurs chariots.

Quant à Satria, elle avait les mains pleines jusqu'aux coudes d'une substance visqueuse et nauséabonde. C'était une mixture composée de plantes des marais qui permettait d'éliminer un surplus d'électricité statique.

Les fées-soignantes s'étaient aperçues que certaines personnes donnaient des décharges électriques à tout ce qu'elles touchaient. Elles croyaient que c'était dû à la foudre de la tempête qui leur avait transmis un peu de son énergie. Violaine avait donc demandé à Satria de faire la potion qui serait ensuite administrée aux personnes atteintes.

Satria évalua un instant sa mixture et décida qu'elle était prête. Elle transféra le liquide dans de petites fioles et alla les porter à Violaine. Cette dernière essuya son front moite avec son tablier.

— Merci, Satria. Je crois que le pire est passé. Je vais dire la formule pour activer la magie de cette potion et une fée-soignante pourra se charger de la donner aux patients qui en ont besoin.

— Je peux t'aider si tu veux.

— C'est gentil à toi, mais tu es ici depuis plusieurs heures et je préférerais que tu ailles te reposer. J'ai aussi remarqué que tu as une entaille à la cheville. Tu devrais la soigner.

Satria allait s'asseoir lorsqu'elle vit Tolyco qui zigzaguait entre les lits dans sa direction.

— Qu'y a-t-il ? interrogea-t-elle en voyant son air étrange.

— Y a-t-il un endroit plus tranquille où nous pourrions discuter ? demanda Tolyco sur un ton empressé.

Satria haussa un sourcil en regardant la pagaille autour d'elle. L'infirmerie, qui était pourtant vaste, semblait ne disposer d'aucun espace libre.

Elle repéra un coin de la salle où il y avait moins de frénésie et l'indiqua à Tolyco.

Elles s'avancèrent entre des rideaux blancs et des panneaux qui avaient été installés afin de créer un peu d'intimité entre les lits. Elles se frayèrent un chemin entre les rideaux afin de ne pas être vues.

— Ici, nous pourrons parler en paix, décréta Tolyco en s'arrêtant.

— Que se passe-t-il ?

Tolyco raconta à voix basse la conversation qu'elle avait interceptée plus tôt. Lorsqu'elle eut terminé, elle regarda Satria comme si une évidence s'imposait.

— Et alors ? demanda lentement son amie.

— La rencontre va avoir lieu dans la salle Impériale ! Je suis certaine que c'est pour discuter de cette tempête qu'elles vont se rencontrer et je veux en savoir plus.

— Tu veux y assister ? s'exclama Satria, incrédule.

— Parle moins fort. Oui, je veux savoir ce qui va se dire à cette rencontre.

— Mais… c'est impossible… et si on nous surprenait ?

— Tu sais bien qu'il y a peu de risques que ça arrive.

— À quoi ça servirait ? Même si on en apprenait plus sur ce qui s'est produit exactement, on ne pourrait rien faire…

— Écoute, Satria, la coupa Tolyco. Nous savons depuis longtemps que nous sommes… différentes. Mais cela ne veut pas dire que j'aie le goût de passer ma vie à rester au château à ne rien faire. Et toi non plus, tu ne veux pas ça.

Satria la regarda, incertaine.

— Écoute, je n'ai pas dit que nous allons déclarer la guerre à la confrérie des sorciers Bannis, enchaîna Tolyco. Je veux seulement en savoir plus sur ce qui s'est produit. N'oublie pas que nous sommes les deux seules ici à savoir comment assister à cette rencontre sans que personne l'apprenne.

Satria ne savait pas quoi répondre. Elle devait avouer qu'elle avait envie de savoir ce qui allait se dire à cette rencontre, mais elle redoutait les conséquences si elles se faisaient prendre.

— D'accord, dit-elle enfin devant le regard impatient de son amie, mais nous devrons être très prudentes.

— Oui, bien sûr, promit Tolyco avec un large sourire.

Tout à coup, elle se figea, car elle venait d'entendre un frottement derrière elle. Elle fit volte-face, tira brusquement le rideau et vit Léo, étendu sur le lit, qui les observait.

— Bonjour. Je ne m'attendais pas à vous revoir si vite, dit-il en se soulevant sur un coude.

— Mais… qu'est-ce que tu fais là ? se troubla Satria.

— On m'a changé de place il y a une heure à la demande des fées-guerrières. Elles tiennent à ce que je sois mis à l'écart des patients.

Tolyco était furieuse.

— Qu'est-ce que tu as entendu ? demanda-t-elle en essayant de maîtriser le ton de sa voix.

Léo haussa les épaules.

— Tout. Mais n'ayez pas peur, mon intention n'est pas de vous dénoncer. Au contraire, je voudrais aussi savoir ce qui va se dire à cette rencontre.

— C'est hors de question. Tu vas te recoucher et oublier ce que tu viens d'entendre, ordonna Tolyco en croisant les bras.

Satria s'avança.

— Attends, Tolyco. Léo, sais-tu quelque chose de cette tempête ?

Ce dernier acquiesça.

— J'ai quelque chose à te proposer, ajouta Satria. Dis-nous ce que tu sais et nous te dirons ce que nous apprendrons ce soir.

Tolyco allait s'interposer, mais Satria l'interrompit :

— Si nous voulons assister à la réunion en étant certaines qu'il ne nous dénonce pas, nous devons collaborer.

Elle regarda Léo.

— Tu ne pourras pas venir avec nous, dit-elle en désignant la porte où les deux fées-guerrières montaient

85

toujours la garde, mais nous te dirons tout ce que nous apprendrons. Par contre, je veux en échange que tu me fasses part des informations que tu possèdes sur cette tempête.

Léo resta un instant silencieux, puis il hocha la tête.

— D'accord. Marché conclu.

Il raconta son interrogatoire avec Seillax. Lorsqu'il eut terminé, Satria continua de le dévisager et demanda :

— Tu sais que cette tempête n'est pas naturelle, mais sais-tu ce qu'elle est exactement ?

Léo sourit intérieurement en se disant qu'elle était futée.

— Cela s'appelle une tempête de Ceithir, déclara-t-il. Elle se crée au-dessus d'un volcan inactif lorsque plusieurs conditions atmosphériques et magiques sont réunies. Ce phénomène est très rare, les sorciers en ont dénombré seulement trois au cours des derniers siècles.

— Que s'est-il passé lorsque ces tempêtes ont frappé ?

— La région ciblée a été détruite. Aucune espèce vivante n'a survécu. Chaque fois, ça a été une vraie tragédie.

— Mais la tempête d'hier n'a pas tout détruit…

— C'est qu'elle n'est pas entièrement naturelle. Son centre recèle une grande partie de magie noire. Il faut un sorcier très expérimenté pour déclencher une tempête pareille. Ce que vous avez vu hier n'est qu'un pâle écho de la vraie tempête de Ceithir.

— Je ne comprends pas… qu'avons-nous vécu hier ?

— Bien, d'après le conseil des sorciers d'Ostandos, un sorcier peut essayer de produire la tempête même si les conditions météorologiques ne sont pas toutes réunies, mais l'effet ne sera pas le même… ce que nous avons vu hier est exactement ce qui s'est passé.

Tolyco, qui n'avait pas dit un mot, prit la parole :

— Tu essayes de nous dire qu'un sorcier est en ce moment même dans un volcan en train de reproduire un sortilège meurtrier pour nous attaquer ?

— Je ne l'aurais pas dit ainsi, mais… oui, cela rejoint l'essentiel.

— Mais pourquoi ? Et qui est-ce ? s'écria Tolyco.

Léo haussa les épaules en soupirant.

— Nous n'en savons rien. Nous ne savons pas non plus de quel volcan provient cette tempête. Plusieurs petits volcans éteints sont éparpillés sur tout le continent qui est très vaste, comme vous le savez.

— As-tu dit tout cela aux fées-guerrières ? demanda Satria.

— Non, je ne leur ai pas parlé des volcans, mais je suis persuadé qu'elles le savent déjà puisqu'elles ne m'ont rien demandé à ce sujet. C'est pour cette raison que je veux savoir ce qui va se dire à cette rencontre. Des mesures pour trouver ce sorcier s'imposent et je dois m'assurer que tout sera fait pour empêcher que la tempête se manifeste une autre fois.

— Pourquoi les sorciers d'Ostandos ne font-ils rien ? interrogea Tolyco.

— Les fées seront plus qualifiées pour arrêter ce sorcier, car votre magie est plus puissante en présence des éléments de la nature et dans ce volcan, ceux-ci risquent d'être déchaînés. De plus, les fées ont prêté serment de protéger les habitants du continent. Ce sont les fées-guerrières qui veillent à la sécurité du territoire. C'est à elles de s'en occuper. Par contre, si elles décident de ne pas agir, je devrai moi-même découvrir à partir de quel volcan ce sorcier agit et je me chargerai personnellement de l'arrêter.

Satria et Tolyco restèrent pensives. C'était la première fois qu'elles entendaient parler de ce phénomène et tout ce qu'elles avaient appris dans leur formation jusqu'à aujourd'hui ne les avait pas préparées à y faire face.

Sur le continent, il y avait souvent des conflits et parfois même des guerres entre les différentes espèces magiques, mais il n'y avait jamais eu de situation semblable auparavant.

Tolyco eut un frisson en pensant à tous les dommages que cette tempête pourrait faire. Elle regarda Léo qui semblait exténué et une question lui vint à l'esprit :

— De quelle espèce es-tu ?

— Pardon ? demanda Léo en fronçant les sourcils.

— Seules les fées ont des ailes. Il n'y a pas d'homme qui soit ailé. Alors comment se fait-il que tu aies des ailes ?

Le visage de Léo se durcit et il l'observa sans rien répondre. Satria semblait mal à l'aise.

Après un long silence, Tolyco s'impatienta :

— Je ne vois vraiment pas pourquoi tu refuses de répondre. Ce n'est pas si compliqué comme question.

Léo soutint le regard de Tolyco et répondit froidement :

— Je suis né avec ces ailes, car ma mère était une fée.

Tolyco poussa une exclamation de surprise tandis que Satria resta muette de stupeur.

— Tu es un uzul, dit Tolyco à voix basse. Mi-sorcier, mi-fée.

Elle le regarda avec concentration.

— Je croyais qu'il n'y en avait pas, c'est tellement rare…

— Eh bien, tu t'es trompée.

Avant que Tolyco ait pu rajouter quoi que ce soit, une fée-soignante fit brusquement irruption à côté d'eux.

— Mais... que faites-vous là ? les réprimanda-t-elle en agitant les bras. Sortez d'ici immédiatement ! Ce patient a reçu une forte dose de malériane et il est censé dormir. Allez ouste ! Rendez-vous plutôt utiles et allez participer à la battue organisée pour retrouver les animaux blessés.

Tolyco et Satria s'excusèrent précipitamment et allaient partir quand Léo prit la main de Satria et l'attira à lui. Il lui glissa dans le creux de l'oreille afin que la fée-soignante qui s'impatientait ne puisse l'entendre :

— Les informations que vous allez obtenir ce soir sont cruciales pour la survie de tous. Le temps nous est compté. Le sorcier qui a fait cela est probablement encore dans le volcan... et les conditions atmosphériques dont il a besoin pour atteindre son but pourraient être réunies plus vite qu'on ne le pense.

Il plongea son regard dans celui de Satria pour s'assurer qu'elle avait compris l'importance de ce qu'il venait de dire. Elle approuva de la tête et quitta la pièce en silence.

9

La salle Impériale

Il faisait sombre et Tolyco se cogna contre le mur.

— Aïe !

— Fais moins de bruit ! On va se faire repérer, grogna Satria.

La fée-de-feu se massa le coude en grommelant.

Elles avançaient dans la noirceur depuis une bonne dizaine de minutes et Tolyco doutait que, de là où elles se trouvaient, quelqu'un puisse les entendre. Le couloir, déjà étroit, se rétrécissait à mesure qu'elles progressaient. Satria s'arrêta brusquement et Tolyco la frappa de plein fouet.

— Qu'est-ce que tu fais ? chuchota-t-elle, mécontente.

— Nous sommes arrivées.

Tolyco regarda le mur devant elles : il laissait filtrer un mince rayon de lumière. Elle se sentait fébrile.

— Nous allons devoir l'ouvrir un peu afin de voir tout ce qui se passe.

— Tu crois ? Nous pourrions tout simplement écouter à travers la cloison, proposa Satria d'une voix nerveuse.

— Nous ne pourrons pas tout entendre, objecta Tolyco. Laisse-moi passer, je vais m'en occuper.

Elle prit la place de Satria et appuya ses mains sur la cloison pour la faire pivoter de quelques centimètres. Une mince ouverture apparut et les deux fées se placèrent côte à côte de façon à pouvoir observer la salle Impériale qui se trouvait de l'autre côté du mur.

De nombreux passages secrets sillonnaient tout le château, mais seuls les plus connus étaient utilisés. Quelques années auparavant, Satria et Tolyco avaient découvert que le nombre de passages secrets dissimulés dans le château était beaucoup plus élevé que ce qu'elles croyaient.

En effet, un soir qu'elles se promenaient, Tolyco avait remarqué que certaines pierres du mur n'étaient pas de la même couleur que les autres, comme si elles étaient composées d'un autre type de roche. Satria, elle, ne voyait pas la différence. Tolyco avait appuyé sur les pierres et un passage s'était ouvert de façon imperceptible. Elles s'étaient regardées, sidérées, puis s'étaient glissées dans l'ouverture. À l'intérieur du passage, elles avaient découvert un dédale de chemins sinueux qui traversaient tout le château.

À partir de ce jour, Tolyco s'était efforcée de repérer toutes les pierres qui semblaient être d'une teinte différente afin de trouver d'autres passages secrets.

Le dernier qu'elle avait décelé était subrepticement inséré dans le plafond d'un petit placard. Elles l'avaient emprunté et avaient découvert qu'il menait directement à la salle Impériale. Lorsque l'on se trouvait à l'intérieur de cette pièce secrète, nul ne pouvait les voir.

D'où elles étaient placées, elles pouvaient contempler la salle ovale dans son ensemble. Une épaisse moquette bleu nuit tapissait le sol. Un feu ronflait doucement dans l'énorme cheminée de marbre. Les flammes illuminaient une bibliothèque remplie de vieux grimoires près de la porte qui était toujours gardée de l'extérieur par une fée-guerrière. Une table en bois massif couvrait presque l'ensemble de la pièce et plusieurs chaises au fini ouvragé étaient disposées tout autour.

C'était là où le conseil des fées se réunissait pour prendre d'importantes décisions. Jamais Satria et Tolyco n'avaient songé à espionner avant ce soir. Elles savaient que les représailles pouvaient être très graves si on les attrapait.

C'est pourquoi elles regardaient avec une certaine crainte la salle vide qui n'allait pas tarder à se remplir.

Après un long moment où ni l'une ni l'autre n'osa parler, la porte pivota et des fées commencèrent à faire leur entrée.

Elles prirent place sur les chaises. Tolyco reconnut Seillax, suivie d'Odèle et de Kalixte, ainsi que de chacune des autres fées qui faisaient partie du conseil. Elles discutaient à voix basse entre elles. Satria et Tolyco ne percevaient que des chuchotements inquiets. L'atmosphère était tendue. Elles semblaient appréhender cette rencontre.

Amonialta fit son entrée et se plaça au bout de la table, face à Satria et Tolyco qui restèrent immobiles, de peur d'être découvertes.

Les fées se turent et la première fée prit la parole.

— Bonsoir à vous toutes. Je tiens d'abord à vous dire que la tempête n'a fait aucun mort. Il y a par contre de nombreux blessés qui ont été pris en charge par notre équipe de fées-soignantes qui est, je me dois de le dire, plus que compétente compte tenu de l'aspect dramatique de la situation.

Elle gratifia Violaine, la représentante des fées-soignantes assise à sa droite, d'un regard entendu. Cette dernière la remercia d'un mouvement de la tête.

— Je vais maintenant laisser Seillax nous faire un compte rendu des dégâts que la tempête a causés.

— Merci, Amonjalta.

Seillax s'éclaircit la gorge et prit la liasse de papiers devant elle.

— Toute l'aile sud du château s'est effondrée, ainsi qu'une partie de la terrasse et de la salle à manger, récita-t-elle en lisant un parchemin. La tour nord a subi de lourds dommages et nous avons dû placer des piliers temporaires afin de la soutenir. Nous devrons commencer les réparations sous peu, car la structure se révèle très précaire. De plus, une partie de la forêt jusqu'au lac est détruite. Nous devrons la nettoyer rapidement, car des animaux sont encore prisonniers des débris. Plusieurs battues ont cours actuellement afin de les débusquer...

— Excuse-moi, Seillax, l'interrompit Kalixte. Comment se fait-il que les animaux n'aient pas senti la tempête approcher?

— J'y reviendrai plus en détail tantôt, mais je peux affirmer pour l'instant que ce cataclysme n'est pas naturel.

Kalixte opina, surprise, et fit signe à Seillax de poursuivre.

— Il y a quelques maisons des villages voisins qui ont été endommagées, mais personne n'a été blessé. Les villageois ont de plus exprimé le désir que nous reconstruisions au plus vite la taverne du village qui se nomme...

Seillax fouilla dans le paquet de documents devant elle et fit une grimace en trouvant le nom de la taverne en question :

— La Vieille Bourrique. Ils semblent y tenir, alors nous verrons ce que nous pourrons faire, mais il est certain que ce sont les maisons des villageois qui demeurent notre priorité. Finalement, une partie de leurs champs a été inondée. Nous craignons que cela nuise à leur récolte. Vous serez donc d'accord avec moi pour que l'on pige dans la réserve des fées afin d'aider les habitants à combler cette carence.

Amonialta hocha la tête avant d'ajouter :

— Seillax et moi en avons déjà discuté et une entente sera conclue rapidement pour décider du montant remis aux villageois.

Les autres fées acquiescèrent.

— Merci, Seillax, pour ce compte rendu, dit Amonialta. Je vais continuer. Tout d'abord, les informations qui vous seront maintenant communiquées sont classées impénétrable niveau dix. Cela implique que vous ne pourrez les communiquer à qui que ce soit et vous ne pourrez pas non plus en discuter entre vous. Il est primordial de taire ces informations, car nous voulons éviter un mouvement de panique dans la population. Nous allons donc procéder au rituel du scellement.

Amonialta leva la main et une vibration grave et lente s'échappa de sa gorge. Des fils noirs apparurent dans sa paume et se dirigèrent autour des fées. Lorsqu'elles furent enlacées les unes aux autres, Amonialta cessa son chant et baissa la main. Les fils brillèrent fortement avant de s'estomper graduellement.

— Très bien, enchaîna Amonialta. Maintenant, je vais vous parler de ce qui s'est produit.

Toutes les fées autour de la table devinrent plus attentives. Satria et Tolyco tendirent l'oreille pour ne rien manquer.

— Ce que nous avons vécu s'appelle une tempête de Ceithir. Cette tempête est particulière, car elle prend forme au-dessus d'un volcan éteint. Elle est provoquée tant par des conditions météorologiques naturelles que par la magie noire. Elle produit des éclairs, de la pluie et du vent, mais peut aussi jeter des sorts, du feu et provoquer des tremblements de terre. Elle se déplace selon la volonté de celui qui la dirige et elle ne s'affaiblit jamais. Par contre, ce que nous avons vu n'était qu'un simple aperçu du vrai problème. Nous croyons que les éléments naturels n'étaient pas tous en place pour déclencher la vraie tempête de Ceithir, mais que le sorcier – car nous pensons qu'il s'agit bien d'un sorcier – a décidé d'agir sans attendre que toutes les conditions soient réunies. Cela signifie qu'il est impatient et, donc, d'autant plus dangereux. Je suis par ailleurs convaincue que les autres clans de fées ne courent aucun danger. Le sorcier vise la congrégation d'Ostandos et notre clan, car nous sommes les plus influents sur le continent. Nous allons tout de même envoyer des fées-aquila avertir les autres clans du danger.

— Est-ce que nous allons leur transmettre l'incantation qui nous a permis d'arrêter la tempête ?

C'était Alice, la représentante des fées-de-terre, qui avait posé la question.

— C'est inutile, car l'incantation serait inefficace contre la vraie tempête de Ceithir.

— La formule que ce Léo nous a apportée ne serait donc pas suffisamment puissante si nous étions de nouveau attaqués ? demanda Alice.

— Elle ne l'affaiblirait même pas, rétorqua Seillax. Lorsque la tempête atteint sa pleine puissance, rien ne peut l'arrêter.

— Avons-nous déjà combattu ce genre de menace ? demanda Mirago, la représentante des fées-virtuoses.

— Selon nos informations, il y a eu trois cas semblables dans le passé, reprit Amonialta. La première fois, c'était il y a mille trois cents ans. Un sorcier voulait devenir tout-puissant et craint de tous. Il a tenté de diriger la tempête, mais il n'y est pas parvenu et il en est mort, non sans avoir auparavant occasionné des dommages considérables à tous les villages avoisinant le volcan. Le deuxième cas s'est produit il y a huit cent cinquante ans, quand un apprenti sorcier est tombé sur les parchemins expliquant comment produire cette horreur. Il a voulu essayer la formule pour voir ce qui arriverait. Le résultat fut un village totalement détruit et de nombreux morts. L'apprenti sorcier est aussi décédé, car son manque d'expérience l'a empêché de maîtriser la force des éléments qui se sont déchaînés sur lui. Le troisième et dernier cas s'est produit il y a cent cinquante-cinq ans, lorsqu'un Banni a voulu se venger des sorciers d'Ostandos. Il a utilisé un volcan éteint qui se trouve sur le territoire de leur confrérie. Il a aussi fait plusieurs morts et de nombreux dégâts avant d'être lui-même tué par ce qu'il avait créé.

Amonialta s'était levée pendant son discours. Elle posa les deux mains sur la table et regarda autour d'elle avec gravité.

— Les fées-d'air ont rapidement analysé les particules laissées par la tempête. Grâce à leur expertise et à leur efficacité, nous avons déjà pu établir de quel volcan provenait la source de magie. Nous avons comparé nos résultats avec les trois cas précédents et il s'agit bien du dernier volcan.

— C'est une chance, intervint Alice. Nous pourrons donc agir vite.

— Pas tout à fait, précisa Seillax. Puis-je vous rappeler que ce volcan se trouve sur le territoire des sorciers Bannis ? Le traité de paix que nous avons établi avec eux nous interdit d'y pénétrer sous peine de représailles.

Seillax tira une grande carte de son paquet de feuilles et la déplia sur la table. Satria et Tolyco s'étirèrent le cou pour tenter de l'apercevoir.

— Voici le territoire de ces sorciers, dit Seillax en suivant du doigt les pourtours de cette vaste région. La plupart vivent aux abords de la frontière. C'est aussi là que se situe leur quartier général. Nous retrouvons plusieurs villages au centre, ici. Le volcan se trouve là.

Elle désigna un point à l'autre extrémité du plan. Presque à la lisière de la carte.

— On l'appelle le volcan Brôme. Il est assez éloigné.

Toutes les fées étaient penchées au-dessus de la table, très attentives. Le plan du territoire des sorciers Bannis n'avait jamais été dévoilé. Seules Amonialta et Seillax le connaissaient.

— Je ne peux croire qu'ils vont refuser notre requête, dit Odèle sur un ton impérieux. Nous parlons d'un désastre qui pourrait bien détruire aussi une partie de leur territoire.

Amonialta prit la parole :

— La dernière fois que nous avons fait une demande pour pénétrer dans leur territoire, ils ont été fortement hostiles. Nous devons par tous les moyens préserver la paix. Cependant, je crois qu'ils ne sont pas au courant de ce qui se passe. Cela m'étonnerait qu'ils acceptent de laisser un sorcier effectuer des manipulations magiques aussi instables sur leur territoire.

— Que suggérez-vous ? demanda Alice.

— Je propose que nous envoyions deux fées-aquila pour leur expliquer la situation et leur demander de neutraliser eux-mêmes le sorcier.

Tolyco fronça les sourcils lorsqu'elle entendit la proposition d'Amonialta. Les fées-aquila étaient les seules fées à avoir des ailes pourvues de longues plumes chatoyantes comme celles d'un aigle. Leur vision perçante faisait d'elles d'excellentes vigiles. Elles assuraient la surveillance de lieux ou des différents postes d'observation dispersés sur le continent. Leur rôle n'était pas d'aller s'occuper de négociations, c'était celui des fées-guerrières. Les Bannis les prendraient probablement moins au sérieux.

Toutes les représentantes autour de la table semblèrent estomaquées par la proposition d'Amonialta.

— Nous ne pouvons pas faire confiance aux sorciers Bannis pour qu'ils règlent eux-mêmes ce genre de situation ! s'emporta Alice.

— Je suis d'accord avec Alice, l'appuya Seillax qui semblait vexée. Nous devons au moins envoyer des fées-guerrières pour qu'elles travaillent conjointement avec ces sorciers. Nous n'avons aucune preuve que nous pouvons leur faire confiance. Il est impensable de croire qu'ils mettront leur vie en danger pour nous aider.

— Seillax a raison ! renchérit Kalixte. Pourquoi envoyer des fées-aquila ? Ce sont les fées-guerrières qui doivent aller là-bas ! Nous devons tout faire pour protéger notre clan.

— Ça suffit ! tonna Amonialta en frappant la table du poing.

Un silence surpris résonna dans la salle. Amonialta baissa la tête et resta immobile, ses ailes s'élevant et s'affaissant à chacune de ses respirations. Ses mains étaient crispées sur le dossier de sa chaise et elle semblait en grande réflexion. Amonialta prenait toujours des décisions éclairées et la sécurité du peuple était sa priorité. Il était étrange qu'elle accepte de laisser leur sort entre les mains de sorciers qui n'étaient pas en très bons termes avec le clan Castel.

Amonialta avait toujours la tête baissée lorsqu'elle leur parla :

— Ce territoire est dangereux. Même si les sorciers acceptaient de vous laisser passer, je refuserais que vous y alliez. Vous n'avez aucune idée de ce qu'il y a là-bas.

Elle leva la tête et regarda les fées une à une.

— Je suis convaincue que les Bannis ne voudront pas laisser un sorcier recourir à la tempête de Ceithir. S'il réussissait, il aurait accès à un pouvoir redoutable. C'est pourquoi je crois que nous pouvons leur faire confiance.

— Mais… et si c'étaient eux qui utilisaient cette tempête contre nous ?

— C'est impossible, affirma Amonialta. Faites-moi confiance. Cette tempête est trop meurtrière et instable pour qu'ils s'en servent comme une arme. Malgré les conflits qui nous opposent, nous avons tous des codes d'honneur que nous respectons. Ils ne renieraient jamais leurs engagements.

— Comment pouvons-nous être certaines qu'ils réussiront à l'arrêter ?

— En ce moment, il n'y a qu'un sorcier seul qui a perdu des forces dans la dernière charge qu'il nous a envoyée. Je ne suis pas inquiète. Ils sauront l'arrêter.

Les fées du conseil semblaient hésitantes et troublées, mais elles avaient confiance en leur chef et elles acquiescèrent tout de même à ses propos.

— Bien, dit Amonialta qui semblait soulagée. Pour les décisions relatives au nettoyage des dégâts occasionnés par la tempête, une autre réunion sera tenue demain à midi à la salle Citrique et sera présidée par Mirago. Vous devrez toutes y assister.

Amonialta sortit après un dernier hochement de tête et les autres la suivirent en silence. Satria laissa échapper un soupir de soulagement lorsque Seillax, qui était la dernière à sortir, referma la porte derrière elle. Tolyco la prit alors par surprise en ouvrant la cloison toute grande pour sauter dans la pièce et s'approcher de la table.

— Qu'est-ce que tu fais ? chuchota Satria avec fureur. Reviens tout de suite, tu vas nous faire prendre !

— Attends, je dois copier le plan d'abord.

Elle prit rapidement une feuille vierge et un crayon dans la bibliothèque, et se dépêcha de reproduire la carte laissée sur la table.

— Pourquoi ?

— Léo en aura besoin s'il décide d'y aller…

— Quoi ? Mais ce ne sont pas nos affaires, Seillax peut revenir chercher cette carte à tout moment !

Mais Tolyco ne l'écoutait plus, elle venait de remarquer quelque chose d'étrange sur le plan. Une ondulation floue sur une petite partie du parchemin, non loin du volcan. C'était comme si de l'eau en mouvement flottait, mais lorsqu'elle y toucha, sa main ne rencontra que le papier. Elle désigna cette section en faisant trois lignes ondulées sur sa propre feuille. Elle se hâta de recopier le tout et elle était de retour dans le passage lorsque Seillax fit irruption dans la pièce. Satria et Tolyco restèrent pétrifiées. La cloison était grande ouverte et il suffisait que Seillax lève les yeux pour les voir. Lorsqu'elle se pencha pour prendre le plan, Satria en profita pour faire glisser doucement la cloison afin de la refermer complètement. Elles restèrent immobiles jusqu'à ce qu'elles entendent la porte de la salle Impériale se refermer. Tolyco glissa la carte dans sa poche et elles s'éloignèrent rapidement.

10

La goutte d'eau

Tolyco foulait l'herbe en marchant de long en large. Le vent faisait voler ses cheveux autour de son visage. Satria s'était assise sur une roche et essayait de retenir ses bâillements. Elle avait vraiment besoin de dormir.

Après la rencontre, elles étaient sorties du château et s'étaient spontanément dirigées vers la colline Diurne, une petite montagne surplombant le château et donnant une vue imprenable sur les alentours. Elles pouvaient y admirer la forêt et les villages tout autour. Elles avaient toujours aimé venir à cet endroit. Lorsqu'il faisait jour, elles pouvaient même discerner la grande muraille au loin, qui marquait le début du territoire des sorciers Bannis.

Satria bâilla juste comme Tolyco se tourna vers elle pour déclarer :

— Léo va vouloir partir.

C'était un fait. Léo avait été clair : si les fées n'agissaient pas, il allait lui-même s'occuper d'arrêter le sorcier responsable de la tempête. C'était à cela que Tolyco songeait.

— Tu n'as pas trouvé étrange qu'Amonialta refuse d'envoyer des fées-guerrières ? demanda Satria.

— Si. C'est vraiment quelque chose que je n'arrive pas à m'expliquer. Amonialta est reconnue pour n'avoir peur de rien. Elle aime avoir le contrôle et cette réaction ne lui ressemble pas du tout. Elle m'a donné l'impression… d'avoir peur. Léo a raison. Nous ne pouvons pas laisser faire ça.

— Nous ?

Tolyco se détourna. Elle savait qu'elle devrait être très convaincante pour persuader Satria, parce qu'elle avait pris une décision. Elle voulait partir elle aussi.

— Oui je… j'aimerais accompagner Léo, balbutia-t-elle. Et je veux que tu viennes avec nous.

Satria ne semblait pas surprise. Elle croisa les bras sur sa poitrine et posa son menton sur ses genoux.

— Je savais que tu dirais quelque chose comme ça, dit-elle calmement. Je ne crois pas que nous rendrions un grand service à Léo en l'encombrant de notre présence. Avec notre incapacité à faire de la magie, nous serions plus un boulet qu'une aide.

Tolyco ferma les yeux lorsqu'elle entendit les paroles de son amie.

— Kalixte m'a expulsée de sa classe, avoua-t-elle en serrant les poings. Je ne suis plus son élève.

— À moi, Odèle m'a interdit de retourner aux cours, dit Satria après un silence.

Tolyco s'assit près d'elle et appuya sa tête sur l'épaule de son amie en soupirant. Elles restèrent ainsi longuement.

— Je suis désolée, dit enfin Satria. J'aurais vraiment voulu que l'on réussisse.

— Moi aussi…

Tolyco se releva et fit face au château.

— Que nous reste-t-il ici ? demanda-t-elle en essayant de contenir sa colère.

Satria essaya de répondre, mais en fut incapable.

— Je ne passerai pas ma vie à installer des lanternes parce que les domestiques du château ont de la difficulté à atteindre les crochets, siffla Tolyco entre ses dents.

Elle se tourna en direction de la muraille des sorciers Bannis qu'elle ne pouvait que deviner dans la pénombre.

— Je veux plus ! lâcha-t-elle.

— Je sais…

— Je ne crois pas que nous serions des boulets pour Léo, renchérit Tolyco. C'est un sorcier, il pourra donc user de magie au besoin. Mais partir seul là-bas, c'est risqué. Avec nous, il aurait plus de chances d'y parvenir. Et nous avons beaucoup de connaissances ! Je suis certaine que…

— Tais-toi.

Tolyco était tellement surprise de la réponse de Satria qu'elle sursauta. Elle la vit se lever et regarder autour d'elle, anxieuse, comme si elle cherchait quelque chose.

— Que se passe-t-il ? demanda Tolyco, tous ses sens soudainement en alerte.

— Tu ne l'entends pas ?

— Non. Entendre quoi ?

— Chut… je crois que ça vient de là.

Satria entendait distinctement une mélodie. Elle pivota et aperçut une goutte d'eau, beaucoup trop grosse pour être normale, qui scintillait sur une feuille d'arbre. La musique semblait provenir de là. C'était comme un chuchotement qui s'amplifiait. À la surprise de Satria, la goutte d'eau se mit à bondir de feuille en feuille tout en chantant de plus en plus fort. Satria s'approcha pour l'observer et, sans qu'elle s'y attende, la goutte sauta dans sa main et se tut. Tolyco s'était approchée en silence et fixait la goutte, grosse comme une noisette, qui brillait.

Soudain, la goutte se métamorphosa en une multitude de particules d'eau qui disparurent à l'intérieur de la main de Satria. Celle-ci laissa échapper une exclamation de surprise en voyant une lueur bleue à travers sa peau.

— Qu'est-ce qui se passe ? s'inquiéta Tolyco.

Elle prit la main de Satria dans la sienne, mais cette dernière ne répondit pas.

Satria entendait Tolyco en sourdine et son visage devenait flou. Soudain, le décor s'estompa et des images se mirent à défiler à une vitesse folle devant ses yeux. Elle tenta de comprendre ce qu'elle voyait lorsque brusquement, tout s'arrêta.

Tolyco n'était plus à ses côtés. Elle se trouvait dans une forêt qu'elle n'avait jamais vue. Il faisait sombre. Les arbres, les fleurs ; tout était terne et mort. Un vent glacial fouettait ses ailes. Une voix féminine et mélodieuse qu'elle ne connaissait pas et qui semblait venir de partout à la fois retentit dans ses oreilles :

— Regarde autour de toi.

Satria voulut tourner sur elle-même, mais elle ne pouvait pas bouger. Elle regarda sur le côté et vit quelque chose d'étrange au sol. Non loin d'elle, tournait un vortex qui engloutissait tout ce qu'il touchait. Cela ressemblait à une tornade ancrée dans la terre.

— Il y a quelqu'un ? cria Satria, mais sa voix se perdit dans les sifflements du vent.

Dans un élan de panique, Satria comprit que tous les arbres morts qui touchaient au tourbillon de terre étaient aussitôt engloutis. Pire encore, cette chose grossissait à vue d'œil. Elle essaya de bouger, mais ses membres refusaient de lui obéir. Elle regarda, impuissante, le vortex qui se rapprochait d'elle. Il allait l'atteindre quand elle se retrouva propulsée à nouveau dans une bourrasque d'images floues qui défilèrent devant ses yeux.

Le décor se figea encore, mais elle n'était plus au même endroit. Il faisait toujours sombre et le vent glacial faisait maintenant place à un nuage de brume qui l'entourait. Satria crut discerner une colline devant elle. Elle plissa les yeux et sursauta lorsque les contours flous se précisèrent.

C'était un volcan. Et il était énorme. Ce qu'elle avait d'abord pris pour une colline n'était en fait qu'une section de l'immense amas de roches noires et luisantes qui se dressait devant elle. La voix féminine retentit une fois de plus à ses oreilles.

— Satria et Tolyco… Vous seules pouvez arrêter… le mal… Vous devez… venir au volcan Brôme… Maintenant.

Soudain, une silhouette passa au loin et entra dans le volcan.

— Hé ! Attendez ! cria Satria.

Mais l'individu, s'il y avait vraiment eu quelqu'un, avait déjà disparu.

La voix se fit entendre de nouveau :

— Satria… Tolyco… Vous venez… volcan Brôme… Maintenant.

Tout se dissipa brusquement et Satria se retrouva à genoux. Elle était de retour sur la colline Diurne et pouvait à présent bouger. Tolyco, toujours à ses côtés, semblait paniquée.

— Satria ! Tu n'as rien ?

— Non…, bredouilla celle-ci en reprenant son souffle. Que s'est-il passé ?

— La chose bleue s'est mise à briller après avoir pénétré dans ta main. Elle a… comme éclaté, puis tu es tombée sur le sol.

Satria regarda sa main où un instant plus tôt se trouvait la goutte d'eau, mais la lueur bleue avait disparu.

Tolyco aida son amie à s'asseoir et la laissa reprendre ses esprits.

— Je me suis retrouvée ailleurs, haleta Satria. Il y avait une forêt, mais tout était mort. Et il y avait ce tourbillon qui aspirait tout sur son passage.

— Tu veux dire une tornade ?

— Oui, mais dans le sol. Je n'avais jamais vu ça. Ensuite, j'ai été transportée devant un volcan. Le volcan Brôme.

— Tu... tu es certaine ? bredouilla Tolyco.

— Oui, et là, une voix m'a parlé. Elle m'a dit que toi et moi devions nous rendre au volcan Brôme... immédiatement.

— Comment... la voix a dit nos noms ? s'exclama Tolyco qui semblait de plus en plus perplexe.

— Oui, et elle a précisé que nous devions y aller rapidement.

— Je ne comprends pas. Tu es restée ici tout ce temps. Tu n'as pas pu être transportée ailleurs, dit Tolyco en secouant la tête.

— Je crois que c'était une vision... comme une sorte d'illusion dans laquelle j'ai été projetée.

— Mais... pourquoi ? Qui voudrait nous envoyer un tel message ? Nous ne connaissons personne qui vit sur le territoire des sorciers Bannis.

Satria se détourna pour réfléchir à la question. Son visage s'illumina soudainement.

— Je sais qui est capable d'envoyer des visions dans des gouttes d'eau ! Odèle m'en a déjà parlé. Ce type de message est très rare. Il est utilisé depuis des siècles. De plus, seul un petit groupe privilégié a le droit d'utiliser cette magie.

— Qui ? interrogea vivement Tolyco.

— Les rois et reines des créatures des eaux. Les merrows.

— Tu es certaine...

— Absolument, la voix qui s'est adressée à moi ne parlait pas notre langue, affirma Satria. Elle s'exprimait dans la langue des merrows.

Tolyco resta silencieuse.

Seules les fées-d'eau étaient capables de parler les langues aquatiques. Satria en maîtrisait plus d'une dizaine. Les merrows étaient des créatures possédant un corps humain et une queue de poisson à la place des jambes. Ils ne pouvaient jamais sortir de l'eau, sinon ils en mouraient. Il n'y avait pas de peuple de merrows près du clan Castel et Tolyco n'en avait jamais vu.

Elle prit la carte qu'elle avait dessinée et la déplia sur le sol. Elle l'étudia un instant et indiqua ce qui semblait être une étendue d'eau qui sinuait jusqu'à proximité du volcan.

— Se pourrait-il qu'il y ait des merrows qui vivent là et qu'ils nous aient envoyé ce message ?

— Je ne crois pas. Le peuple de merrows a déserté le territoire des Bannis il y a longtemps… mais nous tenons cette information de ces sorciers eux-mêmes. Peut-être ont-ils menti ?

— Ou peut-être que quelques-uns d'entre eux sont restés là-bas ?

— C'est presque impossible. Les merrows n'ont du pouvoir qu'en groupe. Lorsqu'ils sont seuls, leurs pouvoirs deviennent trop faibles pour faire de la magie. Ils doivent donc rester en communauté.

Tolyco replia le plan en réfléchissant à tout cela.

— Ça pourrait aussi être un piège, hasarda Satria dans un souffle.

— Ça pourrait, répondit Tolyco, mais je ne le pense pas.

Satria hésita, puis ajouta :

— Si la tempête de Ceithir revient, elle détruira tout sur son passage.

— Oui, lui confirma Tolyco à voix basse.

— Si seulement je savais qui nous a envoyé ce message et pourquoi ! se désola Satria.

Elle ne savait plus quoi en penser. Elle prit sa tête entre ses mains et essaya de réfléchir à tout cela. Ce qu'elle avait vu de la tempête de Ceithir était vraiment effrayant, alors savoir que la prochaine fois serait bien pire lui donnait froid dans le dos. Elle pensa à tous les habitants du clan Castel et au danger possible qu'ils couraient.

Et que leur restait-il ici ? Pas grand-chose. Tolyco avait raison, Amonialta pouvait leur donner des tâches quelconques, mais elles ne pourraient jamais être des fées à part entière. Elles seraient toujours différentes des autres. Elle ne comprenait pas qui leur avait envoyé ce message étrange… et ce tourbillon dans le sol. Quel lien pouvait-il avoir avec le volcan ? Elle songea à Léo… Elle ne le connaissait pas beaucoup, mais elle lui faisait instinctivement confiance. Il semblait savoir ce qu'il faisait. Elle avait l'habitude de prendre des décisions réfléchies et éclairées, mais là, elle manquait de temps.

Elle observa Tolyco qui faisait toujours les cent pas. Son amie était plus impulsive qu'elle. Elle avait toujours été ainsi, comme si elle brûlait de l'intérieur. Satria savait que Tolyco serait malheureuse toute sa vie si elle n'exploitait pas cette fougue qui l'habitait.

Elle prit une grande inspiration, se leva et se planta devant Tolyco pour l'obliger à s'arrêter.

— Dis-moi, comment allons-nous faire pour convaincre Léo de nous emmener avec lui ? demanda-t-elle avec un léger sourire.

Les yeux noirs de Tolyco s'agrandirent.

— Tu es sérieuse ?

— Bien sûr. Tu crois peut-être que je t'aurais laissée partir toute seule ?

— Non, je n'ai jamais cru ça, répondit Tolyco en riant. Et ne t'en fais pas pour Léo. Il est encore considéré comme un prisonnier au clan Castel. Il aura besoin de nous pour sortir d'ici, alors il devra accepter notre aide.

Satria frémit en songeant qu'elles allaient devoir aider un prisonnier à s'évader de leur propre clan. Elle souhaita de toutes ses forces qu'Amonialta ne l'apprenne jamais.

— Sais-tu comment nous allons le faire sortir d'ici ?

— J'ai un plan, dit Tolyco avec un clin d'œil. Retournons au château, je t'expliquerai en vol. Je veux que tu ailles parler à Léo tout de suite.

— Tu ne viens pas avec moi ?

— Non. Comme tu aides souvent à l'infirmerie, Violaine ne se doutera de rien. Si nous étions toutes les deux à son chevet, elle pourrait soupçonner quelque chose.

Elles déployèrent leurs ailes et s'envolèrent dans l'air frais de la nuit. Satria remarqua que cela faisait longtemps qu'elle n'avait pas vu son amie aussi heureuse.

Tolyco avait terminé de lui expliquer son plan lorsqu'elles arrivèrent à la porte de l'infirmerie.

— Je vais t'attendre dans le dortoir pour que tu me racontes tout à ton retour.

— Très bien, dit Satria qui n'arriva pas à retenir un autre bâillement.

Dans l'infirmerie, Satria chercha Violaine des yeux, mais ne la vit pas. Elle prit un pot d'onguent et fit semblant de passer d'un patient à l'autre afin de voir lesquels avaient besoin de soins. Les fées-soignantes connaissaient bien Satria et la laissèrent tranquille. Un grand stock de médicaments avait été épuisé et elles étaient occupées à en préparer d'autres.

Satria atteignit le lit de Léo et se glissa furtivement entre les rideaux qui le masquaient aux autres.

Il ne dormait pas et un large sourire éclaira son visage lorsqu'il la vit.

— Comment ça s'est passé ? Vous ne vous êtes pas fait prendre ?

— Bien sûr que non, rétorqua Satria en s'assoyant, un peu vexée qu'il en doute.

— Je ne voulais pas que tu aies des problèmes à cause de moi…, expliqua-t-il.

Elle sourit et se détendit, puis lui rapporta les propos de la réunion en essayant de rester le plus fidèle possible à ce qui s'était dit.

Léo se fit de plus en plus soucieux au fur et à mesure qu'elle lui faisait son compte rendu. Lorsqu'elle eut terminé, il avait les sourcils froncés et semblait alarmé.

— Elles ne veulent pas s'en mêler, conclut-il à voix basse. Mon père m'avait prévenu qu'Amonialta réagirait probablement comme ça.

— Elles vont tout de même demander aux Bannis d'agir, lui rappela Satria.

— Les sorciers d'Ostandos ont des raisons de croire que les Bannis ne contrôlent plus leur territoire depuis quelque temps. Ils semblent plus nerveux et lorsque nous les avons questionnés, leurs réponses sont restées évasives. Notre crainte était que les fées s'en remettent trop à eux et c'est ce qui se produit.

— Peut-être que si tu disais tout ça à Amonialta, elle changerait d'idée.

— C'est bien ça le problème, Amonialta est déjà au courant. Nous avons envoyé plusieurs missives ces derniers mois pour l'aviser, mais elle n'a pas donné suite. Elle ne veut pas se mêler de ce qui se passe là-bas.

Satria était perplexe. C'était tellement inhabituel de la part d'Amonialta d'agir ainsi, ou plutôt de ne pas agir.

— Il y a autre chose, dit-elle en prenant une grande inspiration.

Elle lui raconta le message qu'elle avait reçu sur la colline.

— Tu n'as aucune idée de la provenance de ce message ? demanda Léo avec surprise.

— Il provient d'un peuple de merrows, mais il n'y en a pas ici. Tolyco et moi ne comprenons pas comment quelqu'un qui vit sur le territoire des sorciers Bannis peut nous connaître. Nous ne nous sommes jamais éloignées du château et de ses environs.

— Il doit forcément y avoir un lien.

— Oui, c'est ce que Tolyco et moi croyons… et c'est pourquoi nous voulons partir avec toi.

Elle l'avait dit précipitamment en gardant les yeux baissés, mais elle se força à le regarder. À son grand soulagement, Léo ne riait pas. Il semblait au contraire prendre sa proposition au sérieux.

— Vous êtes certaines ? Je veux dire… je ne crois pas que vous compreniez les dangers que vous risquez si vous pénétrez sur le territoire des Bannis sans leur permission.

— Et moi, je ne crois pas que tu comprennes les dangers que tu risques si tu essayes de sortir du clan Castel sans notre aide, rétorqua-t-elle avec un sourire.

Léo tiqua, mais ne répliqua rien.

— Fais-nous confiance, insista-t-elle.

— Je suis sérieux quand je dis que c'est dangereux. Les règles ne sont pas les mêmes qu'ici. Là-bas, les gens peuvent se montrer intraitables. Les sorciers Bannis sont reconnus pour être intransigeants quand il s'agit du respect de leurs lois.

— Je sais. Tolyco et moi sommes conscientes de tout cela.

— Et vous voulez tout de même partir d'ici ? Ça ne vous dérange pas de quitter votre clan ?

— Disons que nous n'avons plus grand-chose qui nous rattache ici, éluda Satria en lissant l'oreiller de la main.

Léo hésita. Il se doutait depuis le début de cette histoire qu'il devrait lui-même arrêter le sorcier responsable de la tempête. Avec ses ailes et ses dons exceptionnels en magie, il était le plus qualifié pour accomplir ce genre de mission et les sorciers d'Ostandos lui faisaient entièrement confiance pour s'occuper du problème. Il était prêt et rien ne pouvait l'arrêter, mais il n'avait pas prévu Satria et Tolyco. D'ordinaire, il n'aurait jamais accepté d'être accompagné, mais sans savoir pourquoi, il avait envie d'accepter. Au contraire des autres fées du château qui avaient été terrorisées par la tempête, Satria et Tolyco avaient semblé accepter le changement de situation avec un sang-froid et un courage hors du commun, des qualités essentielles pour s'infiltrer clandestinement sur un des territoires les plus dangereux du continent. De plus, elles lui avaient sauvé la vie et il sentait qu'il avait une dette à leur égard et le message étrange qu'elles avaient reçu le poussait davantage à accepter.

— D'accord, s'entendit-il répondre en fixant les grands yeux violets de Satria.

Cette dernière poussa un profond soupir.

— Très bien, dit-elle en se levant. Tiens-toi prêt demain. Je viendrai te chercher à la tombée du jour… débrouille-toi pour qu'on ne te change pas de place. Tu dois rester à cet endroit si on veut que le plan fonctionne.

— D'accord. À demain alors.

Léo la suivit des yeux jusqu'à ce qu'elle sorte de l'infirmerie, ses ailes laissant un dernier éclat bleuté dans la pénombre.

11

La toile portail

Dès leur réveil, Satria et Tolyco descendirent manger et choisirent une table à l'écart pour discuter des préparatifs.

— C'est vraiment génial que Léo accepte que nous l'accompagnions, dit Tolyco en mordant dans une tartelette aux fruits. Est-ce qu'il a été difficile à convaincre ?

— Non.

— Merveilleux ! Nous aurons besoin de provisions, ajouta-t-elle en fronçant les sourcils.

— Et de sacs, renchérit Satria. Je vais aller en chercher. Pendant ce temps, tu iras prendre des vivres aux cuisines.

— Il nous faudra aussi des capes, renchérit Tolyco.

— Je crois que je peux en trouver à l'atelier de confection.

Elles mangèrent en silence un moment.

— Tu sais, j'ai beaucoup réfléchi cette nuit, reprit Satria en fixant son croissant. Léo ne sait même pas que nous n'avons pas de pouvoirs, nous devrions peut-être le lui dire…

Tolyco se renfrogna.

— Il ne nous l'a pas demandé, alors je ne vois pas pourquoi nous devrions lui en parler. Si les choses

113

devaient mal tourner, nous pourrons toujours revenir et avertir Amonialta et Seillax. Elles n'auront d'autre choix que de nous croire et d'agir.

— Mmm, peut-être, marmonna Satria, dubitative.

Tolyco prit une gorgée de son thé maintenant refroidi et se leva.

— Je vais chercher la nourriture. Toi, tu te charges des vêtements. On se rejoint dans les dortoirs.

Satria acquiesça et elles se séparèrent.

Son amie dévala les escaliers qui menaient au sous-sol, puis vola à travers le couloir jusqu'à l'atelier de confection du château. C'était à cet endroit que les couturières concevaient les vêtements.

Les habits traditionnels des fées étaient entièrement façonnés dans le cuir d'un gros animal appelé obodame. Cette grosse bête grise aux paupières lourdes et aux mouvements lents muait complètement au moins une fois par année. Elle laissait derrière elle une grande quantité d'un cuir doux et souple comme de la soie, qui avait aussi la propriété d'être d'une résistance à toute épreuve. Les couturières l'utilisaient pour fabriquer des corsets, des jupes fluides et des pantalons souples qui étaient ensuite teints aux couleurs de la fée qui allait les porter. Des bottes du même cuir venaient compléter l'ensemble.

Satria passa la tête pour voir s'il y avait quelqu'un dans l'atelier, mais il était désert. Les habitudes des domestiques du château étaient bousculées depuis la tempête et les couturières devaient être dévolues à d'autres tâches plus importantes. Elle se dirigea vers le fond de la salle et dénicha trois capes à capuches noir de jais. Elle prit aussi deux pantalons courts. Un noir pour Tolyco et un bleu foncé pour elle-même. Les fées portaient habituellement des jupes ou des robes, mais Satria tenait à être libre de ses mouvements. Avec ce qu'elles devraient peut-être affronter, elle se dit qu'elles étaient mieux de mettre toutes les chances de leur côté.

Elle prit trois sacs de cuir noirs qui pouvaient se porter en bandoulière et empoigna une vieille couverture grise toute rapiécée. Elle remonta avec son butin qu'elle cacha sous un matelas dans le dortoir.

Elle alla ensuite à l'infirmerie où elle prit quelques herbes médicinales. Elle croisa le regard de Léo, mais il fit comme s'il ne la connaissait pas. Deux fées-guerrières gardaient toujours la porte.

Elle repartit vers le dortoir et rencontra Tolyco qui avait les bras pleins de victuailles.

— Tu n'es pas très subtile ! observa Satria. On ne pourra jamais entasser tout ça dans les sacs.

— Bah ! Tout le monde s'en fiche que je transporte de la nourriture, ils sont trop occupés à reconstruire le château.

Au dortoir, elles remplirent les sacs de nourriture, d'herbes et de vêtements. Tolyco avait aussi pris des poches d'eau cristallisée. Il suffisait de les croquer pour qu'elles se transforment en une grande quantité d'eau potable.

Une voix retentit derrière elles.

— Que faites-vous ici ?

C'était Seillax. Elle se tenait devant la porte, furieuse.

— Euh... nous... nous voulions nous reposer un peu, mentit Satria.

Les sacs étaient étalés sur un matelas. Tolyco fit un pas en avant pour les dissimuler au regard rageur de Seillax.

— Vous reposez ? s'offusqua la fée-guerrière, les ailes frémissantes de colère. Pendant que tout le monde dans ce château travaille d'arrache-pied pour réparer les dommages causés par la tempête !

— Euh oui… Vous avez raison, dit précipitamment Tolyco. Nous allons retourner aider les autres.

— J'y compte bien, rétorqua Seillax d'un ton abrupt. Satria, je veux que vous aidiez à l'infirmerie. Tolyco, venez avec moi, nous allons aider les fées-de-feu à accélérer la guérison des dionées.

Sur ce, elle tourna les talons et sortit.

Satria et Tolyco s'empressèrent de cacher les sacs sous le lit.

— Qu'est-ce qui lui prend? demanda Satria.

— Je crois qu'elle a eu très peur quand la tempête est arrivée. J'ai entendu d'autres fées-de-feu dire qu'elle se sent coupable de ne pas avoir pris soin du bébé-fée.

— Treffla?

— Oui, à ce qu'il paraît, elle était censée assurer sa sécurité pendant la fête, mais elle s'est sauvée dès le début de la tempête.

Satria resta silencieuse. Le code des fées était très strict à ce sujet. Si la tâche de Seillax était de protéger Treffla et qu'elle ne l'avait pas accomplie, elle aurait sûrement des ennuis.

— On se rejoint à la salle à manger pour le souper, chuchota Tolyco alors qu'elles sortaient du dortoir. Nous discuterons des derniers préparatifs.

Satria hocha la tête. Elle aurait voulu continuer à élaborer le plan de fuite avec Tolyco, mais à présent, c'était impossible. L'idée de quitter le château avec un prisonnier sous la garde des fées-guerrières lui semblait maintenant une très mauvaise idée.

Satria passa la journée à l'infirmerie à préparer des onguents et des potions pour les malades. Le travail manuel lui laissait la tête libre pour penser. Elle voulait peaufiner la stratégie pour sortir Léo de l'infirmerie à l'insu de tous. Au moins, son lit était encore entouré de larges rideaux blancs qui l'isolaient des patients.

Satria avait déjà songé à plusieurs autres options que celle proposée par Tolyco, mais elle les avait toutes rejetées. Elle avait bien pensé à utiliser l'élixir de curare, une potion qui servait à endormir les gens, mais elle se voyait mal endormir les fées-guerrières, les fées-soignantes et tous les patients un par un sans que personne s'en aperçoive.

Elle avait aussi songé au passage secret qui se trouvait dans l'infirmerie, mais il menait directement dans le four de la cuisine, qui était toujours utilisé. Satria et Tolyco s'étaient déjà demandé quel genre de sorcier stupide avait pensé à faire un passage qui conduisait directement dans d'immenses flammes.

Satria soupira. Elle finit d'étaler un voile protecteur sur sa potion, puis s'attaqua à d'autres médicaments tout en continuant de réfléchir.

L'heure du souper arriva trop vite à son goût et elle retira son tablier avant de rejoindre Tolyco qui avait déjà entamé son repas.

— Tu devrais manger quelque chose, conseilla Tolyco à Satria en lui montrant du doigt son assiette encore pleine.

Cette dernière avait l'estomac noué. Après quelques bouchées, elle renonça à continuer. Elle observa Tolyco qui, elle, mangeait son ragoût avec énergie et ne put s'empêcher de sourire.

— On ne peut pas dire que le danger te coupe l'appétit.

— Arrête, je trouve ça génial, répondit Tolyco avec enthousiasme. Toutes les aventures qui nous attendent, et tu imagines… si nous réussissons à arrêter le sorcier nous-mêmes !

— Ça m'étonnerait, avec les pouvoirs que nous avons, ce sera davantage à Léo de s'en occuper, dit Satria.

Tolyco balaya les paroles de son amie d'un geste de la main.

— On n'est pas complètement empotées. On peut très bien se défendre.

Satria préféra ne pas commenter. Elle avait hâte de sortir du château et de voir autre chose, mais elle était tout de même anxieuse face à ce qui les attendait.

— Satria ? Tu m'écoutes ? demanda Tolyco.

— Hein ? Euh…

— Je disais qu'il faut y aller maintenant. C'est l'heure.

— Oui. Allons-y, l'approuva Satria en essayant de prêter à sa voix un ton convaincu.

Elles allèrent chercher les sacs et les capes que Tolyco glissa sous son bras tandis que Satria empoignait la couverture grisâtre. Elles se séparèrent et Satria prit la direction de l'infirmerie. Avant d'entrer, elle inspira profondément, attrapa quelques médicaments qu'elle déposa sur un chariot et déambula dans les rangées en faisant semblant de les distribuer ici et là. Dès qu'elle arriva près du lit de Léo, elle s'engouffra entre les rideaux.

Il l'attendait, assis sur son lit, et semblait beaucoup plus calme qu'elle. Il portait les mêmes vêtements que lorsqu'il avait surgi à la fête : une chemise blanche, un pantalon sombre et des protections en cuir qui couvraient son torse et ses avant-bras.

— Que dois-je faire ? demanda-t-il sans préambule.

— Penche-toi et suis le chariot, dit-elle en jetant un coup d'œil aux fées-guerrières près de la porte. Je vais le pousser jusqu'à la fenêtre que tu enjamberas lorsque je te le dirai. Prends ceci – elle lui tendit la couverture grise –, tu dois l'enfiler sur toi. Plusieurs fées gardent le château en permanence, alors elle te permettra de te fondre dans le mur lorsque tu chuteras. Oh ! Et quand tu sauteras, tu devras te laisser tomber jusqu'à ce que tu sois près du sol. Tu dois attendre d'être dissimulé par les buissons pour déployer tes ailes. C'est important, sinon tu pourrais te faire repérer. Tolyco t'attend déjà en bas. Tu n'auras qu'à la suivre ensuite.

— Je dois sauter par la fenêtre ? Il n'y a pas de fées qui gardent les fenêtres ?

— Non, mais elles observent en permanence l'extérieur du château. C'est pourquoi il est primordial que tu attendes que les buissons te dissimulent avant de t'envoler.

— Je fais le saut de l'ange alors, s'enthousiasma Léo qui ne semblait pas du tout craindre de faire une chute de plusieurs mètres dans le vide.

Satria jeta de nouveau un œil aux fées-guerrières pendant que Léo se levait. Elle tira les rideaux et plaça des oreillers sous les couvertures pour simuler un corps. L'effet n'était pas très convaincant, mais ce n'était pas grave. Si tout se passait bien, ils seraient loin d'ici dans peu de temps.

Elle prit une grande inspiration et, après s'être assurée que Léo était bien tapi derrière le chariot, s'engagea dans l'allée. Elle longea le mur afin que Léo soit dissimulé aux yeux des autres patients, qui ne se souciaient pas de Satria. La fenêtre n'était qu'à quelques mètres. Elle s'efforçait de marcher normalement et le sorcier n'avait aucun problème à la suivre. Il se déplaçait avec agilité et semblait presque s'amuser.

Elle parvint jusqu'à la fenêtre et plaça le chariot juste au-dessous.

— Lorsque je te le dirais, tu enjamberas la fenêtre. Tu devras être rapide.

— Ne t'en fais pas.

Elle jeta un coup d'œil à la ronde tout en faisant semblant de replacer les médicaments. Personne ne s'intéressait à elle. Elle allait dire à Léo d'y aller lorsqu'une voix retentit dans son dos.

— Hé! Toi! Attends!

Elle se figea. Léo la regarda par-dessus le chariot, immobile, tous ses muscles contractés.

Elle se tourna. C'est une des fées-guerrières qui gardait la porte. Elle avait quitté son poste et se tenait tout près de Satria qui se força à sourire.

— Oui?

La fée-guerrière s'approcha davantage.

— J'ai un problème avec mes ailes, lui confia-t-elle. Elles sont craquelées à certains endroits. Aurais-tu une crème pour ça?

Satria resta si surprise qu'elle ne sut pas quoi répondre sur le coup. Elle se ressaisit rapidement et fouilla dans le chariot. Elle tendit un petit pot à la fée, qui le saisit avec un sourire.

— Merci. C'est gentil.

— Ça me fait plaisir, répondit Satria d'une voix plus aiguë qu'à l'ordinaire.

La fée-guerrière retourna à la porte.

Dès qu'elle eut le dos tourné, Satria dit à voix basse.

— Maintenant.

Un léger frottement lui indiqua que Léo avait sauté sans attendre. Aussitôt, elle laissa le chariot et sortit de l'infirmerie. Dès qu'elle fut certaine d'être hors de vue, elle se dirigea vers les étages inférieurs en empruntant les passages secrets afin de ne pas être interceptée.

Maintenant, on pouvait s'apercevoir de la disparition de Léo à tout instant, elle devait donc agir vite.

Dans le couloir secret, elle s'arrêta devant une porte et attendit en silence. L'humidité la fit frissonner et elle passa ses bras autour d'elle. Tolyco et elle s'étaient donné rendez-vous à cet endroit précis. Elles devaient emprunter un passage secret qui n'était pas très loin de l'endroit où Léo avait atterri. Quelques minutes s'écoulèrent et ils n'arrivaient toujours pas. Satria commença à s'inquiéter. Peut-être qu'ils s'étaient fait prendre, ou peut-être que Léo n'avait pas eu suffisamment de temps pour prendre son envol et qu'il s'était écrasé au sol. Le temps passait et elle n'entendait que le bruit de sa propre respiration. Après un moment qui lui parut interminable, elle perçut des éclats de voix. Tolyco et Léo tournèrent le coin et arrivèrent vers elle en courant, un large sourire aux lèvres.

— Vous y êtes arrivés ! s'exclama Satria avec soulagement.

— Oui ! Léo a été parfait. J'ai bien cru qu'il n'y arriverait pas, mais il s'est envolé à la toute dernière seconde. Personne ne nous a vus, nous avons pu emprunter le passage secret comme prévu.

— Très bien. Mettez ces capes. Il faut sortir du château rapidement. Je m'occupe de la prochaine partie du plan.

Satria ouvrit prudemment la porte du passage secret. Un long couloir éclairé par des torches se dessina dans l'embrasure. Au fond du corridor se trouvait une petite alcôve. Satria laissa la porte légèrement entrouverte derrière elle et s'avança d'un pas qu'elle voulait assuré. Remarquant que ses mains tremblaient, elle serra les poings. Il ne fallait pas qu'elle éveille les soupçons, car tout le plan s'effondrerait. Elle entra dans l'alcôve, une petite pièce très élégante où se trouvaient un fauteuil confortable ainsi que des verres en cristal et une carafe remplie d'un liquide ambré posés sur une table. Une unique chaise de bois était appuyée contre le mur. Une fée-aquila, qui avait d'immenses ailes d'aigle, était justement assise là. Elle se releva brusquement à l'arrivée de Satria. Cette dernière reconnut Pomarine.

— Ah ! C'est toi, dit Pomarine en se détendant aussitôt.

Elle déploya ses longues ailes plumées d'un brun chatoyant.

— Qu'est-ce que tu veux ?

— Je suis venue prendre ta place, dit Satria à mi-voix.

Pomarine jaugea Satria.

— Qui t'a envoyée ?

Satria réfléchit à toute vitesse :

— Seillax

Elle avait nommé la chef des fées-guerrières, car Satria savait que Pomarine n'oserait pas déranger Seillax pour confirmer l'ordre.

— Seillax t'a envoyée, toi, prendre ma place ?

Sa voix était maintenant soupçonneuse. Elle se releva et s'approcha de Satria.

— Oui, il y a un manque d'effectifs à cause des dommages de la tempête, dit celle-ci à toute vitesse. Elle m'a envoyée temporairement. Une fée-guerrière viendra me remplacer sous peu, mais Seillax tenait à ce que tu puisses te reposer. La situation est exceptionnelle, ajouta Satria en voyant l'air méfiant de Pomarine.

Cette dernière dévisagea longuement Satria qui soutint son regard sans ciller, puis elle abdiqua.

— C'est vrai que je ne me souviens plus de la dernière fois où j'ai réussi à dormir un peu, avoua Pomarine en s'étirant. Il n'y a pas d'arrivée prévue ce soir. Cette nuit sera tranquille. Bonne surveillance.

Là-dessus, elle tourna les talons et disparut dans le corridor.

Tolyco et Léo, qui n'avaient pas manqué un mot de la conversation, retinrent leur souffle lorsque la fée-aquila passa près d'eux. Alors que les pas s'éloignaient, ils sortirent en silence du passage secret et rejoignirent Satria.

Léo avait enfilé sa longue cape noire, mais ses ailes majestueuses et massives dépassaient de chaque côté.

— Tu dois plier tes ailes, nous allons te faire passer pour un sorcier, lui dit Tolyco.

— Plier mes ailes? répéta Léo, surpris.

— Tu n'as jamais appris à les plier? lui demanda Tolyco, incrédule.

— Non…

— Bon, tourne-toi, je vais le faire pour toi, dit Satria, mais tu devras l'apprendre.

Léo s'exécuta tout en restant perplexe. Il sentit les mains de Satria manipuler ses ailes avec dextérité.

— Voilà. Prends bien soin de les maintenir en place, sinon tu vas te faire repérer.

De ce qu'il pouvait voir en tournant la tête, ses ailes avaient été ramenées en un petit paquet à peine bombé qui se situait au milieu de son dos.

Il regarda Satria, impressionné.

— Bien quoi? dit-elle en haussant une épaule. C'est une technique de camouflage assez efficace. Avec une cape, personne ne peut savoir que nous sommes des fées. On nous prend pour des humains.

À leur tour, Satria et Tolyco entreprirent de plier leurs ailes dans leur dos sans même les toucher.

— Comment y parvenez-vous sans les mains? demanda Léo.

— Ça demande beaucoup de pratique. Jamais personne ne t'a montré à faire ça?

— Non, je n'avais jamais côtoyé de fées avant vous. Je vivais uniquement entouré de sorciers et j'étais le seul à posséder des ailes.

— Je comprends, dit Satria. L'uzul est un être très rare. Nous ne savions même pas qu'il en existait.

Léo s'apprêtait à poser une question, mais Tolyco le fit taire.

— Nous devons partir maintenant.

Elle s'avança vers la chaise où était Pomarine un instant plus tôt et s'y installa. Ses deux mains se posèrent sur les accoudoirs et elle dit d'une voix forte.

— Nous devons quitter le château. *Relinquo.*

Elle avait prononcé le dernier mot à voix basse, en se servant des vibrations de sa gorge pour déployer sa magie.

Un déclic se fit entendre et le mur derrière la chaise se mit à pivoter, entraînant Tolyco avec lui. Il s'arrêta à mi-chemin, laissant entrevoir un autre appartement derrière la cloison.

Satria, Tolyco et Léo pénétrèrent dans une pièce beaucoup plus vaste et très éclairée. Aussitôt, le mur pivota pour se refermer.

Une immense peinture qui représentait une forêt au coucher du soleil ornait le mur du fond. C'était d'ailleurs la seule chose qui se trouvait dans cette pièce et les deux fées s'y dirigèrent sans hésiter.

— C'est une toile portail, dit Satria à Léo en souriant. Est-ce que tu connais ça ?

— Oui, les sorciers d'Ostandos en possèdent aussi.

Il passa ses doigts sur la toile en tissu.

— C'est donc comme ça que nous allons nous enfuir ?

— Oui, le château est trop bien surveillé pour que nous réussissions à nous échapper autrement.

Les toiles portail étaient un moyen de voyager d'un endroit à un autre. Les architons, de grands hommes rachitiques aux longs doigts et au visage émacié, créaient ce genre de tableau. Ils reproduisaient un lieu en peinture et ils envoûtaient le tableau pour permettre aux gens d'atteindre l'endroit lorsqu'ils passaient au travers de la toile. Les architons apposaient ensuite une clé différente pour chaque toile portail ; si une personne voulait l'emprunter, elle devait connaître la clé. Par exemple, certaines toiles ne laissaient passer que les sorciers ou d'autres requéraient un minimum de dix personnes pour accepter le passage.

— Est-ce qu'il faut être une fée pour pouvoir franchir la toile portail ? demanda Léo.

— Les toiles portail du clan Castel acceptent toutes les créatures sans exception.

— Et où celle-ci nous mènera-t-elle ?

— Tout prêt du territoire des Bannis.

Satria enfila la cape que Tolyco lui tendait. Ils prirent chacun leurs sacs et remontèrent leur capuche sur leur tête.

— Pour passer, la clé consiste à poser notre pouce sur une des roches du paysage, dit Satria à Léo.

Ils prirent place devant la toile, levèrent leur main et, dans un même mouvement, pressèrent une roche du dessin avec leur pouce. Après un court instant où le temps sembla suspendu, ils se sentirent aspirés par la toile et le noir les engloba.

12

Le récit de Léo

SATRIA NE POUVAIT pas respirer. Ce n'était pas la première fois qu'elle empruntait la toile portail, mais chaque fois, la sensation de manquer d'air était horrible. Elle avait l'impression d'avoir la gorge remplie de peinture et elle ne voyait plus qu'un enchevêtrement de filaments de couleur qui s'enroulait autour d'elle comme une toile d'araignée.

Après ce qui lui parut comme une éternité, les fils colorés se retirèrent et elle atterrit sur la terre ferme. De ce qu'elle percevait à ses côtés, Tolyco et Léo étaient en train de reprendre leur souffle, tout comme elle. La forêt qu'ils avaient vue sur la toile se dressait maintenant devant eux. À leur droite se trouvait une petite cabane en bois rond dont l'unique fenêtre diffusait une vive lumière. Une fée-aquila sortit de la cabane, visiblement stupéfaite de les voir débarquer. Elle se ressaisit rapidement et vint à leur rencontre.

— Que faites-vous ici ? Aucune arrivée n'était prévue pour ce soir. Présentez-vous, ordonna-t-elle durement.

Satria et Tolyco se figèrent. Elles n'avaient pas pensé à la deuxième fée qui était en poste. Tolyco se ressaisit et inventa quelque chose :

126

— Je suis Tolyco, et voici Satria. Nous avons comme mission d'escorter ce sorcier d'Ostandos jusque chez lui.

— Pourquoi n'ai-je pas été prévenue ? demanda la fée en croisant les bras.

— Eh bien…

— J'étais venu uniquement pour la naissance de la fée, l'interrompit Léo en s'avançant. J'ai été blessé dans la tempête et je n'ai quitté l'infirmerie que ce soir. Je tenais absolument à rentrer chez moi, car de trop nombreuses choses sont restées négligées pendant mon absence. Amonialta a été compréhensive à mon égard et a accepté de me faire escorter par ces deux fées. Vous n'avez pas à les blâmer pour ça.

Léo était très calme et convaincant. Le regard de la fée changea.

— Oh ! Vous étiez présents lors de la tempête, dit-elle en s'adoucissant. On m'a dit que c'était horrible. Je n'ai rien vu, j'étais de garde ici.

Tous les trois hochèrent la tête en silence.

— Très bien, allez-y, dit-elle en retournant à son poste d'observation. Par contre, vous devrez avoir reçu votre autorisation pour repasser, ajouta-t-elle à l'intention de Satria et Tolyco, en désignant la toile portail derrière eux, que soutenaient des piliers de bois.

On pouvait y voir une reproduction exacte de la pièce qu'ils venaient de quitter.

Elles acquiescèrent et s'éloignèrent sans bruit avec Léo. Ils s'enfoncèrent tous les trois dans la forêt, contents d'échapper au regard de la fée-aquila.

— Nous sommes à seulement une heure de marche du territoire des Bannis, dit Tolyco en observant la nuit devant elle. Je crois que nous ne devrions pas voler tout de suite, car des fées parcourent le ciel en permanence. Si nous marchons, elles croiront que nous sommes des voyageurs. La frontière franchie, nous pourrons voler.

Ils marchèrent en silence sur un étroit sentier qui serpentait à travers la forêt. Personne n'osait parler, tous trois étant conscients de ce qu'ils venaient de faire. Satria et Tolyco étaient nerveuses. Elles espéraient qu'Amonialta comprendrait leurs intentions lorsqu'elles lui expliqueraient pourquoi elles étaient parties. Elles aimaient le château et le clan Castel. Même si elles ne s'y étaient pas toujours senties à leur place, c'était leur seule demeure.

Au bout d'un moment, Léo brisa le silence.

— C'était facile.

— Quoi ? demanda Satria en lui jetant un coup d'œil.

— De passer les deux postes de garde. C'était trop facile, répondit-il, dubitatif.

Il regarda les deux fées qui évitaient son regard. Tolyco se décida à répondre.

— C'est qu'habituellement, les fées du même clan ne se trahissent pas.

Devant le regard stupéfait de Léo, elle enchaîna :

— Ce que nous venons de faire, mentir à nos consœurs, est très grave. Les fées sont très solidaires et honnêtes entre elles. C'est une des valeurs principales de notre clan. C'est pour cela que les fées-aquila nous ont crues.

— Alors dans ce cas, pourquoi avez-vous accepté de m'aider à m'enfuir et d'ainsi trahir votre clan ?

Satria grimaça en entendant Léo parler de trahison.

— Nous n'avons pas aimé leur mentir, avoua Tolyco. Mais je crois que nous avons pris la bonne décision. L'attitude d'Amonialta est étrange et nous devons empêcher la tempête de sévir à nouveau. Et il y a le message que nous avons reçu…

Léo approuva en silence alors qu'ils continuaient d'avancer.

Satria buta contre une racine, mais Léo la saisit aussitôt par le bras. Il marchait avec aisance dans l'obscurité, évitant chaque obstacle facilement. Satria était nettement plus maladroite : elle s'empêtrait dans les branches. Les fées-de-feu avaient un sortilège pour voir clair dans la nuit, mais Tolyco n'avait jamais réussi à le reproduire, si bien qu'elle aussi trébuchait.

Ils arrivèrent à un petit village appelé Roseignol, qu'ils devaient traverser. Avec leurs capes noires, leurs ailes pliées et leurs capuches remontées, les rares passants qui s'attardaient dans la nuit ne leur prêtèrent pas attention.

Alors qu'ils passaient devant une taverne remplie de villageois particulièrement bruyants, Léo posa une question :

— Tantôt, vous avez utilisé le terme fée-aquila… que vouliez-vous dire ?

Satria et Tolyco étaient tellement surprises qu'elles stoppèrent net.

— Tu ne connais pas les fées-aquila ? s'écrièrent-elles en même temps.

Un client du bar qui semblait passablement éméché les apostropha.

— Mesdemoiselles, venez vous joindre à nous ! les invita-t-il d'une voix pâteuse. Vous semblez bien jolies, mes jolies !

Il rit grassement de son jeu de mots un peu niais et approcha.

Satria eut un mouvement de recul et aussitôt, Léo s'avança.

Il ne dit rien, mais tout en lui changea. Il semblait à présent menaçant, sa posture indiquant clairement qu'il protégeait Satria et Tolyco. Son regard croisa celui de l'inconnu, qui recula. Après des balbutiements incompréhensibles, l'homme retourna avec empressement dans le bar sans demander son reste.

Léo reprit sa marche avec Satria et Tolyco comme si rien ne s'était passé.

—Comment se fait-il que tu ne connaisses pas les fées-aquila ? demanda Satria après qu'ils se furent éloignés.

—Je n'ai vécu qu'avec des sorciers, répondit Léo laconiquement.

—Mais tu es le fils d'une fée, argumenta Tolyco. Elle a bien dû t'en apprendre un peu sur nous ?

Léo ne répondit pas tout de suite. Il semblait songeur et Satria nota que sa démarche était devenue plus saccadée. Puis, il expliqua :

—Je n'ai pas connu ma mère. Elle est morte à ma naissance.

—Je suis désolée, dit Satria à voix basse.

—Les sorciers ont quand même dû te parler des fées, insista Tolyco.

—C'est que mon père était très amoureux de ma mère et lorsqu'elle est morte, il n'a plus jamais été le même. Ça a été une période très difficile pour lui… disons que le seul moyen qu'il a trouvé pour s'en sortir a été de faire comme si elle n'avait jamais existé. Il a détruit tout ce qui lui appartenait et a ordonné aux sorciers de ne plus jamais parler de fées en sa présence. Il a ensuite exigé que l'on fasse la même chose avec moi.

—C'est si triste, dit Tolyco. Comment a-t-il pu la faire disparaître de ta vie ? Et les autres sorciers ont approuvé sa décision ?

—Mon père est un sorcier très influent, expliqua Léo dans un rictus. Pour continuer à vivre, il a voulu la rayer complètement de son existence… et il y est arrivé.

—Sais-tu seulement son nom ? demanda doucement Satria.

— Non. Je ne sais rien d'elle.

— Avec tes ailes, tu devais continuellement lui rappeler ta mère, fit remarquer Satria.

Léo approuva d'un signe de tête.

— Lorsque j'ai eu cinq ans, mon père m'a envoyé dans une école réputée. C'est un établissement qui accueille seulement des sorciers particulièrement doués qui sont triés sur le volet. Nous y recevions une formation rigoureuse. Encore une fois, il a insisté auprès des dirigeants de l'école pour que je sois tenu dans l'ignorance de tout ce qui avait trait aux fées. J'y suis resté jusqu'à l'année dernière. Lorsque j'ai quitté l'école et que je suis retourné chez les sorciers d'Ostandos, mon père l'a mal pris. Il ne voulait pas que je revienne. Après tout ce temps, il n'avait toujours pas réussi à accepter la mort de ma mère.

— Que s'est-il passé ? demanda Satria en rabattant les pans de sa cape contre elle.

— Mon oncle, qui est aussi un sorcier, a plaidé ma cause auprès de mon père et il a finalement accepté de me garder. Il faut dire qu'avec mes compétences, il pouvait difficilement refuser, les sorciers d'Ostandos avaient besoin de moi. Je suis resté quelques mois, jusqu'à ce que la tempête surgisse. Vous connaissez la suite.

— Pourquoi as-tu quitté cette école ? interrogea Tolyco.

— Je n'étais pas d'accord avec les agissements de mes mentors, expliqua Léo.

— Tes mentors ? Tu veux dire tes professeurs ?

— Non, dans cette école, les sorciers qui nous enseignent n'ont pas le titre de professeur. Nous les appelons « mentors ».

Ils dépassèrent une rangée de maisons collées les unes sur les autres et arrivèrent à l'extrémité du village.

Ils s'engagèrent sur un chemin en terre battue qui scindait un immense champ de blé en deux. Le vent soufflait doucement sur le blé qui ondulait en cascades. Tout était calme. Satria repoussa ses cheveux blonds qui dansaient autour de son visage. Ses yeux violets sondaient la nuit, essayant de deviner ce qui les attendait devant.

— Vers la fin de notre formation, continua Léo à voix basse, comme si la quiétude des lieux l'exigeait, les mentors ont commencé à nous donner des missions qui, je trouvais, servaient davantage leurs intérêts personnels que ceux du peuple. J'ai donc commencé à faire mes propres recherches sur eux et ils n'ont pas apprécié. Ils ont voulu me renvoyer, mais je suis parti avant.

Il s'interrompit et sourit en regardant les deux fées.

— Mais ça m'est égal. Je considère que j'avais déjà appris tout ce que je devais apprendre avec eux. Je ne tenais pas à devenir un de leurs disciples.

— Ton père a accepté que tu viennes nous rencontrer au clan Castel alors qu'il avait tout fait pour t'éloigner des fées ? intervint Tolyco.

— Pour une des rares fois dans sa vie, il n'a pas eu un mot à dire, répondit-il toujours en souriant. Nous étions pressés par le manque de temps et j'étais la personne la mieux placée pour effectuer cette tâche. Grâce à mes ailes, je pouvais suivre la tempête à la trace. Mon oncle est intervenu auprès du conseil des sorciers, mais il n'a pas eu à trop insister, les autres sorciers étaient déjà d'accord. Ils m'ont laissé partir. Mon père était dans une colère noire. J'imagine qu'il sera toujours furieux lorsque j'y retournerai.

— Tu veux y retourner ? s'étonna Satria.

Léo haussa les épaules.

— Je devrai leur faire un compte rendu du résultat de mon intervention au volcan, mais je repartirai ensuite.

— Pour aller où ? le questionna Satria.

— Je ne sais pas, dit Léo en riant franchement, mais je suis sûr que je trouverai bien.

Ils gardèrent le silence jusqu'à ce que Satria s'interroge.

— Quelle est la forme de magie que tu pratiques ? demanda-t-elle.

— J'ai étudié tous les types de poudre, mais je me suis spécialisé en maniement de la poudre de soufre, répondit Léo.

Les sorciers canalisaient leur pouvoir à l'aide de la poudre magique. La plupart se servaient de la poudre d'argent ou de mercure. La plus puissante était la poudre de soufre. Elle était peu utilisée, car très difficile à maîtriser. Satria n'avait jamais rencontré de sorcier qui l'employait.

— En as-tu sur toi ? demanda-t-elle.

Léo écarta un pan de sa cape et dévoila un petit sac attaché à sa ceinture.

— J'en ai là-dedans.

— Ce n'est pas dangereux ?

— Je peux la voir ?

Satria et Tolyco avaient parlé en même temps et elles éclatèrent de rire.

Léo sourit et hocha la tête.

— Non, ce n'est pas dangereux pour moi. Je manie bien cette forme de magie.

Il sortit un peu de poudre noire de sa poche pour leur montrer. Cela ressemblait davantage à de minuscules cristaux noirs et brillants. Tolyco tendit la main pour la toucher, mais il referma vite ses doigts.

— Malheureusement, je ne peux pas vous laisser la manipuler. On ne peut jamais savoir ce qui arrivera lorsqu'un non-initié prend cette poudre. Ça tourne parfois à la catastrophe sans raison, alors je préfère ne rien tenter ce soir. Ne le prenez pas mal, ajouta-t-il en s'adressant aux deux fées. Je pourrai vous enseigner son usage à un moment plus opportun si vous le désirez.

Satria secoua la tête.

— Non, les fées n'ont pas le même pouvoir que les sorciers. Nous ne pouvons pas faire agir notre magie à travers des objets. Nous utilisons notre propre technique.

Léo parut étonné, mais n'insista pas.

— Quand j'ai quitté l'école, dit-il, nous étions en train d'essayer de mettre en œuvre nos sortilèges sans poudre.

Il grimaça à cette pensée.

— Ce n'était pas un franc succès, mais nous avons tout de même eu quelques résultats. Je comptais m'entraîner de mon côté dès que j'aurais du temps.

— Je ne savais pas que c'était possible. Comment réussissez-vous à faire ça ? demanda Tolyco, curieuse.

— Il faut une concentration et une maîtrise de soi exceptionnelle. Nous avons passé cinq années à nous exercer avant de commencer à obtenir de minces résultats.

— Quand tu dis « nous », tu veux parler de…

Les mâchoires de Léo se crispèrent et son regard se durcit.

— Un autre élève et un ancien ami à moi appelé Marcus.

— Le même qui était avec toi lorsque vous avez rencontré les pilleurs ? demanda Satria.

— Oui, mais nous ne sommes plus amis à présent.

— Je suis désolée, je ne voulais pas…

— Non, ça va, dit aussitôt Léo en regardant Satria. C'est juste que je préfère ne pas y penser. Disons simplement que nous n'avions pas la même opinion sur nos mentors. À la fin, je trouvais qu'ils étaient dangereux, mais Marcus n'était pas d'accord. Ça a dégénéré en affrontement… C'est pour cela que je suis parti de l'école.

Léo s'arrêta soudainement.

—J'entends du bruit, dit-il en scrutant l'obscurité devant lui.

Les champs prenaient fin abruptement pour laisser place à une petite forêt de pins. Au-delà des arbres se dressait la muraille des Bannis, sombre et massive, comme une menace dans la nuit.

Satria et Tolyco tendirent l'oreille et perçurent elles aussi des éclats de voix qui résonnaient au loin.

—Nous sommes arrivés, dit Tolyco en baissant la voix.

13

Le territoire des sorciers Bannis

L A FORÊT QUI PERMETTAIT d'accéder à la muraille n'était en fait qu'une mince rangée de pins qui s'élevaient très haut dans le ciel. Tapis derrière des buissons, ils observaient la scène qui se déroulait sous leurs yeux. Cinq gardes étaient de faction devant la muraille noire et imposante. Munis d'épées, ils discutaient et riaient bruyamment. De ce que Satria percevait comme bribes de conversation, ils s'apprêtaient à faire une ronde. La muraille était haute et si étendue que Tolyco ne pouvait en voir les extrémités. Un des sorciers mentionna en regardant vers sa droite que le portail était présentement surveillé par deux gardes. Les sorciers partirent donc vers la gauche pour commencer leur ronde.

Satria, Tolyco et Léo laissèrent le cortège tapageur s'éloigner avant de discuter d'un plan d'action.

— Nous pourrions voler par-dessus le mur d'enceinte, proposa aussitôt Tolyco.

Léo jeta un rapide coup d'œil vers le haut.

— Non, les sorciers ont des sortilèges de protection puissants. Ils en ont probablement disposé au-delà de la muraille. Nous pourrions être sérieusement blessés si nous en frappions un en plein vol.

— Alors, rendons-nous au portail, suggéra Satria. Nous verrons ensuite comment nous pourrons passer.

— Oui, c'est par là que nous aurons les meilleures chances d'entrer, approuva Léo.

Tous les trois se dirigèrent vers la droite tout en s'assurant de rester cachés derrière les arbres. Ils marchèrent pendant quelques minutes. Maintenant que la nuit était bien installée, l'air était froid et une petite brume flottait autour d'eux. Satria s'enroula dans sa cape tout en prenant bien soin de ne pas s'éloigner de Tolyco et Léo, dont elle ne distinguait que les silhouettes.

Ils ralentirent lorsqu'ils virent les contours d'une porte de fer colossale.

— Prenez soin de rester dissimulées, chuchota Léo tout en continuant d'avancer.

Ils arrivèrent à la seule entrée du territoire des sorciers Bannis. C'était un immense portail surplombé d'une arcade de pierre imposante. Satria frissonna. Le paysage était sinistre. Deux sorciers armés eux aussi d'épées montaient la garde de chaque côté du portail. Ils étaient immobiles et silencieux, beaucoup plus alertes que les autres gardes.

Léo les observa.

— Très bien. Je vais aller m'occuper de ces deux-là. Ensuite, vous viendrez me rejoindre.

— Je ne sais pas si tu l'as remarqué, mais ils sont armés et toi, tu ne l'es pas…, commenta Tolyco, prudente.

Elle vit Léo dévoiler un sourire étincelant.

— Oui, mais je suis rapide et j'ai l'avantage de la surprise.

Tolyco fit la moue.

— D'accord, mais ils sont deux et ils pourraient avoir le temps d'appeler des renforts. Si tu permets, je crois que j'ai une idée pour une bonne diversion.

Elle se tourna vers Satria.

— Je crois que nous pourrions utiliser le pouvoir universel des fées, dit-elle en lui faisant un clin d'œil complice.

Satria mit quelques secondes à comprendre. Elle observa les gardes nerveusement.

— Tu crois ?

— Léo n'a besoin que de quelques secondes pour agir. C'est ce que nous pouvons lui offrir.

Satria prit une grande inspiration.

— Bon, très bien.

Léo, qui avait écouté leur échange avec scepticisme, intervint :

— Puis-je savoir ce que vous comptez faire ?

— Ne t'inquiète pas, dit Tolyco. Nous allons les distraire pour que tu arrives à les mettre hors d'état de nuire. Tu n'as qu'à attendre que nous soyons assez près d'eux pour agir.

Sur ce, elle ajusta sa capuche sur sa tête et sortit du boisé d'un pas assuré. Satria sourit doucement à Léo.

— Fais-nous confiance.

Elle s'assura que sa capuche dissimulait son visage avant de sortir de sa cachette pour rejoindre Tolyco. Ensemble, elles se dirigèrent droit sur les sorciers qui ne mirent pas longtemps à les repérer.

— Arrêtez-vous ! beugla l'un d'entre eux en brandissant son épée.

Elles baissèrent la tête pour dissimuler leur visage tout en avançant.

— Je vous ai dit de vous arrêter ! répéta le premier garde. Obéissez !

Les deux fées ne bronchèrent pas, elles étaient maintenant presque à leur hauteur.

Les deux sorciers se placèrent en position de combat, leurs épées tendues vers l'avant, prêts à attaquer. Leur main était posée sur le petit sac rempli de poudre accroché à leur ceinture.

— Vous l'aurez voulu, lança le premier entre ses dents.

Les deux fées s'arrêtèrent à quelques pas d'eux. Les gardes attendaient, nerveux, observant les deux créatures enveloppées d'une cape noire qui dissimulait leur visage. Brusquement et d'un même mouvement, elles relevèrent la tête et enlevèrent leur capuche.

Elles plongèrent leur regard dans ceux des sorciers et l'envoûtement fut immédiat.

Les deux gardes entrèrent en transe. Ils avaient la bouche ouverte, les yeux exorbités et semblaient chercher leur souffle. Le premier laissa tomber son épée dans l'herbe.

Jamais ils n'avaient vu de créatures aussi captivantes. Leurs visages parfaits irradiaient dans le noir. Ils étaient hypnotisés, incapables de détourner les yeux.

Avant même qu'il ait repris ses esprits, le premier garde fut percuté de plein fouet par Léo. Ce dernier se retrouva au sol avec le sorcier et sans attendre, il sortit de sa poche une pincée de poudre qu'il envoya au visage du garde en prononçant d'une voix profonde :

— *Sablesam.*

Aussitôt, le garde perdit connaissance.

Léo se releva prestement et se rua vers le deuxième sorcier qui sortait de sa transe et observait la scène, ahuri.

Léo lui asséna un coup sur la nuque. Il s'effondra au sol à son tour en étouffant une exclamation de surprise.

— Léo ! Attention ! l'avertit Satria.

139

Un troisième garde venait de surgir dans la nuit et fonçait droit sur Léo qui était toujours à genoux dans l'herbe. Celui-ci empoigna l'épée du sorcier inerte et eut juste le temps de la lever au-dessus de sa tête pour parer le coup. L'épée du garde frappa la lame de Léo dans un fracas assourdissant.

Un combat féroce s'engagea. Tous les coups portés résonnaient dans la nuit comme des milliers de carillons. Satria et Tolyco regardèrent autour d'elles, espérant ne pas voir d'autres sorciers qui, alertés par le vacarme, viendraient porter secours à leurs confrères.

Léo, le visage calme et concentré, était complètement absorbé par le combat. Chaque coup était esquivé avec agilité et il répliquait avec force.

Tolyco observait les deux sorciers avec attention, n'osant pas intervenir de peur de déconcentrer Léo. Un éclat brillant sur le sol attira son regard. C'était l'épée de l'un des gardes. Sans hésiter, elle la ramassa. Elle était lourde dans sa main. Après avoir rapidement évalué la situation, elle décida d'attendre un peu avant de l'utiliser.

Satria regardait Tolyco et paraissait décontenancée.

— Que fais-tu? Tu ne vas pas te servir de ça! s'exclama-t-elle en désignant l'énorme épée dans sa main.

— Il faut bien l'aider, rétorqua Tolyco en observant toujours le combat.

— Tu ne crois pas que nous pourrions intervenir autrement? demanda Satria nerveusement.

— Comment? On ne peut pas faire de magie, on ne maîtrise rien. On blesserait Léo à coup sûr.

Le garde se pencha brusquement vers l'avant pour éviter l'épée de son assaillant. Il se releva promptement tout en décrivant un large moulinet avec son arme. Léo, voyant venir le coup mortel, roula au sol pour l'éviter et

140

se remit rapidement en position de combat. Le sorcier replongea vers Léo, mais celui-ci prévint le coup et l'esquiva en bondissant sur le côté. Il en profita pour agripper la tignasse sale du garde et le tira de toutes ses forces vers l'arrière, lui faisant ainsi perdre l'équilibre. Il plaqua le gardien au sol sans ménagement et lui retira son épée pour la lancer au loin. Sans attendre, il lui flanqua un bon coup sur la nuque et le sorcier perdit connaissance.

Léo resta un instant accroupi sur le sol, reprenant son souffle. Lorsqu'il se redressa, il vit Tolyco et Satria côte à côte, stupéfaites. Il remarqua aussi l'épée dans la main de Tolyco. Elle la serrait si fort que ses jointures avaient blanchi. Il ne put réprimer un petit rire.

— Qu'est-ce que tu comptais faire avec ça ? demanda-t-il à Tolyco avec un sourire incrédule.

Piquée, elle lui répliqua avec aplomb :

— Si tu n'étais pas arrivé à le vaincre, je ne l'aurais certainement pas laissé ensuite nous découper en morceaux sans me défendre. Et puis – elle désigna les deux gardes qui avaient été assommés – si tu ne connais qu'une seule technique pour terrasser tes adversaires, nous ne ferons pas long feu.

Le regard de Léo se durcit.

— Si j'avais voulu que ces sorciers meurent, je m'y serais pris autrement. Il est plus difficile de se battre quand on ne souhaite pas la mort de son adversaire, surtout si lui la désire ardemment. Je voulais seulement les mettre hors d'état de nuire pour quelques heures.

— Tu es trop généreux, nota Tolyco avec sarcasme, mais elle le regretta immédiatement. Non, vraiment, je suis contente qu'ils ne soient pas morts, ajouta-t-elle.

Léo haussa les épaules en se penchant pour ramasser une épée et le fourreau d'un des sorciers inertes. Il l'ajusta autour de sa taille et y glissa l'épée.

— Tu le penseras peut-être moins quand ils alerteront tous les sorciers et qu'ils se mettront à notre poursuite dans quelques heures. Je ne voulais pas la mort de ces sorciers, mais cela ne veut pas dire que nous ne pourrons éviter d'en tuer une fois que nous serons entre ces murs.

Il passa ses doigts dans ses cheveux châtains et désigna l'épée dans la main de Tolyco.

— Comment la trouves-tu ? s'informa-t-il.

Tolyco hésita.

— Lourde.

En effet, l'épée devait peser plus de quinze kilos et ankylosait son bras. Elle avait vu Léo la manier comme si elle était légère, mais elle se rendait compte qu'elle ne pourrait pas se battre très longtemps avec cette arme.

Léo opina. Il retourna auprès des sorciers et décrocha un objet attaché à leur taille. Il revint en tenant dans chaque main un petit poignard d'argent. Satria déglutit en apercevant la lame nue qui brillait dans le noir.

— Prenez-les.

Satria essaya de sourire, mais ses lèvres restèrent figées.

— J'aurais préféré que tu nous apprennes la technique du coup sur la nuque, dit-elle en observant les sorciers assommés, bien que toujours vivants.

— Je vais vous l'apprendre, mais pas ici. Nous devons partir vite.

Il ajouta en voyant Satria hésiter à prendre le poignard :

— Tant que je serai présent, vous n'en aurez pas besoin. Je peux vous défendre et je m'engage à vous protéger.

Satria regarda Léo droit dans les yeux. Elle y lisait une volonté inébranlable et une acceptation teintée d'indifférence.

Elle déglutit en saisissant le poignard et fut surprise de constater qu'il semblait tenir parfaitement au creux de sa main.

Tolyco était déjà en train d'ajuster le sien à sa ceinture avec l'étui en cuir de l'un des gardes.

— Nous devons partir, déclara-t-elle en balayant les alentours du regard.

Léo acquiesça et sortit un trousseau de clés de la poche d'un gardien.

Il se rendit à la grille et observa la serrure avant de choisir la clé. La première fut la bonne et il entrouvrit l'immense portail dans un grincement sonore. Léo laissa passer les deux fées et il emprunta à son tour l'ouverture. Il ne prit pas la peine de verrouiller la porte, cela ne servait plus à rien.

Il vit que Satria et Tolyco avaient déplié leurs ailes et il fit de même, non sans difficultés. Il sortit une petite boussole de sa poche et consulta le plan quelques instants.

— Nous irons vers l'est pendant quelques heures, dit-il en pointant une direction rendue invisible par le brouillard. Les sorciers n'ont pas vu nos ailes, cela nous donne un léger avantage car, croyant que nous sommes à pied, ils nous jugeront plus lents que nous ne le sommes.

— Je suis désolé de te contredire, dit Satria en se mordant la lèvre, mais ils savent très bien que nous sommes des fées.

— Quoi ? Comment ça ?

— Tout à l'heure, lorsque nous les avons hypnotisés, tu te souviens ?

— Oui, je me demandais ce que vous leur aviez fait d'ailleurs.

Satria sentit le rouge lui monter aux joues, mais elle poursuivit :

— Toutes les fées ont un charme particulièrement… intense. Nous pouvons l'utiliser pendant quelques secondes afin de paralyser les hommes. Ils deviennent comme… captivés par nous, comme ensorcelés.

— Je vois, dit Léo en passant une main devant sa bouche.

Satria remarqua qu'il se retenait de rire.

— Et vous avez usé de votre charme sur moi ? demanda-t-il en se frottant la joue.

Tolyco éclata de rire en rejetant ses longs cheveux rouges derrière elle.

— Non, nous n'en avons pas eu besoin, tu as accepté très rapidement de nous emmener avec toi.

Léo fit une moue suspicieuse.

— De toute façon, expliqua Tolyco, tu t'en serais rendu compte si nous avions utilisé notre charme sur toi. Ça ne dure pas très longtemps et ça ne rend pas amnésique. C'est d'ailleurs pour cette raison que lorsque les gardes vont se réveiller, ils sauront très bien que nous sommes des fées. Par contre, ils ne croiront pas que toi, tu as des ailes puisque c'est très, très rare un homme mi-sorcier, mi-fée.

— C'est vrai, mais ils ne courront pas de risques et ils surveilleront tout de même le ciel, acheva Léo. Je suggère donc que nous volions quelque temps, puis nous verrons s'il est plus simple de nous dissimuler dans la forêt.

Ils prirent leur envol en même temps dans les airs. Satria, qui avait les ailes pliées depuis un moment, prit plaisir à les sentir battre dans son dos. Elle fut vite grisée par la sensation du vent sur son visage.

Ils volaient côte à côte, en silence. Satria songea à tout ce qui venait de se passer. Depuis que la tempête de Ceithir avait frappé le clan Castel, elle n'avait pas eu une seconde à elle et maintenant qu'elle volait librement, elle pouvait réfléchir à tous les événements qui avaient complètement transformé sa vie. Elle se rendit compte qu'elle avait peur. Peur de ce qu'ils allaient trouver au volcan. Peur que le message envoyé dans la goutte d'eau soit un piège.

Elle savait que Tolyco ne partageait probablement pas ce sentiment. Son amie était courageuse et elle avait toujours rêvé d'une vie palpitante. Puis elle repensa à ce qu'elle avait vu dans le message. L'horrible tourbillon sur le sol qui aspirait tout sur son passage ne semblait pas avoir de lien avec le volcan et pourtant, elle était certaine que c'était important. Plusieurs pièces du casse-tête manquaient. Elle observa Léo qui volait avec aisance à ses côtés. Lui aussi représentait un mystère pour elle. Elle sentait qu'elle pouvait lui faire confiance. Satria repensa à l'école où il avait été formé. Elle avait remarqué que lorsqu'il avait parlé de cet endroit, il avait changé d'attitude, comme s'il était en colère... Et sa mère. Satria y songea avec un frisson. S'il n'avait pas de connaissances sur les fées, il ne devait pas savoir qui était sa mère. Satria, elle, savait que ce n'étaient pas toutes les fées qui pouvaient avoir un enfant uzul. Elle se demanda si elle devait le lui dire.

Après un instant, elle leva les yeux et perçut un changement dans l'air, comme une oscillation dans le vent. Instinctivement, elle ralentit et regarda autour d'elle pour en découvrir l'origine. Tolyco et Léo ralentirent à leur tour et observèrent Satria, alarmés.

Elle leur fit signe de diminuer leur altitude tandis qu'elle continuait de surveiller les alentours. La vibration du vent se fit brusquement plus forte. Satria piqua du nez et les autres la suivirent par réflexe. Un instant plus tard, un immense monstre ailé passa rapidement au-dessus de leur tête. Tolyco eut le temps d'apercevoir dans l'obscurité un corps énorme recouvert d'écailles, des pattes dotées d'immenses griffes et une queue couverte de piquants tranchants. Elle vit la silhouette d'un homme sur le dos de la créature, probablement un sorcier. C'était une chance que cette créature ne les ait pas vus. Le brouillard et la noirceur les avaient sauvés. Ça, et l'intuition de Satria. Léo leur fit signe de descendre. Dès qu'ils touchèrent le sol, ils coururent jusqu'à la forêt où ils se dissimulèrent en reprenant leur souffle.

— C'était quoi cette chose ? s'écria Tolyco. Un dragon ?

— Non, c'est pire que ça. C'est un entitor, répondit Léo. Un monstre des airs.

Devant l'air interrogateur des deux fées, il enchaîna :

— Les entitors sont…

Il hésita.

— Disons qu'ils pourraient être comparés à d'immenses créatures mi-serpents, mi-chauves-souris. Rajoutez-leur des crocs et des griffes acérées, une queue couverte de piquants empoisonnés et vous avez un entitor. Cette espèce a longtemps été utilisée par les sorciers pour mener leurs guerres. Mais ils étaient si sanguinaires et meurtriers qu'il y a plusieurs dizaines d'années, les sorciers du continent se sont rassemblés et ont tenu un conseil extraordinaire. Ils ont décidé de les interdire, car ils étaient jugés trop instables et dangereux.

— Alors qu'est-ce qu'il fait ici celui-là ? s'écria Tolyco.

— J'ignorais que les Bannis en possédaient toujours. C'est très grave. Ils pourraient obliger les sorciers du continent à leur déclarer la guerre s'ils ne renoncent pas à leur utilisation. Ils doivent s'en servir pour leurs patrouilles aériennes. Nous devons être prudents, il pourrait y en avoir d'autres.

Léo scruta attentivement le ciel.

— Nous avons déjà parcouru une bonne distance et nous avons atteint la lisière de la forêt. Nous pourrions poursuivre à pied.

Tolyco approuva d'un signe de tête.

Léo remarqua l'air anxieux de Satria et s'approcha d'elle.

— Ça va ? Tu vas bien ?

Elle acquiesça, la gorge nouée, et tenta de prendre un air dégagé.

— Oui. J'ai juste été surprise de voir…

— Un monstre surgir de nulle part ? termina Léo pour elle.

Elle leva les yeux et vit qu'il souriait.

— C'est très compréhensible. Et puis, comment as-tu su qu'il arrivait ?

— C'est difficile à expliquer, j'ai senti comme un changement dans l'air.

— Ce n'est pas un de tes pouvoirs ?

— Non…, répondit-elle en évitant son regard.

— Ah bon. Eh bien, merci de l'avoir ressenti. Ça nous a évité bien des problèmes.

Une mèche de cheveux de Léo tombait devant son œil. Ses lèvres étaient pleines et son regard rieur, plus détendu que Satria ne l'avait vu depuis son arrivée au clan Castel.

Soudain, sans savoir pourquoi, elle sentit sa peur fondre. Elle sourit à Léo et ils s'enfoncèrent tous les trois dans les profondeurs de la forêt.

14

Les gemmes

L A FORÊT DES SORCIERS Bannis était étrange. Satria et
Tolyco s'attendaient à voir des marais fangeux et des
paysages désolants et ternes, mais elles furent surprises
de découvrir une forêt aux conifères noueux et imposants. De la mousse verte poussait sur les arbres, donnant parfois l'impression que tout était tapissé de trèfle.
Malgré le soleil levant qui perçait le feuillage, le
brouillard continuait à flotter au ras du sol, les empêchant de distinguer où ils posaient les pieds. Les sentiers
qu'ils empruntaient étaient étrangement silencieux,
comme si les bruits ambiants étaient étouffés par la
densité de la forêt. Seul un hululement de hiboux arrivait parfois à percer la fausse impression de calme des
environs.

Léo expliqua que le territoire des Bannis était
reconnu pour être un des plus fertiles et des plus beaux
du continent. C'était aussi pour cette raison qu'il était
jalousement protégé.

Les sentiers les menèrent quelques fois en bordure
de la forêt et ils virent au loin des chaumières. De la
fumée s'échappait de leurs cheminées en briques rouges.
Léo insistait chaque fois pour qu'ils retournent dans

les profondeurs des bois. Ils devaient éviter de se faire voir.

Un lièvre, qui ne parut même pas les remarquer, les dépassa en bondissant quand Léo se questionna.

— Avez-vous averti vos parents que vous partiez ?

«Elles doivent bien avoir une famille en dehors du clan Castel», se dit-il.

Les fées restèrent tellement surprises qu'elles s'arrêtèrent.

— Nos… parents ?

— Oui, ou bien une sœur ou un frère. Je ne sais pas, moi… un membre de votre famille qui sera inquiet lorsqu'Amonialta les préviendra que vous vous êtes enfuies.

Tolyco semblait très mal à l'aise et ne savait visiblement pas par où commencer, alors Satria lui expliqua :

— Nous n'avons pas de parents et pas de famille. En fait, aucune fée n'a de famille, mais si nous regardons les choses autrement, toutes les fées se considèrent comme des sœurs. Nous sommes toutes liées les unes aux autres.

Devant le froncement de sourcils de Léo, elle enchaîna :

— Les fées n'ont pas de mère ni de père, car ce sont des pierres précieuses qui nous donnent la vie.

— Comment ?

Satria secoua la tête tout en rejetant ses cheveux ondulés dans son dos.

— Mais oui ! C'est fou que je doive t'expliquer ça ! Tout le monde sait comment nous venons au monde. Il y a plein de contes et de légendes que l'on raconte aux enfants sur l'origine des fées.

— Comment est-ce possible ?

— Eh bien… tout d'abord, il y a plusieurs pierres précieuses magiques qui existent dans notre monde.

Nous les appelons les gemmes fatum. Ces pierres se trouvaient autrefois un peu partout dans la nature. Lorsqu'une gemme fatum est prête, elle se met à tournoyer rapidement puis, dans un éclair aveuglant, un bébé apparaît. C'est une fée qui vient de naître.

— Et la pierre disparaît ?

— Non, elle demeure dans le corps de la fée.

Satria montra un point près de son cœur.

— Elle se loge ici. C'est ce qui nous donne nos pouvoirs. Pour que la pierre libère sa magie, nous devons émettre une vibration ou un chant qui se répercute sur ses parois.

— Tu veux dire que des bébés fées naissent un peu partout dans la nature ? Et elles survivent ?

Léo fronça les sourcils en essayant d'assimiler l'information. Il n'aurait jamais cru cela possible.

— C'est vrai que c'est dangereux, dit Satria en riant de son air stupéfait, mais nous avons les dragons gardiens des fées.

— Des dragons ? Mais ils sont impossibles à dresser…

— Les dragons des fées sont différents, nous les appelons les fumarolles. Lorsqu'une fée naît, ils le ressentent et vont aussitôt les chercher. Bien sûr, il arrive que des fées soient blessées ou meurent avant qu'un fumarolle n'arrive. Et puis, en dépit des interdictions très strictes, des humains et des sorciers se sont parfois emparés de ces gemmes pour les vendre ou pour exploiter leur pouvoir. C'est pourquoi, depuis plusieurs années, les fées ratissent le continent constamment afin de trouver les gemmes fatum. Lorsqu'elles en trouvent, elles les acheminent aux fées-mères qui se chargent de les conserver dans un environnement propice à leur éclosion. Les fumarolles sont depuis ce temps devenus les gardiens de ces endroits. Au clan Castel, nous avons une grotte où sont conservées les gemmes et nous avons notre propre fumarolle.

Léo observait Satria, fasciné.

— C'est incroyable, se murmura-t-il comme à lui même. Existe-t-il plusieurs sortes de gemmes fatum ?

— Oui, le type de fée dépend de la sorte de pierre. Les fées de même famille ont ainsi les mêmes particularités physiques et les mêmes pouvoirs magiques. Par exemple, les fées-de-terre proviennent toutes de la même pierre, une émeraude. Mais toutes les gemmes fatum sont de tailles et de formes différentes. Les fées doivent donc modifier légèrement les incantations afin de bien capter les vibrations de leur pierre.

Léo observa Satria et Tolyco.

— Quel type de fées êtes-vous ?

— Je suis une fée-de-feu, répondit Tolyco. Satria est une fée-d'eau.

— Mais… vous ne leur ressemblez pas, fit remarquer Léo en se souvenant des fées-de-feu et des fées-d'eau qu'il avait vues dans l'infirmerie.

— On le sait, répliqua sèchement Tolyco.

Satria décocha un regard entendu à son amie.

— Arrête, il ne peut pas savoir.

— C'est vrai… excuse-moi, Léo, dit Tolyco en baissant les yeux, mais c'est difficile de se le faire constamment rappeler.

— Quoi ? Que vous êtes différentes ?

Tolyco regarda Léo, surprise. Il avait parlé sur un ton résigné et elle comprit soudainement, en fixant ses ailes, qu'il devait ressentir le même sentiment d'exclusion qu'elles depuis longtemps.

— Tes ailes devaient te donner un avantage sur les autres sorciers de ton école, non ?

— Oui, c'est vrai. Malgré tout, je restais différent. Les autres arrivaient toujours à me le rappeler, surtout si j'étais meilleur qu'eux dans une discipline, ajouta-t-il en riant.

— Je comprends. De notre côté, c'est l'exact opposé. Satria et moi sommes nées la même journée, et nous n'avons jamais complètement ressemblé aux autres. Mais il y a pire ; nous n'avons pas de pouvoirs magiques. Tout ce que nous essayons de faire tourne toujours au désastre.

— Est-ce que ça s'est déjà vu auparavant ?

— Non, répondit Tolyco en soupirant. Nous sommes les premières fées incapables d'exploiter convenablement nos pouvoirs.

Elle avait à peine prononcé ces mots que son visage se rembrunit.

Ils arrivèrent à un petit lac cristallin qu'ils survolèrent en silence.

De l'autre côté, Léo consulta sa boussole et scruta le ciel pour s'assurer qu'aucun entitor ne hantait les environs.

La brume était maintenant complètement dissipée et le soleil brûlait leurs épaules.

Satria sortit des poches d'eau cristallisée de son sac et les distribua.

— Ça ne te dérange pas d'apprendre que nous n'avons pas de pouvoirs ? demanda-t-elle à Léo.

— Non.

Il but une gorgée avant d'ajouter :

— Je n'ai pas accepté que vous m'accompagniez parce que je comptais sur vos pouvoirs.

— Alors pourquoi as-tu accepté ?

Léo haussa les épaules et changea de sujet, car il ne voulait pas se confier tout de suite.

— Si ma mère était une fée, est-ce que je pourrais arriver à maîtriser votre magie ? demanda-t-il.

— Non, répondit Tolyco. Les uzuls naissent de façon normale. Ils n'ont donc pas de gemme près du cœur. Par contre, ils héritent des ailes de leur mère et sont généralement des sorciers très talentueux.

— Il est temps de repartir, dit Satria. Nous devrons nous arrêter pour la nuit et… arrrgh !

Léo venait de se jeter sur elle avec force et ils déboulèrent une pente avant de s'arrêter, pantelants. Satria avait le visage recouvert de boue.

— Qu'est-ce qu'il y a ? vociféra-t-elle en recrachant de la terre.

Léo restait silencieux. Après avoir essuyé ses yeux, elle remarqua qu'il fixait un point en haut de la pente.

— Où est Tolyco ? s'enquit Satria à voix basse en essayant de repérer ce qui inquiétait Léo à travers les arbres.

— Elle s'est cachée dans le buisson à ta droite, chuchota-t-il en restant immobile.

Elle vit qu'il avait dégainé son épée et qu'il la tenait le long de son corps.

— Que se passe-t-il ?

— Nous ne sommes pas seuls. Quelqu'un nous observe.

15

Nouvelles rencontres

BRUSQUEMENT, Satria sursauta en apercevant un visage à travers les branches. Il se fondait presque parfaitement à la végétation. Elle crut discerner des crocs et des yeux jaunes menaçants, mais elle se dit que son imagination devait lui jouer de vilains tours, puisqu'un petit lutin sortit d'entre les branches et arriva vers eux en sautillant.

Il portait une robe de sorcier enfant jaune citron tout de même trop grande pour lui. Ses cheveux étaient identiques à un tas de paille : jaunes et drus. Un petit chapeau bleu, pointu et parsemé d'étoiles dorées venait compléter son ensemble. Il souriait et Satria remarqua qu'il avait le visage d'un gamin espiègle.

— Bonjour à vous, en cette belle journée ! les salua-t-il lorsqu'il arriva à leur hauteur.

Il avait une voix chantante et aiguë qui modulait sans cesse.

Léo ignora cet accueil chaleureux et empoigna le petit lutin par le col en le soulevant du sol.

— Es-tu seul, petit lutin-métamorphe ?

Satria se demanda si elle n'avait pas la berlue, car le lutin venait de grandir de plusieurs centimètres d'un coup.

— Je suis aussi content de vous rencontrer ! répondit le lutin d'une voix flûtée. Et je suis heureux de me présenter sous le nom de Pierrot de Pierrot, mais vous pouvez m'appeler Pierrot si vous préférez. Et je ne suis pas seul, je voyage avec mon trésor.

Il avait retrouvé sa taille initiale pendant sa présentation.

— Où est ton trésor ? demanda Tolyco qui venait de sortir du buisson et qui semblait trouver le petit lutin follement amusant.

— Ici, ici, ici ! Venez, je vais vous montrer mon petit joli gentil trésor.

Le petit lutin s'élança avec agilité et disparut entre les arbres avant que Léo n'ait pu le retenir. Ce dernier fit un mouvement pour le suivre, mais Satria le retint.

— Attends.

Elle venait de voir apparaître une longue paire d'ailes jaunes entre les arbres.

— Si c'est une fée, nous n'avons rien à craindre.

— Pourquoi crois-tu ça ?

— Il est peu probable que des fées se fassent du mal entre elles.

Satria avait l'air convaincue, alors Léo n'insista pas.

Pierrot réapparut un instant plus tard, accompagné d'une fée aux grandes ailes délicates comme celles d'un papillon, d'un jaune soutenu et parsemé de petits picots de fourrure blanche. Ses longs cheveux blonds cascadaient autour de son visage de poupée. Sa robe rose faisait ressortir ses pommettes et son teint de pêche. Tout en elle respirait la délicatesse et la douceur.

— Je vous présente mon trésor, s'exclama le lutin avec fierté.

— Je m'appelle Lili, dit la fée en souriant candidement des facéties de Pierrot.

— Lili la jolie, Lili ma chérie, Lili mon amie !

Pierrot chantait en dansant autour d'elle et en lui cueillant des fleurs qu'il lui remettait en faisant des arabesques farfelues. Lili riait de toute cette attention et observait son ami avec tendresse.

— Tu es une fée-bourgeon? demanda Tolyco.

— Oh oui! N'est-ce pas merveilleux! Je suis si heureuse!

Tolyco et Satria se jetèrent un regard en coin. Les fées-bourgeons étaient reconnues pour leur enthousiasme démesuré et leur naïveté légendaire.

— Et euh… où allez-vous?

— Tout droit! leur apprit Pierrot.

— Mais encore? insista Léo en s'efforçant de garder son calme.

— Nous voulons sortir du territoire des sorciers Bannis, répondit Lili en souriant et en papillonnant des cils.

— On vous accompagne! déclara Pierrot en s'accrochant à la manche de Léo.

— Euh, je doute que nous empruntions la même direction.

— Quel chemin prenez-vous? demanda Lili.

Léo leur indiqua la direction qu'ils suivaient.

Le petit lutin perdit aussitôt son sourire.

— Vous ne devriez pas aller par là. Ce n'est pas un bon chemin.

— C'est pourtant le nôtre, précisa Léo qui semblait soulagé d'avoir découragé le petit lutin.

— Mmm… Vaux mieux du pain debout que de la viande à genoux! chanta Pierrot. Nous vous accompagnerons!

— Quoi?

Léo semblait complètement dépassé et Satria dut se mordre les lèvres pour ne pas rire.

— Pierrot a raison, ajouta Lili. Nous pouvons vous accompagner pendant un jour et une nuit. Ensuite, nous devrons prendre une autre route, car votre destination est dangereuse.

— Nous ne vous avons jamais demandé de nous accompagner, argumenta Léo.

— Mais si ! Mais si ! affirma Pierrot en dansant.

Satria s'approcha de Léo et lui chuchota à l'oreille :

— Je ne crois pas que nous pourrons les dissuader de nous suivre. Autant accepter tout de suite et reprendre la route le plus vite possible.

Léo allait ajouter quelque chose, mais il abdiqua en voyant Pierrot qui semblait sur le point de faire une crise de larmes.

— Très bien. Vous viendrez avec nous. Mais dans un jour, nous prendrons chacun des chemins séparés.

— Hourra ! Mon trésor, nous partons !

Pierrot se mit à tourner autour de Léo en tapant des mains. Satria se mordit de nouveau les lèvres pour ne pas éclater de rire.

Lili dut longuement calmer Pierrot pour qu'ils puissent reprendre leur route dans un calme relatif.

Tout au long de leur marche, Lili ne cessa de s'extasier à voix haute sur tout ce qu'ils croisaient sur leur route et cela incluait chaque fleur, chaque flaque d'eau ou encore la façon dont le soleil pouvait éclairer une racine d'arbre. Quant à Pierrot, il ne cessait d'interroger Léo qui lui répondait par monosyllabes.

Satria crut bon de retenir l'attention de Pierrot et elle lui posa des questions sur son espèce. Elle apprit que les lutins-métamorphes changeaient d'apparence selon leurs émotions et leurs humeurs et qu'ils ne pouvaient pas contrôler leurs métamorphoses. Il lui confirma que lorsqu'elle l'avait vu entre les branches, il avait eu peur, alors il s'était transformé malgré lui en monstre pour se défendre.

Il raconta qu'il vivait sur le territoire des Bannis avec sa famille depuis des années. Lili était arrivée quelques mois plus tôt, affaiblie et épuisée. Il expliqua avec détails comment les fées-bourgeons devenaient faibles si elles n'étaient pas entourées de suffisamment de végétation. Satria savait tout cela, mais comme Léo paraissait intéressé par ces informations, elle laissa le petit lutin parler. De toute façon, elle ne voyait pas comment elle aurait pu l'interrompre.

Pierrot parlait sans jamais reprendre son souffle tout en enlevant les obstacles sur le chemin de Lili. Il lui prenait le bras lorsqu'il y avait des pentes et lissait ses cheveux s'ils se prenaient dans les branches. Lili s'amusait de toutes ces attentions et chaque sourire qu'elle adressait à Pierrot le rendait fou de joie.

Pierrot se mit à expliquer qu'une grande surface du territoire était maintenant invivable pour Lili, car il n'y avait plus aucune végétation. Tout était mort du jour au lendemain sans aucune raison.

— Les lutins-métamorphes n'ont pas besoin de végétation pour survivre, déclara-t-il fièrement. Nous nous nourrissons exclusivement d'émotions. Surprise, joie, tristesse, fierté, amour ! Tout est bon à manger !

— C'est merveilleux ! soupira Lili en joignant ses mains délicates.

— Tout est mort ? Mais comment est-ce possible ? demanda Léo.

— Je ne sais pas, répondit Lili. C'était vraiment horrible.

Elle frissonna des ailes en y repensant et son sourire se fana.

— Y avait-il une sorte de… tourbillon ? Comme des remous sur le sol ?

Satria n'avait pu s'empêcher de poser la question. Ce que la vision lui avait révélé était peut-être en rapport avec le récit de Pierrot.

— Un tourbillon? Non, je ne crois pas, dit Lili, songeuse, mais je ne me suis pas attardée longtemps. Dès que j'ai vu qu'il n'y avait plus de vie autour de moi, je suis partie.

— Oui! Et elle est venue dans ma famille!

— En fait, j'ai eu de la chance, car j'étais trop faible pour marcher ou voler. J'étais couchée sur le sol quand Pierrot m'a trouvée. Il m'a emmenée jusqu'à sa maison.

Elle ajouta, ravie:

— Sa famille a pris soin de moi en me mettant en contact avec les dernières plantes vivantes de leur village, mais bien vite, mes forces m'ont abandonnée de nouveau.

Pierrot, qui remuait frénétiquement la tête tout au long du récit, ne put s'empêcher de l'interrompre:

— Oui! Oui! Nous avons donc décidé de partir pour trouver de la vie! Mais mon trésor n'allait pas partir seule. Je l'accompagne et la protège.

Il avait dit cela en bombant son petit torse et en serrant les poings. Satria le trouva touchant.

— Nous voulons sortir du territoire des Bannis, ajouta Lili. Nous avons essayé deux chemins, mais nous avons dû faire demi-tour. Toute la végétation a disparu. C'est pour cette raison que nous ne vous suivrons pas plus d'une journée. Votre chemin mène directement à la mort.

Satria savait que Lili voulait dire qu'ils allaient probablement croiser une forêt morte, mais elle ne put réprimer un frisson en l'entendant.

— Lili, ma jolie! Attention à vos petits petons, il y a une roche devant vous!

Tolyco regarda la roche en question qui était en fait un petit caillou.

Elle s'approcha de Satria :

— Tu crois que tout cela a quelque chose à voir avec le volcan ? Ou encore avec le tourbillon que tu as vu dans la goutte d'eau ?

Satria haussa les épaules en songeant à ce que le message lui avait montré. Elle avait vu un tourbillon de terre qui grandissait en engloutissant tout sur son passage, puis le volcan Brôme. Elle se demandait comment ces deux événements étaient liés, sans toutefois parvenir à trouver une réponse.

Elles en discutèrent un peu avec Léo, mais lui non plus ne savait pas quoi en penser. Il ne voyait pas le lien entre le volcan, la tempête de Ceithir et les forêts mortes.

— Je crois qu'il y a des choses étranges qui se passent ici. J'ignore même si les sorciers Bannis, qui vivent aux pourtours de leur territoire, sont au courant de ces phénomènes. Ce sont peut-être des forces maléfiques qui provoquent le tourbillon.

Ne voulant pas inquiéter Satria et Tolyco, il crut bon de changer de sujet de conversation.

— Quelles sont les particularités d'une fée-bourgeon ? demanda-t-il à Satria en baissant la voix pour ne pas se faire entendre de Lili.

— Les fées-bourgeons n'ont pas de grands pouvoirs. Elles peuvent faire pousser les fleurs plus rapidement et elles contrôlent les fourmis. Elles voyagent généralement seules, car la compagnie de la nature leur suffit. Leurs ailes sont fines et délicates comme celles d'un papillon et leurs couleurs peuvent varier. Les fées-bourgeons possèdent aussi un charme très puissant et elles sont toutes très belles. Elles fascinent la plupart des hommes, qui perdent contenance devant elles.

Pour illustrer son propos, elle indiqua Pierrot du doigt. Il époussetait les chaussures de Lili avec application. Il semblait éperdu d'amour pour elle.

Elle jeta un coup d'œil à Léo qui observait Lili et sourit en constatant qu'il semblait plus perplexe que fasciné.

Ils marchèrent en silence, en écoutant le babil incessant de Pierrot et Lili qui s'émerveillaient de tout.

— Merci… pour tantôt, dit Satria à Léo après un instant.

Il la regarda et vit qu'elle rougissait. Son teint diaphane ne réussissait pas à cacher ses émotions.

— Pourquoi ?

— Lorsque tu m'as poussée dans la boue !

Ils rirent tous les deux.

— Je suis consciente que c'était pour me protéger et je voulais te remercier. Je réalise que Tolyco et moi ne sommes pas très prudentes…

— Parle pour toi ! la coupa Tolyco d'un ton moqueur en passant près d'elle.

— Arrête, dit Satria en riant. Tu comprends ce que je veux dire.

— Oui, c'est vrai, admit Tolyco avec plus de sérieux. Cet endroit est dangereux et diffère de tout ce que nous avons connu au château. Nous ne sommes pas suffisamment alertes.

— Bah, c'est que vous n'êtes pas habituées, dit Léo en agitant la main. Et je suis suffisamment vigilant pour nous tous.

Il observa un instant Pierrot et Lili qui poussaient des petits cris de ravissement devant une branche dont la forme leur semblait incroyable et il ajouta :

— Bien que je ne comprenne pas comment ils ont pu circuler aussi longtemps sans se faire intercepter par les sorciers. C'est vraiment déconcertant.

Ils pouffèrent tous les trois et continuèrent d'avancer à travers la végétation tout en discutant joyeusement. Le soleil commença à faiblir et lorsqu'il disparut entre les arbres, ils s'arrêtèrent pour la nuit. Satria distribua les réserves de nourriture et d'eau et s'adossa à un arbre pour manger. Elle avait un petit coup de soleil sur le bout du nez. Tolyco, elle, avait un teint inaltérable.

Satria sourit en voyant son amie mordre à pleines dents dans sa galette de raisins. Tolyco était assise près de Lili qui papotait joyeusement à propos du goût de son repas.

Tolyco croisa le regard de Satria et leva les yeux au ciel avant de continuer à écouter Lili.

Pierrot tournait autour de Léo en essayant de le convaincre de le laisser manier son épée.

—Je suis un maître du combat! se vanta Pierrot en faisant de petits mouvements de jambe qui ressemblaient davantage à des pas de danse.

Il perdit l'équilibre et tomba lourdement sur les fesses. Léo ne put s'empêcher de rire et aida le petit lutin à se relever. Ce dernier, pas du tout contrarié, recommença à supplier Léo de lui apprendre le maniement de son arme.

Ce dernier accepta à condition qu'il reste calme.

Pierrot promit aussitôt et prit un air sérieux. Il fronça les sourcils et serra les lèvres si fort qu'il arrêta de respirer.

Tolyco rigola et vint se placer près de lui.

—Tu n'as pas à te transformer en statue! Seulement, tu dois laisser Léo faire sa démonstration.

Elle regarda ce dernier d'un œil narquois.

—Il se trouve que moi aussi je veux apprendre à utiliser mon poignard. Alors, prouve-nous que tu es un bon professeur.

Léo prit son rôle très au sérieux et commença à faire des démonstrations de positions de combat, que Pierrot et Tolyco devaient reproduire à leur tour. Ils avaient tant de plaisir que Satria et Lili se joignirent à eux.

Léo n'hésitait pas à les corriger et il se montrait très doué pour leur expliquer les techniques de base d'un combat :

— Votre assaillant peut surgir à tout moment, alors vous devez réagir rapidement si vous êtes pris par surprise. S'il se trouve devant vous, vous pouvez avancer une jambe et fléchir les genoux, comme ça. Vous devez empoigner votre arme fermement, un peu plus bas, Tolyco, et diriger la pointe vers le haut. S'il fonce droit sur vous, vous devrez éviter son épée ou son glaive, les deux armes préférées des sorciers. Vous pouvez le faire en pivotant et en visant en même temps de votre lame la base de sa garde. Vous pourrez ainsi porter votre coup dans l'axe de l'épée pour transpercer votre adversaire. Pierrot, utilise davantage ton poignet pour faire ta rotation, c'est mieux ainsi…

Léo expliquait avec entrain. Il leur montra à désarmer un adversaire et à contrer son attaque s'il se présentait par-derrière. Il fit même un court combat avec Satria et Tolyco en même temps. Elles devaient éviter ses attaques et parer ses coups. Léo fut surpris du résultat. Les deux fées se battaient de manière totalement différente et elles étaient très douées. Tolyco avait une ardeur et une fougue qui faisaient ressortir le feu en elle, Satria était au contraire agile et lui glissait entre les doigts. Il pensait leur laisser des chances, mais il se rendit vite compte qu'il devait utiliser toute sa concentration. Ils s'arrêtèrent, hors d'haleine. Tolyco jeta son poignard sur son sac et saisit une pomme qu'elle croqua tout en reprenant son souffle. Satria était si épuisée qu'elle tenait à peine sur ses jambes.

— Bon, ça suffit pour aujourd'hui. Nous devons dormir si nous voulons partir tôt demain.

Soudain, Léo tourna vivement la tête, alarmé. Un éclat de lumière blanche jaillit d'entre les arbres et percuta Lili. Quand la pénombre revint, Lili avait disparu. Le silence résonna pendant une seconde.

— Mon trésor ? appela Pierrot, hésitant.

— Attention ! cria Léo juste comme une créature surgissait des bois.

La créature leva ses mains dans la direction de Satria. Léo se rua vers elle, mais il était trop tard.

Satria eut le temps de voir une paire d'yeux rouges menaçants avant qu'un éclat de lumière ne l'atteigne. Elle fut frappée de plein fouet et tout devint noir.

Léo fonça pour essayer d'empoigner Satria, mais elle disparut, happée par la lumière, et ses mains ne rencontrèrent que le vide.

Tolyco, qui venait de voir disparaître Satria, eut un hoquet de surprise. La créature se tourna vers elle et leva ses mains. Par réflexe, Tolyco prit la position de combat, mais elle n'avait plus son arme. Elle leva ses bras pour se protéger et cria un «Non !» assourdissant.

Elle sentit sa voix se répercuter en vibrations dans son corps qui se mit à trembler sous le choc. Puis soudain, du feu jaillit de ses mains. Elle vit les boules de feu dans ses paumes et sans y penser, elle les projeta directement sur le monstre. L'éclat de lumière qu'il avait essayé de diriger vers elle fut détourné et frappa un arbre qui disparut aussitôt.

Le monstre se mit à crier et à gesticuler en se roulant sur le sol. Le feu, loin de s'éteindre, se répandait sur la créature. Léo se précipita sur le monstre et le recouvrit de terre pour étouffer les flammes. Tolyco resta figée.

Dès que les flammes furent éteintes, Léo empoigna le monstre et le plaqua contre un arbre qui craqua sous la force de l'impact.

— Qu'as-tu fait des deux fées? rugit-il.

La créature geignit en serrant contre elle ses mains calcinées. Tolyco s'approcha et ce qu'elle vit la pétrifia.

Le monstre était fait de bois. Son corps rachitique était couvert d'une écorce foncée et ses longs bras maigres étaient en fait des branches effilées. Il avait une touffe de cheveux bruns et raides qui jaillissaient dans tous les sens. Son nez en forme de flèche pointait vers le bas et ses petits yeux rouges étaient perçants. Des branches lui sortaient du dos et traînaient sur le sol comme une cape.

— Pitié… j'ai si mal, dit la créature d'une voix gémissante en montrant ses longs doigts de bois carbonisés.

— Dis-nous où sont les fées! somma Léo d'une voix dure.

Léo et Tolyco entendirent les pleurs de Pierrot derrière eux, mais ils l'ignorèrent.

Le monstre se lamentait en suppliant Léo de l'aider.

Tolyco prit une poche d'eau cristallisée dans son sac. Elle la cassa en deux et retourna auprès du monstre. Elle ignora les questions de Léo et appliqua l'eau sur les mains noirâtres de la créature, qui se répandit en remerciements.

Elle plongea ensuite son regard noir dans les yeux du monstre de bois.

— Quel est ton nom?

— Mais… je vous jure que je n'ai rien fait.

Sa petite voix aiguë et hypocrite la mit hors d'elle. Léo le serra plus fort en ignorant les échardes qui s'enfonçaient dans ses mains.

— Quel est ton nom? hurla-t-il.

— Euh, je… euh… Arby.

— Arby. C'est bien ça ?

— Oui. Mais je ne…

— Où sont Satria et Lili ?

— Qui ?

— Les deux fées qui étaient ici, dit Léo en grinçant des dents. Qu'as-tu fait d'elles ?

Tolyco examina Léo. Le visage couvert de cendre et les yeux déments, il faisait peur à voir.

— Je ne sais pas de quoi vous voulez parler. Je ne peux rien dire. Il me tuera si je parle, se plaignit Arby, terrifié.

— Très bien, dit Tolyco en inspirant pour s'exhorter au calme. Tu as vu ce que je t'ai fait ?

Elle lui montra ses doigts carbonisés qui fumaient encore.

Arby fit oui de la tête en gémissant.

— Si tu ne me dis pas où elles sont, je vais recommencer… jusqu'à ce que tu parles.

Son ton n'admettait aucune réplique et c'était bien ce qu'elle voulait, car elle ignorait comment elle avait produit et lancé du feu. Elle ne comptait donc pas reprendre sa démonstration.

Le monstre regarda autour de lui comme pour chercher un moyen de se sauver, mais il vit qu'il n'avait aucune chance. Il observa ses mains d'écorce abîmées et les replia lentement vers lui.

— D'accord.

Sa voix était plus grave, décidée.

— Elles sont dans la maison du sorcier Nactère.

— Qui est ce sorcier ? Pourquoi les as-tu envoyées là-bas ?

— …

— Parle ! exigea Léo en le serrant davantage.

— D'accord, d'accord. Je vais tout vous dire. Ce n'est pas ma faute. Vous ne devez pas me faire de mal.

On entendait toujours Pierrot sangloter plus loin, mais personne n'y prêta attention.

Arby soupira et enchaîna :

— Le sorcier Nactère est particulier… c'est un inventeur.

— Un inventeur ?

— Oui, enfin, c'est lui qui se donne ce titre. Autrefois, il était un grand sorcier. Mais il a commencé à faire plusieurs expériences… douteuses. Il se consacre maintenant entièrement à ses créations, comme il les appelle.

Arby ne cacha pas son amertume en prononçant ces derniers mots.

Tolyco vit une tristesse non déguisée dans ses yeux rouges. Elle comprit.

— Tu es une de ses créations, dit-elle dans un souffle.

Arby hocha la tête en reniflant.

— J'étais un humain… avant. Je possédais un petit lopin de terre que j'entretenais avec l'espoir de trouver une gentille femme qui voudrait partager ma vie. Une nuit, Nactère est venu me kidnapper dans ma propre maison. Il a effectué des expériences sur moi pendant des mois, jusqu'à ce que je devienne ce que je suis aujourd'hui. Un horrible monstre de bois qui fait peur dès qu'il montre son visage.

Il semblait complètement abattu. Tolyco essaya de distinguer des traits humains dans son visage. Ses joues d'écorce émaciées et ses yeux rouges ne laissaient rien paraître.

— Pourquoi l'aides-tu ?

— Je n'ai pas le choix ! Il a fait de moi son esclave. Je suis lié à lui par la magie. Il m'a donné le pouvoir de faire disparaître les gens et de les faire réapparaître dans sa maison. Je dois lui envoyer toutes les créatures que je croise, sans exception.

— Envoie-moi là-bas immédiatement, dit Léo.

—Je ne peux pas.

—Je ne plaisante pas, rétorqua Léo, menaçant.

— Vous arriveriez directement dans un des cachots de sa maison. Vous ne seriez pas plus avancé. De toute façon, mon pouvoir surgit de l'extrémité de mes doigts.

Il montra ses longs bouts de bois calcinés.

—Je ne peux plus les utiliser désormais.

Tolyco blêmit.

— Essayez, supplia-t-elle.

—Je veux bien.

Il se plaça devant Léo et leva ses paumes. Il resta comme cela un instant, mais rien ne se produisit.

—Je suis désolé, dit-il en baissant ses mains.

Il avait l'air sincère.

Léo se tourna sans hésiter vers les provisions et les remit dans les sacs avec empressement.

— Où se trouve cette maison ?

— Au nord, à une demi-journée de marche d'ici, dit Arby.

— Très bien. Tolyco, tu vas rester ici avec Pierrot. Je pars avec Arby chercher Satria et Lili.

— Quoi ! Non, pas question que je reste ici. Je t'accompagne, s'offusqua Tolyco.

— C'est hors de question ! Je ne veux pas aller avec vous. C'est bien trop dangereux, s'opposa Arby.

Léo les regarda avec un mélange d'exaspération et de consternation.

—Je n'ai pas une seconde à perdre, dit-il à Tolyco. Même pas pour argumenter avec toi.

— Raison de plus pour que je t'accompagne.

Elle s'approcha et baissa le ton pour qu'Arby ne puisse pas l'entendre.

— Tu ne pourras pas t'occuper du sorcier Nactère et surveiller Arby en même temps. Je peux t'être utile.

— Et qu'est-ce qu'on fait de Pierrot ?

— On l'emmène.

Léo hésita. Il avait besoin d'Arby pour lui indiquer le chemin. Cela impliquait qu'il ne pourrait pas voler et qu'il perdrait beaucoup de temps. Il observa la charpente de bois d'Arby.

— Tu crois que tu pourrais transporter Pierrot ? demanda-t-il à Tolyco.

Elle comprit tout de suite où il voulait en venir.

— Oui. Pas pendant une demi-journée complète, mais sur de grandes distances de vol.

Léo opina.

— Très bien. Arby, tu vas devoir te cramponner à moi. Nous allons voler pendant un moment.

— Non. Je refuse d'y aller.

Léo lui décocha un regard qui le fit reculer.

— Tu as envoyé nos amies directement dans la demeure d'un fou qui compte les torturer pour son propre plaisir. Ai-je bien compris ? demanda Léo en détachant soigneusement chaque syllabe.

Arby, au supplice, se défendit.

— Il faut me comprendre. Je n'ai jamais eu le choix.

— Eh bien, aujourd'hui, tu l'as, dit-il en lui tendant le sac de Satria.

Arby prit le sac entre ses mains tremblantes.

— D'accord. J'accepte, mais je me dois de vous dire qu'il sera probablement trop tard. Ce qu'il fait ce sorcier… c'est horrible… et terriblement douloureux.

Léo continua à préparer les choses sans un mot, mais ses gestes devinrent plus saccadés.

Tolyco était allée retrouver Pierrot qui se tenait en boule par terre. Il pleurait à gros sanglots.

— Pierrot, viens, nous allons sauver Lili.

Elle posa une main sur son épaule pour le dégager.

Lorsqu'elle vit son visage, elle poussa un cri de surprise. Léo arriva aussitôt à ses côtés.

Le visage de Pierrot était couvert de rides profondes. Ses cheveux clairsemés étaient blancs. Il avait l'air d'avoir cent ans.

— Pierrot?

— Mon trésor... mon trésor, dit-il d'une voix de vieillard en hoquetant.

Léo chuchota à l'oreille de Tolyco :

— C'est comme ça qu'il se sent parce qu'il n'est plus avec Lili.

Tolyco ressentit un pincement au cœur. Elle prit le petit lutin fragile dans ses bras. Il était encore plus chétif que lorsqu'il était un enfant. Elle pouvait sentir ses os frêles sous ses vêtements. Elle l'étreignit et regarda Léo.

— Allons-y.

Léo prit une corde et attacha Arby à lui. Il ne voulait pas qu'il tente de s'échapper en plein vol.

Soudain, Léo vit un éclat argenté sur le sol et se pencha pour voir ce que c'était.

Le poignard de Satria.

Il entendit Arby lui expliquer sur un ton d'excuse :

— Je dois envoyer tous les êtres que je trouve... sans leurs armes.

Léo dut fermer les yeux pour trouver la force de ne pas casser Arby en deux. Il prit le petit poignard et le glissa sous sa ceinture.

Sans un mot, Léo et Tolyco déployèrent leurs ailes et s'envolèrent dans la nuit froide.

16

L'horreur

SATRIA SE RÉVEILLA en sursaut dans la pénombre et le silence. Elle sentit le sol froid contre sa joue et l'humidité s'insinua en elle, la faisant frissonner.

Elle se leva lentement et fit le tour de la minuscule cellule dans laquelle elle se trouvait. Ses doigts palpèrent des murs de pierre froids et suintants. L'unique porte était faite d'épais barreaux de fer qui laissaient voir une pièce sombre encombrée d'objets. Elle passa sa main entre les barreaux de la porte de sa cellule et tâtonna dans le noir jusqu'à ce qu'elle trouve le trou d'une serrure.

Des effluves âcres emplissaient les lieux et elle reconnut l'odeur métallisée et douceâtre... du sang. Elle s'efforça de ne pas céder à la panique qui l'envahissait et essaya de rassembler ses idées.

La dernière image dont elle se souvenait, c'était la vue du monstre aux yeux rouges dans les bois, avant qu'un jet de lumière ne la happe soudainement. Elle ignorait combien de temps elle était restée inconsciente.

Brusquement, l'image de Lili disparaissant dans le même rayon de lumière lui revint en mémoire.

Elle était seule dans sa cellule, mais peut-être que Lili n'était pas loin.

Après une hésitation, elle se décida à l'appeler.

— Lili ?

Sa voix résonna dans le noir.

— Satria ! Je suis ici ! Coucou !

Lili se trouvait à sa droite, tout près d'elle.

— Est-ce que tu vas bien, Lili ?

— Oui ! Mais il fait froid et c'est tellement terne ici. Je crois que je vais suggérer au propriétaire des lieux de poser de jolies plantes suspendues. Quelques bougies ne feraient pas de mal non plus pour l'ambiance. Des fleurs pourraient aussi camoufler l'odeur…

Satria poussa un soupir de soulagement et posa son front contre le barreau glacé. Elle écoutait d'une oreille distraite les suggestions de décoration de Lili, tout en essayant de trouver un moyen de les sortir de là.

Soudainement, un bruit sourd fit taire Lili. Satria tendit l'oreille en retenant son souffle.

Quelqu'un approchait.

Une porte s'ouvrit brutalement, laissant filtrer un rayon de lumière. Une silhouette imposante se dessina dans l'embrasure. Satria ne pouvait pas distinguer ses traits, mais il ne faisait aucun doute qu'un homme se tenait là, silencieux et menaçant.

Il se dirigea vers le fond de la salle et elle l'entendit farfouiller. Puis, il alluma des torches autour de la pièce et la chaleur des flammes réchauffa Satria. Un instant plus tard, toute la salle était illuminée et en dépit des flammes, Satria sentit son sang se glacer en découvrant ce qu'elle contenait.

L'homme, vêtu d'une peau d'ours grossièrement taillée, était dos à elle et fouillait dans un coffre en bois. À ses côtés se trouvait une table avec d'épaisses sangles de cuir à chaque extrémité.

Satria déglutit en observant les divers outils métalliques de toutes formes suspendus à des crochets au mur.

Il y avait là tout un attirail de pinces et de scies dont les lames affûtées étaient rougies. Satria se demanda brièvement s'il s'agissait de rouille ou de sang, mais elle préféra ne pas s'attarder sur le sujet.

L'endroit ne possédait qu'une seule porte et aucune fenêtre. Une cheminée aux poutres noircies se dressait dans un coin de la pièce.

Elle blêmit lorsque son regard se posa sur des ailes de fée déposées sur un établi. Elles étaient attachées au dos d'un petit rongeur mort. Plus loin se trouvait tout un assortiment d'animaux empaillés et mutilés.

Elle vit un oiseau transpercé des piquants d'un porc-épic, dont certains lui perforaient même les yeux. À ses côtés gisait un gros et gras serpent muni de pattes d'aigles aux griffes acérées. Un chacal doté d'un impressionnant assortiment d'ailes de chauves-souris qui lui sortait du cou, la regardait de ses yeux morts. Plus loin, deux moutons étaient couchés sur le sol, leurs cous brisés par d'énormes cornes posées au sommet de leur tête.

Dégoûtée, elle détourna le regard. Elle en avait assez vu pour savoir qu'elle devait sortir d'ici. Et rapidement.

L'homme cessa de fouiller dans son coffre et se tourna vers Satria qui sursauta violemment en apercevant son visage.

Il était grand, massif et portait une robe de sorcier bourgogne toute rapiécée sous sa cape en peau d'ours.

« C'est un sorcier », se dit Satria en réalisant que ses chances de s'échapper venaient de diminuer considérablement.

Chauve, probablement à cause des brûlures qui couvraient une bonne partie de son crâne, il possédait une large mâchoire et de profondes rides couraient autour de sa bouche formant un rictus méprisant.

Mais ce n'était pas cela qui avait effrayé Satria. Deux épaisses cicatrices naissaient sur le front du sorcier et se terminaient sur ses joues. Elles traversaient ses paupières, gonflées et lourdes, et Satria pouvait déceler une lueur menaçante dans ses yeux à moitié clos.

Il se dirigea vers les cellules en maugréant :

— Ah, très bien. Je vois qu'Arby nous a apporté de nouveaux spécimens. Qu'avons-nous donc ici ?

Il s'arrêta devant la cellule de Lili.

— Une fée-bourgeon, merveilleux… Et elle a des yeux magnifiques. Justement, j'avais besoin de nouvelles pupilles…

— Bonjour, claironna Lili. Je m'appelle Lili. Et vous ?

Le sorcier l'ignora superbement et continua à marmonner pour lui-même.

— Je crois aussi que sa gemme pourrait m'être utile. Et ses cheveux… bon, je verrai cela plus tard.

Il passa à la cellule de Satria.

— Quelle créature est-ce donc ? Ah… une autre fée. Mais… pas n'importe quelle fée !

Il l'observa attentivement et un large sourire déforma son visage. Satria soutint son regard sans ciller.

— Quelle sorte de fée es-tu donc ? demanda-t-il. Je n'ai jamais vu des ailes pareilles. Elles sont magnifiques. Et ta peau… Tu as une peau diaphane, je peux presque voir ton sang circuler dans tes veines. Je pourrais l'utiliser pour mes nouvelles expériences. Réponds-moi ! Je t'ai posé une question.

— Je suis une fée-d'eau, dit-elle froidement.

— Non.

Il avait dit cela sur un ton sans réplique.

— Non quoi ?

— Non, tu n'es pas une fée-d'eau, maugréa-t-il en s'approchant pour mieux la contempler entre les barreaux. Je connais très bien leurs traits physiques et tu n'y corresponds pas.

Le visage de Satria s'empourpra. Il fallait encore qu'on lui dise qu'elle était différente ! Cela n'arrêterait donc jamais. Elle inspira pour garder son calme.

— Je suis une fée-d'eau et j'exige que vous nous laissiez partir immédiatement.

Elle n'était pas vraiment en mesure d'émettre des exigences, mais elle estima qu'elle n'avait rien à perdre.

— Même tes yeux sont uniques, continua-t-il en l'ignorant. C'est parfait, vraiment parfait.

Il passa son chemin.

— Voyons si nous avons autre chose…

Satria se figea.

Il y avait d'autres cellules. Peut-être que Tolyco, Léo ou Pierrot s'y trouvaient, inconscients.

— Ah mais oui, Arby m'a amené…

Frustré, il s'interrompit.

Le cœur de Satria battait à toute allure.

— Un arbre. Cet imbécile m'a envoyé un arbre.

Elle fronça les sourcils en se demandant si elle avait bien compris.

— Je lui donne des pouvoirs et lui, que fait-il ? Il brise ma cellule en m'envoyant un arbre.

Elle entendit des bruits de clé puis un grincement lorsqu'il ouvrit la cellule pour en faire le tour.

— Il n'y a même pas le moindre animal, le moindre insecte, grogna-t-il. Quel incapable !

Il revint vers la cellule de Satria et l'observa en réfléchissant.

— Tu as un superbe visage. Des yeux de chouette le mettraient en valeur, déclara-t-il sur le ton de la conversation.

Et il repartit vers son coffre, laissant Satria estomaquée.

Elle devait tenter quelque chose ou elle et Lili fini-
raient empaillées comme les autres animaux.

— Si vous me gardez prisonnière, on me cherchera !
clama-t-elle. Et vous ne serez pas en sécurité tant que
l'on ne me retrouvera pas saine et sauve. J'ai été envoyée
sur le territoire des sorciers Bannis par la horde des
fées-guerrières du clan Castel.

Le sorcier ne semblait même pas l'avoir entendue.

— Si vous osez toucher à un seul de mes cheveux,
cracha-t-elle, vous aurez à répondre à la première fée du
clan Castel en personne, Amonialta !

En prononçant ce nom, Satria ne s'attendait pas à
provoquer une telle réaction. Le sorcier échappa l'objet
qu'il tenait, ce qui causa tout un vacarme lorsqu'il se
cassa sur le sol. Le sorcier éclata aussitôt d'un rire
tonitruant qui résonna sur les murs de la pièce.

— Amonialta ! Amonialta ! rugit-il.

Il se déplaça à une vitesse surprenante jusqu'à la
cellule de Satria. Son œil scarifié la fixa avec intensité à
travers les barreaux.

— Écoute-moi bien, petite ignorante. Tu crois peut-
être que tu peux m'impressionner en lançant des noms
au hasard. Tu crois que je n'ai pas remarqué ton âge. Tu
n'aurais même pas terminé ta formation et Amonialta
en personne t'aurait choisie, toi ! Elle t'aurait envoyée
sur le territoire des Bannis, seule ? Sache que je connais
très bien Amonialta et qu'elle aussi me connaît.

Il avança davantage et Satria recula malgré elle.

— Crois-moi, même si tout ce que tu m'as dit était
vrai et qu'elle savait que je te détenais ici, elle n'oserait
jamais se présenter à ma porte pour te réclamer.

Il resta un moment silencieux et immobile, puis il
siffla entre ses dents :

— Amonialta faisait partie de la Société du cygne
noir. Tout comme moi. Tu sais ce que cela implique ?

Satria ne savait absolument pas de quoi il parlait et il le vit.

— Non, bien sûr que non.

Il lâcha les barreaux de la cellule et retourna à son coffre.

— Tu ne sais rien parce que tu ignores qui est véritablement Amonialta. Elle a fait des choses horribles sur ce territoire, des choses impardonnables et jamais elle n'oserait revenir ici pour voir toute l'horreur qu'elle a causée. Et ne perds pas ton temps à essayer d'utiliser tes pouvoirs contre moi. Cette pièce est immunisée contre la magie des fées. Je connais tous vos tours de passe-passe.

Satria ne dit plus rien. Elle se laissa glisser au sol et écouta Lili chantonner en essayant de retenir ses tremblements.

17

Les familles de fées

Tolyco tenait fermement Pierrot qui n'avait cessé de pleurer. Ils volaient maintenant depuis des heures. Elle avait des raideurs dans la nuque. Léo était resté près d'elle tout au long du trajet et lui demandait régulièrement si elle allait bien. Il portait pourtant Arby et n'avait manifesté aucun signe de fatigue. Elle ne voulait pas qu'ils s'arrêtent et perdent du temps par sa faute.

Léo remarqua que Tolyco volait moins vite et qu'elle perdait de l'altitude. Lui aussi avait des crampes dans les épaules alors il dit à Tolyco de se poser. Ils feraient un bout de chemin à pied avant de reprendre leur vol. Cela ne servait à rien qu'ils s'épuisent, ils devaient garder des forces pour la rencontre avec le sorcier Nactère et ils avaient déjà parcouru une très grande distance.

Dans la forêt, Léo détacha Arby qui, dans un élan de gentillesse inattendu, offrit de porter Pierrot. Léo l'observa, soupçonneux.

— Pourquoi veux-tu le porter ?

— Vous croyez que je suis inhumain ? s'offusqua Arby en faisant un geste vers Tolyco. Que je ne vois pas qu'elle est épuisée ? J'ai un cœur, vous savez.

Il réfléchit puis ajouta tout bas :

— Enfin, je crois. Il a fait tellement d'expériences sur moi que j'ignore s'il me l'a laissé.

Tolyco et Léo s'adressèrent un regard silencieux et Léo hocha la tête. Tolyco déposa doucement Pierrot dans les bras d'Arby.

Au cours du vol, elle avait bien essayé de rassurer Pierrot et de lui dire qu'ils allaient sauver Lili, mais c'était peine perdue, il était inconsolable.

Tolyco l'avait enveloppé dans sa cape pour qu'il reste au chaud. Elle-même n'en avait pas besoin, une fée-de-feu ne ressentait pas le froid. Arby serra le petit paquet emmitouflé contre lui et adressa un sourire à Tolyco.

— Je vais bien m'en occuper.

Tolyco évita le regard du monstre et s'éloigna. Elle lui en voulait terriblement pour ce qu'il avait fait. Satria et Lili étaient en danger par sa faute et elle n'éprouvait qu'un profond ressentiment envers lui.

Arby soupira devant le regard accusateur de Tolyco.

— Je sais que vous me détestez, mais sachez que de vous conduire à sa demeure ne sera pas sans consé-quence pour moi. Il va me détruire quand il apprendra que j'ai accepté de vous aider.

— C'est moi qui le détruirai, affirma Léo à voix basse.

— Ce qui revient au même, car je suis sa création. Si vous le tuez, je meurs aussi.

Sur ces mots, il tourna les talons et commença à marcher. Léo et Tolyco le suivirent sur le sentier d'un pas rapide.

— Comment as-tu fait pour lancer du feu tout à l'heure ? murmura Léo pour ne pas se faire entendre d'Arby.

— Je n'en ai aucune idée, lui répondit Tolyco en haussant les épaules. Les fées-de-feu peuvent maîtriser cet élément, mais elles ne peuvent pas le faire naître du néant. De plus, la maîtrise du feu est un art très compliqué et dangereux à exercer. Certaines n'y arrivent jamais, ou seulement en groupe.

— Mais toi, tu y es parvenue, insista Léo.

Tolyco remarqua qu'il souriait.

— Ne t'emballe pas si vite. C'est un pur hasard. Je ne sais même pas comment je m'y suis prise et je ne pourrais sûrement pas le refaire.

— Vous disiez que vous ne pouviez pas faire de magie. Tu viens d'avoir la preuve du contraire.

Tolyco resta trop abasourdie pour répondre. Une partie d'elle souhaitait qu'il ait raison, mais une autre lui disait que c'était probablement un débordement qu'elle ne pourrait jamais réussir à maîtriser.

Peu après, Léo jeta un coup d'œil à Tolyco. Elle semblait vraiment anxieuse.

— C'est la première fois que vous êtes séparées, Satria et toi? demanda-t-il.

Elle fit oui de la tête. Elle était terrorisée à l'idée que son amie n'aille pas bien. Aussi, elle était reconnaissante à Léo de lui changer les idées.

— Oui. C'est incroyable comme on ne se rend pas compte à quel point on est proche de quelqu'un jusqu'à ce qu'on ne soit plus ensemble, répondit-elle. Satria et moi avons grandi au même endroit et nous avons toujours été inséparables.

— À mon école, dit pensivement Léo, ils n'encourageaient pas les amitiés. Ils tenaient à ce que l'on soit individualiste, mais Marcus aimait briser les règles.

— Marcus, celui dont tu nous as parlé plus tôt? Ton ami?

— Il l'était. On faisait vraiment une redoutable équipe. Nos mentors faisaient tout pour nous séparer, mais ils n'y arrivaient pas. Je n'ai jamais vu quelqu'un d'aussi entêté que lui. Il réussissait toujours à déjouer leurs plans.

— Les clans de fées encouragent l'amitié et le partage. Nous formons une famille, il est donc important de rester unies, mais avec nos différences, Satria et moi avons toujours été à part des autres.

— Mais vous étiez là l'une pour l'autre.

— Oui, et c'est une chance pour moi !

Devant l'air surpris de Léo, elle expliqua :

— Je suis plutôt... impulsive. Satria, elle, réfléchit avant de prendre une décision. Elle est un peu comme ma conscience, ajouta Tolyco en riant. Elle m'a aussi sortie de nombreux pétrins à cause de mes actes irréfléchis.

Tolyco remarqua que malgré leur conversation, Léo était constamment aux aguets. Ses longues ailes de cuir étaient tendues derrière lui et il s'assurait toujours de ne pas perdre Arby de vue.

— Est-ce qu'il y a des fées-bourgeons comme Lili dans votre clan ? demanda-t-il.

— Non, le clan Castel est principalement constitué de précieuses.

— De quoi ?

— C'est vrai, j'oublie toujours que tu ne connais pas le monde des fées ! Tu sais qu'il en existe plusieurs sortes... par exemple, les fées-de-feu, les fées-d'eau, les fées-bourgeons...

— Oui.

— Eh bien, toutes appartiennent à l'une ou l'autre des quatre familles.

— Quelles sont-elles ?

— La première est la famille des nébuleuses. Ces fées sont les plus puissantes et les plus rares. Elles sont dotées de grands pouvoirs. Cette famille se divise en trois catégories : les fées-ivoires, les fées-minuit et les fées-masquées.

— Les fées-masquées ? Pourquoi s'appellent-elles ainsi ?

— Elles ont un masque de pierres précieuses qui encercle le contour de leurs yeux.

— Je suis déjà allé dans un bal masqué où les femmes portaient ce genre de masque, mentionna Léo.

— C'est une faible comparaison. Les fées-masquées ne peuvent enlever ce masque, il fait partie d'elles, comme une seconde peau.

— En as-tu déjà vu une ?

— Non. Les nébuleuses sont très rares. La seule que je connaisse est une fée-ivoire.

— Qui est-ce ?

— Amonialta.

— Ah oui ? Alors, les autres fées-ivoires lui ressemblent ?

— Non. C'est une autre particularité de la famille des nébuleuses. Elles sont très différentes les unes des autres. Surtout les fées-ivoires. Certaines sont absolument stupéfiantes.

— C'est fascinant.

Tolyco voyait que Léo était heureux d'apprendre tout cela. Cette conversation évoquait certainement sa propre mère dans son esprit et devait lui rappeler qu'elle avait bel et bien vécu.

— Quelle est la deuxième famille de fées ? demanda-t-il.

— Les précieuses, répondit Tolyco avec fierté. Elles sont moins rares et nous y retrouvons plusieurs sortes de fées.

— Lesquelles ?

—Il y a les fées-d'air, d'eau, de terre, de feu, les guerrières, les aquila... et bien d'autres encore. Les précieuses sont puissantes, mais moins que les nébuleuses.

— Satria et toi faites partie de cette famille.

— Oui. Elle est une fée-d'eau et je suis une fée-de-feu, affirma Tolyco en agitant ses ailes rouges.

Le soleil commençait à se lever et la rosée perlait sur les fleurs sauvages. Arby leur fit quitter le sentier pour s'enfoncer dans la végétation dense.

— Et quelle est la troisième famille de fées?

— Les classiques. Ce sont les plus nombreuses. Lili fait partie de cette famille. Leurs pouvoirs sont moins puissants... bien que les faits aient souvent contredit cette certitude.

Devant l'air interrogateur de Léo, elle poursuivit:

— Il est vrai que leurs pouvoirs magiques ne sont pas très puissants, mais les classiques ont un charme si intense qu'il leur permet d'avoir beaucoup d'emprise sur les gens. Surtout les fées-citrouilles.

— Il existe des fées-citrouilles? rigola Léo tout en avançant d'un pas énergique que Tolyco peinait à suivre.

—Ne te laisse pas berner par leur nom, l'avertit Tolyco en esquissant un sourire. Ce sont les plus magnifiques créatures qui existent sur terre. Certains affirment même qu'elles sont des ensorceleuses.

Elle hésita puis ajouta, rieuse:

—Elles sont réputées pour aimer le pouvoir. Au cours des siècles, beaucoup d'entre elles ont choisi des maris fortunés ou influents. Elles utilisaient ensuite leur charme pour les manipuler selon leur volonté.

Léo semblait éberlué.

—Je croyais que les fées devaient être bonnes et gentilles.

Tolyco pouffa.

— Tu crois ça justement parce que tu ne connais rien aux fées. Ce n'est pas parce que nous avons des ailes que nous sommes parfaites !

Léo leva les mains pour montrer qu'il abdiquait.

— D'accord, j'ai compris, je dois me méfier de vous, blagua-t-il. Résumons, donc il y a les nébuleuses, les précieuses et les classiques.

— C'est exact.

Parler les aidait à dissiper la tension. Tolyco se demandait sans cesse si Satria allait bien et ne pas savoir la rendait folle d'inquiétude.

— Tu as dit qu'il y avait quatre familles de fées, reprit Léo. Quelle est la dernière ?

Tolyco ne répondit pas tout de suite. Elle paraissait chercher ses mots.

— C'est particulier. C'est un sujet tabou dans notre monde.

— Elles sont rares ?

— Très rares. Je ne sais même pas s'il en existe actuellement… et c'est mieux ainsi. On les appelle les rouges. Elles sont dangereuses, ajouta-t-elle en frissonnant.

— Comment ça ?

— Vois-tu… on ne naît pas ainsi, on le devient. Et ça peut arriver à n'importe laquelle d'entre nous.

— Je ne comprends pas.

Tolyco prit une grande inspiration et commença :

— Si une fée subit un très grand choc, et je veux dire par là quelque chose de vraiment très intense, pas seulement une mauvaise nouvelle ou un chagrin, mais un traumatisme important, elle risque de se transformer en une rouge aux pouvoirs si puissants qu'elle en sera totalement incontrôlable.

— Et laisse-moi deviner, ses ailes et ses cheveux deviennent rouges ?

— En fait, pas nécessairement, répondit Tolyco. Une fée qui se transforme va voir ses ailes, ses cheveux et même ses yeux changer pour devenir de la même couleur, mais il peut s'agir de n'importe quelle couleur. Ce nom de « rouge » rappelle le souvenir de la première fée à avoir subi ce sort.

Tolyco écarta une branche de son chemin et poursuivit :

— C'était une fée-citrouille qui s'appelait Antoinette. La légende raconte qu'elle vivait dans un petit clan isolé. Un soir, un feu dévasta tout le clan et seule Antoinette survécut. Des villageois passèrent près du brasier presque éteint. Ils trouvèrent Antoinette, immobile au milieu des décombres et des cadavres de fées. Ils la ramenèrent dans leur village, mais elle n'était plus la même et elle devint bien malgré elle une rouge. Ses pouvoirs décuplèrent et elle fit périr presque l'entière population du village avant qu'un nombre important de fées et de sorciers ne réussissent à l'arrêter.

Par la suite, il y eut quelques autres cas. Chaque fois, elles prenaient une couleur différente. La même chose se produisait toujours : un événement grave causait leur métamorphose et elles ne maîtrisaient plus leurs pouvoirs, qui devenaient trop puissants. On dut les enfermer pour les empêcher de faire du mal aux autres et aucune n'a jamais réussi à redevenir ce qu'elle était avant. C'est pourquoi nous avons toutes très peur de nous transformer en rouges. Nous savons que si ça se produisait, nous serions enfermées sans autre forme de procès et nous passerions notre vie à nous battre contre des pouvoirs qui nous détruiraient.

— Je vois, dit Léo, visiblement troublé.

— Les fées et les sorciers les plus éminents du continent ont tenté de découvrir la cause de ce déséquilibre magique, mais ils n'ont toujours pas trouvé d'explication.

Par contre, il n'y a jamais eu de cas venant de la famille des nébuleuses.

— Savent-ils pourquoi aucune nébuleuse ne peut devenir une rouge ?

— D'après leur théorie, les pouvoirs magiques des nébuleuses sont déjà si puissants que cela leur assure une meilleure maîtrise de leur magie. Ils ont aussi supposé que les classiques sont plus naïves et plus émotives que les autres fées, ce qui pourrait les rendre plus vulnérables à un grand choc émotionnel. Cette hypothèse ayant suscité un mécontentement général chez les classiques, ils n'ont pas poussé leurs recherches plus loin. Ils ont aussi affirmé que si une nébuleuse se transformait en une rouge, cela pourrait engendrer de nombreuses catastrophes, car ses pouvoirs prendraient des proportions gigantesques et elle pourrait représenter une grande menace pour la population.

— Ce serait si grave ?

— Oh oui ! Les sorciers du continent prennent ça très au sérieux. Ils ont constitué des brigades de défense contre les rouges et sont continuellement en entraînement pour se préparer à intervenir en cas de métamorphose.

Arby s'arrêta soudainement.

— Nous sommes bientôt arrivés, déclara-t-il. Je vous conseille de parler moins fort.

Ils venaient en effet d'atteindre un chemin bordé de grands pins qui s'éloignait de la forêt. Un écriteau planté dans la terre indiquait : « Terrain privé. Passez cette limite et vous mourrez. »

— C'est au bout, les informa Arby. Encore quelques minutes de marche.

Le cœur de Tolyco s'accéléra. « Pourvu que Satria soit vivante. Pourvu qu'elle aille bien », se répétait-elle en silence.

— Je me demande quelle sorte de fée était ma mère, dit Léo au bout d'un moment.

— Moi, je le sais, répondit Tolyco à voix basse.

Léo se tourna si brusquement qu'il fit sursauter Tolyco.

— Quoi ? Comment cela ?

— Une seule sorte de fée peut donner la vie à un uzul... et il n'y a jamais eu d'exception.

Léo déglutit.

— Laquelle est-ce ?

Les yeux noirs de Tolyco fixèrent intensément Léo.

— Ta mère était une fée-masquée de la famille des nébuleuses.

18

L'attaque du géant

SATRIA OBSERVAIT les barreaux de sa cellule dans l'espoir d'y découvrir une faille.

Le sorcier, après avoir sorti des bocaux d'herbes de son coffre, avait accroché un énorme chaudron rempli d'eau dans l'antre de la cheminée où un feu couvait. Il avait ensuite jeté dans la marmite bouillonnante une poignée d'herbes qui dégageaient des volutes de fumées odorantes et il avait étalé tout un assortiment de scies sur un établi. Il écrivait maintenant dans un vieux cahier noir. Satria pouvait y distinguer des croquis grossièrement dessinés.

— Très bien, très bien, grommela-t-il.

Il se tourna brusquement vers elles en frappant dans ses mains.

— Nous pouvons commencer.

— Commencer quoi? voulut savoir Satria.

Il l'ignora et se dirigea vers la cellule de Lili.

— Lève-toi, la fée-bourgeon, grogna-t-il. Tu seras la première.

— Je préférerais rester ici, dit Lili d'une petite voix.

Il ouvrit violemment la porte de sa cellule.

— Ne discute pas, tonna-t-il.

Satria vit Lili se diriger vers l'établi.

Le sorcier l'empoigna rudement par le bras et attacha ses ailes avec des pinces métalliques fixées dans le haut du mur.

— Vous n'avez pas le droit de faire ça, s'insurgea Satria. Relâchez-la !

Il prit une paire de gants de cuir et l'enfila tout en consultant ses croquis.

— Qu'allez-vous me faire ? demanda Lili dans un souffle, son sourire perpétuel s'étant évanoui.

— Je vais vous prendre vos ailes, répondit le sorcier comme si c'était une évidence. Vous devriez être fière de servir la science, ajouta-t-il en fronçant les sourcils, mettant en évidence les cicatrices déformant son visage.

— Non, ne faites pas ça… sanglota Lili.

— Je vous ai dit de la laisser partir ! cria Satria. Laissez-la tranquille !

Le sorcier prit une paire de cisailles et les posa délicatement à la base des ailes de Lili.

— Arrêtez, s'il vous plaît, supplia Lili en pleurant.

D'un mouvement sec, il sectionna une aile.

Lili poussa une plainte suraiguë avant de perdre connaissance.

— Lili ! Non !

Satria avait crié de toutes ses forces et elle sentit sa voix se répercuter en vibrations dans son corps qui tremblait.

Soudain, le chaudron posé sur le feu se mit à tanguer dangereusement et répandit de l'eau bouillante partout dans la pièce. Le sorcier jura en recevant une giclée de liquide brûlant sur les jambes.

Toute l'attention de Satria était tournée vers Lili, retenue dans les airs par son unique aile, comme un pantin inerte.

Le sorcier dévisagea Satria de son œil balafré.

— Comment as-tu réussi cela ? La magie des fées ne fonctionne pas ici ! mugit-il.

Satria ne comprenait pas de quoi il parlait. Comment pouvait-il s'imaginer qu'elle était responsable de cela ?

— Tu essayes de te servir de l'eau du chaudron ? s'emporta-t-il. Je vais te montrer ce que l'on fait aux cobayes qui tentent de s'en prendre à moi.

Il s'avança vers elle en claudiquant et ouvrit la porte de sa cellule.

Elle replia immédiatement ses ailes dans son dos. Il lui attrapa le bras et elle se débattit de toutes ses forces. Le coup qu'il lui flanqua sur le dessus de la tête la fit chanceler et des points noirs apparurent dans son champ de vision. Il tenta de saisir son autre bras, mais elle lui enfonça ses doigts dans les yeux. L'horrible scientifique cria de douleur et la lâcha pour porter sa main à son visage. Satria en profita pour se faufiler hors de sa cellule et s'élança vers Lili.

Le visage de la fée-bourgeon avait perdu sa jolie teinte rosée et un large filet de sang s'échappait de la plaie béante dans son dos.

Satria entreprit de défaire l'anneau qui la maintenait prisonnière.

— Lili, réveille-toi, répétait-elle en tentant de la libérer.

Brusquement, elle sentit une main la tirer vers l'arrière et la plaquer au sol avec une force saisissante. Le sorcier, les yeux injectés de sang, empoigna une scie et se précipita sur Satria. Elle esquiva le coup de peu en roulant sur le côté. Dès qu'elle se remit debout, elle déplia ses ailes et prit son envol avec une rapidité qui déconcerta le sorcier.

Le plafond n'était pas très haut, mais en repliant ses jambes, elle réussissait à être hors de portée. Elle prenait soin de toujours être en mouvement. La porte se trouvait tout près, mais elle ne pouvait pas partir. Elle devait aider Lili, toujours suspendue dans les airs, inconsciente, une flaque de sang de plus en plus imposante se formant à ses pieds.

Satria descendit en piqué et saisit au hasard un outil accroché au mur. Elle remonta aussitôt et menaça le sorcier avec ce qui s'avéra être un maillet en bois.

Il avait l'avantage de la force, de la grandeur et de la connaissance des lieux, mais elle pouvait voler et elle était plus rapide. Elle s'élança vers lui et essaya de le frapper avec son arme improvisée. Il esquiva son geste et tenta de saisir sa cheville, mais elle réussit à se dégager de justesse. Le même manège se répéta à plusieurs reprises, elle attaquait et lui parait son coup en essayant de l'attraper. Elle allait réfléchir à une autre tactique lorsqu'elle le vit sortir de la poudre noire d'un petit sac. Il la lança d'un geste précis dans sa direction et elle sentit une corde invisible enrouler sa cheville et la tirer vers le sol.

Affolée, Satria essaya de battre des ailes pour remonter, mais le sorcier bondit sur elle et la saisit par les cheveux. Il la traîna en maugréant jusqu'à la table où il attacha ses poignets avec les sangles. Elle se débattait de toutes ses forces et réussit à lui asséner un coup de pied à l'estomac, mais il riposta en lui tordant les bras jusqu'à ce que les larmes lui viennent aux yeux et qu'elle gémisse de douleur. Lorsqu'elle eut les deux mains liées par les courroies, il retourna chercher la scie. Satria regarda Lili et crut défaillir.

Le sang de sa plaie avait cessé de couler et formait une mare rouge sur le plancher. Lili ne respirait plus. Ses bras et ses jambes pendaient dans une position grotesque. «Comme une poupée morte», ne put-elle s'empêcher de penser avec un haut-le-cœur.

— Lili...

Elle détourna les yeux, incapable de regarder ce spectacle plus longtemps.

« Il va me faire la même chose », se dit-elle.

« Défends-toi, ne le laisse pas faire ! » lui dit une voix tout au fond d'elle.

Ses mains étaient attachées à la table derrière elle et ses pieds touchaient le sol. Elle se plaça dans la seule position de combat qu'elle connaissait, celle que Léo lui avait apprise, et elle toisa le sorcier en s'efforçant de mettre le plus de haine possible dans son regard.

Celui-ci sembla d'abord surpris, puis un rictus vint tracer un sillon à travers ses cicatrices. Elle tenta de le frapper avec ses jambes, mais il la bloqua contre la table. Lentement, il leva la main au-dessus de sa tête et prit son élan pour lui porter le coup de grâce.. La scie décrivit un arc que Satria vit comme au ralenti. Elle ferma les yeux pour ne pas voir l'arme s'abattre sur elle… mais rien ne se passa.

— Satria !

Elle leva les yeux, surprise. Tolyco se tenait dans l'embrasure de la porte. Léo avait déjà parcouru toute la distance jusqu'au sorcier et il retenait son bras. La scie était toujours au-dessus de la tête de Satria, menaçant de s'abattre sur elle à tout instant. Le sorcier manœuvra pour faire tomber Léo, mais celui-ci fut plus rapide et il envoya son adversaire rouler au sol avec lui. Une lutte effrénée s'engagea. Tolyco entreprit de défaire les sangles qui retenaient Satria.

— Où est Lili ? demanda rapidement Tolyco, les yeux rivés sur les nœuds des courroies.

Satria essaya de parler, mais seul un grognement sortit de sa gorge.

Surprise, Tolyco leva les yeux.

— Quoi ? Que s'est-il passé ? Où est Lili ?

Satria lui indiqua le corps inerte d'un signe de tête. Tolyco devint livide.

— Oh non…

Subitement, un cri de désespoir retentit derrière elles. La voix semblait si désespérée, si triste, que Satria fut touchée en plein cœur.

— Nooooon ! Mon trésor !

Pierrot venait d'entrer dans la pièce et regardait Lili avec ses yeux embués de larmes.

— Mon trésor… mon trésor…

Il s'approcha et prit Lili dans ses bras en laissant échapper des plaintes déchirantes.

Tolyco se força à détourner les yeux pour détacher Satria, le souffle court et les mains tremblantes.

Léo combattait férocement le sorcier. Accrochés l'un à l'autre, ils étaient difficiles à distinguer.

— Voilà.

Satria sentit que ses mains étaient libres. Elle se frotta les poignets en s'adressant au petit lutin.

— Pierrot… je suis désolée.

Tolyco décrocha la pince qui retenait l'aile de Lili et son corps tomba dans les bras de Pierrot qui la déposa avec une délicatesse infinie sur le sol, loin de la mare de sang.

Quand il fut assuré que Lili était bien couchée, il lissa ses cheveux en pleurant. Pendant qu'il faisait cela, son corps se mit à changer. Il n'avait plus du tout l'air d'un vieillard, mais plutôt d'un jeune athlète. Il grandissait rapidement pour devenir un géant dont la tête frôlait maintenant le plafond.

— Pierrot ? demanda timidement Tolyco.

Il se retourna et Tolyco saisit Satria en reculant. Il avait maintenant des bras musclés aussi gros que des troncs d'arbres et sa tête était si enflée qu'elle en était difforme.

— Il est furieux, dit Tolyco à Satria d'une petite voix.

— Qui a fait ça ? demanda-t-il d'une voix gutturale qui fit trembler les murs.

Il montra Lili du doigt.

Les deux fées étaient incapables de répondre tant Pierrot leur faisait peur.

Dans un élan de rage, il poussa un rugissement effroyable en direction des deux sorciers qui se battaient. Ces derniers stoppèrent net et se séparèrent lorsqu'ils virent le monstre qui se tenait devant eux.

Le géant poussa un autre hurlement de rage et se mit à tout casser autour de lui. Il empoignait des outils au hasard et les jetait dans toutes les directions. Satria dut se pencher pour éviter de recevoir une barre de fer en plein visage.

— Sortez d'ici ! leur cria Léo.

Satria et Tolyco se ruèrent vers la porte. Léo les suivit de près et le sorcier Nactère voulut faire de même, mais le lutin-métamorphe l'atteignit violemment au dos avec un morceau de bois et il s'étala de tout son long. Pierrot était à ce point gigantesque qu'il brisait les murs et le plafond en se déplaçant, faisant tomber des débris partout. Il se plaça entre la porte et le sorcier pour l'empêcher de fuir. Satria fut la première à sortir de la pièce et elle dévala les escaliers devant elle. Tolyco et Léo couraient derrière elle. Surprise, elle réalisa qu'ils ne se trouvaient pas dans un cachot, mais dans les étages supérieurs d'une maison cossue et bien meublée, pourvue de plusieurs fenêtres illuminées de soleil. La porte d'entrée se trouvait au bas des marches. Elle voulut s'y engouffrer, mais Léo l'arrêta.

— On ne peut pas aller dehors maintenant. Arby nous a dit que le sorcier a placé des sortilèges pour empêcher quiconque de sortir de sa maison. Je n'ai pas le temps de les désamorcer, Pierrot est hors de contrôle et s'il nous voit, il pourrait nous attaquer. On doit se cacher dans un endroit auquel il n'aura pas accès.

— Ça ne devrait pas être trop difficile, vu sa taille, remarqua Tolyco.

— Allons au sous-sol, proposa Léo.

Ils descendirent un escalier en colimaçon en entendant toujours des bruits de bataille à l'étage et arrivèrent à une large porte de pierre.

— Les murs sont très épais, ça sera plus difficile pour Pierrot de nous atteindre ici.

Ils entrèrent et effectivement, une fois la porte fermée, le tumulte s'en trouva assourdi.

La pièce contenait une impressionnante collection d'objets hétéroclites. Elle était si encombrée qu'ils eurent de la difficulté à se frayer un chemin. Il y avait des animaux empaillés qui avaient visiblement servi de cobayes, des miroirs, des cages, des meubles anciens, des tableaux, des statues de bronze et même une fontaine couverte de poussière.

— Que pensez-vous qu'il va arriver à Nactère ? demanda Tolyco.

— Nactère ? répéta Satria.

— Le sorcier.

— Il n'a aucune chance de s'en sortir contre un lutin-métamorphe en furie, répondit Léo.

— Tant mieux, dit Satria dans un souffle.

Léo s'approcha d'elle.

— Est-ce que ça va ?

— Je crois que oui, mais Lili…

Elle ne put continuer, une grosse boule se forma dans sa gorge et elle se mit à pleurer.

— Je sais, mais tu ne pouvais rien faire. Ce n'est pas ta faute.

Léo passa un bras autour d'elle pour la réconforter. Sa peau était chaude et instinctivement, Satria se blottit contre lui.

Tolyco avait commencé à explorer la pièce.

— Où est Arby ? lui demanda Léo.

— Il s'est enfui dès que nous sommes arrivés, ce sale trouillard, rétorqua Tolyco.

— Qui est Arby ? demanda Satria.

— La créature qui t'a amenée ici.

Satria commença à trembler sans pouvoir s'arrêter. Léo prit sa cape et la posa sur ses épaules.

— Assieds-toi.

— Je ne sais pas ce que j'ai, s'excusa-t-elle.

— C'est normal, c'est le choc, assura Léo. Tu es en sécurité maintenant.

Satria ne put s'empêcher de relever la tête nerveusement en entendant les bruits sourds de la bataille au-dessus de leur tête.

Léo le remarqua et il la guida jusqu'au fond de la pièce. Il la fit asseoir sur un petit pouf placé entre une commode et un support à bijoux en forme d'arbre.

— Quelle horreur ! s'écria Tolyco en observant un rat dont les dents trop longues avaient traversé son crâne.

Satria détourna les yeux pour ne plus voir ces animaux mutilés. Elle regarda le présentoir à bijoux. Il contenait un seul médaillon qui capta immédiatement son attention. Elle le prit et observa sa gravure.

— Léo ? appela-t-elle.

Celui-ci avait trouvé un vieux chandelier et il alluma la bougie avant de revenir aussitôt auprès d'elle.

— Oui ?

La flamme faisait briller ses lèvres charnues et les reflets dorés de ses cheveux. Ses yeux pâles déconcertèrent Satria pendant un instant.

— Sais-tu ce qu'est la Société du cygne noir ? demanda-t-elle en baissant les yeux sur le médaillon

— Oui. Enfin, un peu. C'est une société secrète. Pourquoi ?

— Le sorcier... Nactère, il m'a dit que lui et Amonialta avaient autrefois fait partie de la Société du cygne noir. Et regarde ce médaillon.

Elle lui montra le bijou circulaire.

On y voyait le long cou d'un cygne noir formant un «S» qui pouvait presque faire penser à un serpent. L'œil du cygne était serti d'un diamant et il brillait sous la lueur de la chandelle. Sept traits étaient gravés tout autour du cygne dont le corps, ridiculement petit en comparaison de son cou, se trouvait dans le bas du médaillon. La pierre dans laquelle le médaillon était taillé semblait être de l'onyx noir. Seul le relief gravé permettait de voir le dessin. L'autre côté du médaillon était marqué du même motif.

Tolyco s'était approchée pour observer le bijou.

Léo ausculta le médaillon très attentivement avant de prendre la parole.

— La Société du cygne noir n'existe plus depuis plusieurs années. Nous ne savons pas qui en faisait partie et les membres de cette société restaient très discrets. Je crois que si le sorcier Nactère t'a donné cette information, c'est parce qu'il était convaincu que tu ne survivrais pas.

Satria déglutit.

— La légende raconte qu'ils étaient sept membres et si j'en crois le nombre de traits qui ornent le médaillon, cela pourrait être vrai, nota Léo.

— Que faisait cette société secrète ? demanda Tolyco.

— Je l'ignore, et je crois que seuls les membres le savaient. Elle ne réunissait que les personnes les plus influentes et les plus puissantes du monde magique. On raconte qu'il y aurait eu une complication lors d'une cérémonie magique et, depuis ce temps, la société s'est dissoute.

— Tu crois que ce sorcier Nactère en faisait vraiment partie ?

— S'il te l'a affirmé et qu'en plus il possède ce médaillon, alors je crois que oui, il pouvait en être membre.

— Amonialta aussi ?

Léo haussa les épaules.

— Très peu d'informations circulent sur cette société. Il est donc impossible de le savoir avec certitude.

— Nactère m'a dit qu'Amonialta avait fait des choses horribles sur le territoire des sorciers Bannis et qu'à cause de ça, elle n'oserait jamais y remettre les pieds. C'est peut-être pour cette raison qu'elle n'a pas voulu que le clan Castel intervienne davantage pour stopper la tempête de Ceithir, conclut Satria.

Léo réfléchit à ce qu'elle venait de dire.

— Je me demande bien ce qu'elle a pu faire, dit Tolyco.

Des bruits de bagarre retentirent au-dessus d'eux et ils levèrent la tête, attentifs. Puis, Tolyco continua à faire le tour de la pièce en touchant à tous les objets.

— Que penses-tu de tout ça ? demanda Satria à Léo en faisant un geste de la main vers le médaillon.

— Je crois qu'il se produit des choses anormales sur le territoire des Bannis depuis longtemps et qu'il est temps que quelqu'un y mette de l'ordre.

— C'est vrai, mais…

— Hé ! Venez par ici ! les interrompit Tolyco qui se trouvait face à un tableau recouvrant presque tout un mur.

Ils la rejoignirent pendant qu'elle sortait la carte de son sac.

— Regardez ce tableau.

— C'est une toile portail ! constata aussitôt Satria.

Elle s'approcha pour examiner l'illustration en prenant bien garde de ne pas la toucher. C'était vraiment inhabituel. On aurait dit de l'eau vaporeuse qui flottait. Des milliers de points brillants et multicolores miroitaient sur une surface sombre.

— C'est tellement étrange.

— J'ai déjà vu ça avant, dit Tolyco en fixant intensément la toile. Sur la carte du territoire des sorciers Bannis. En la copiant dans la bibliothèque, j'ai vu ce même dessin qui était reproduit sur papier.

— Tu es certaine ?

— C'était très ressemblant. Regardez.

Elle leur montra les trois traits en forme de vague qu'elle avait dessinés.

— En effet, c'est identique, se moqua Satria.

Léo se retenait manifestement de rire lui aussi.

— J'aimerais bien vous voir essayer de reproduire ça ! se rembrunit Tolyco en désignant la toile au motif indéfinissable.

— Je crois que ça ne serait pas très sage d'essayer de la traverser, observa Satria. On ne sait pas où elle pourrait nous transporter.

— Si cette toile mène bien à l'endroit indiqué sur la carte, nous serions beaucoup plus près du volcan, fit remarquer Tolyco.

Des pas de géant qui cognaient le sol en se rapprochant mirent fin à leurs réflexions.

— Pierrot approche, chuchota Tolyco.

Ils se retournèrent d'un seul coup et leurs ailes frôlèrent la toile en même temps.

Ils eurent tout juste le temps de voir la porte s'ouvrir. La tête difforme de Pierrot et ses traits altérés par la colère apparurent dans l'embrasure tandis qu'ils étaient tous les trois brusquement aspirés dans la toile. Satria reconnut le goût de peinture familier qui emplit sa bouche avant que le noir ne les enveloppe.

19

Le clan Priséis

L'IMAGE DE PIERROT écumant de rage s'évapora pour laisser place à un tourbillon de couleurs, puis Satria, Tolyco et Léo tombèrent lourdement sur leurs genoux. La toile portail les avait aspirés sans qu'ils s'y attendent. Satria était soulagée d'avoir quitté la maison du sorcier Nactère, mais elle appréhendait ce qu'ils allaient maintenant découvrir.

Elle leva la tête et regarda autour d'elle. Ils étaient dans une grotte. L'air était lourd, humide, et la noirceur aurait été totale sans l'étrange luminescence qui émanait des murs. Ils se levèrent et restèrent sans voix devant le spectacle qui s'offrait à eux.

Une épaisse couche d'eau recouvrait toute la surface des murs et du plafond de la grotte. Étrangement, l'eau ne coulait pas vers le sol, mais restait plutôt en suspens, comme si elle était accrochée à la pierre, insensible à la gravité. Ce qu'ils avaient pris au départ pour des points lumineux était en fait des milliers de petits poissons aux couleurs brillantes et variées qui nageaient. Ils se promenaient sur les murs comme dans un lac. Les lumières multicolores s'entrecroisaient et ondulaient en suivant le mouvement de l'eau.

— C'est magnifique, dit Tolyco d'une voix étouffée par l'eau, comme s'ils se trouvaient dans les profondeurs d'un lac.

Elle s'approcha et leva la main, mais Satria l'arrêta.

— N'y touche pas, on ne sait pas ce qui pourrait arriver.

Tolyco continua à regarder les poissons avec émerveillement.

— C'est tellement beau, comment cela pourrait-il être maléfique ?

Elle continua son mouvement et sa main entra en contact avec l'eau. Rien ne se produisit, les poissons l'ignorèrent et l'eau resta en place. Satria, qui avait retenu son souffle, soupira.

Tolyco retira sa main. Des gouttes d'eau s'écoulèrent de ses doigts.

— Elle est tiède.

— Je n'ai jamais rien vu de pareil, dit Léo en observant plus attentivement les poissons. C'est vraiment fascinant !

Il jeta un regard en biais à Satria. Les couleurs lumineuses se reflétaient sur sa peau délicate et créaient des jeux d'ombres sur ses pommettes.

Elle ne put s'empêcher de toucher à son tour. Sa main traversa l'eau et elle sentit la pierre lisse et glissante sous ses doigts.

— Un endroit comme ici doit être bien gardé, murmura-t-elle.

— Tu crois ? demanda Tolyco en regardant derrière elle, se sentant soudainement épiée.

— Cette grotte est magique. Si quelqu'un connaît son existence, il voudra certainement la protéger et la garder précieusement. C'est ce que les fées du clan Castel feraient en tout cas.

Tolyco acquiesça, nerveuse.

— Tu as raison. Je crois que l'on ferait mieux de partir d'ici.

— Oui, approuva Léo. Allons-y.

La partie de la grotte où ils se trouvaient était circulaire et la toile portail qui les avait conduits là occupait son centre. Elle était beaucoup plus petite que celle qu'ils venaient de quitter et on n'y décelait que des formes floues et sombres : les objets étranges de la cave du sorcier Nactère.

Ils laissèrent la toile derrière eux et s'engagèrent dans le seul passage qui menait hors de la pièce. Ils se retrouvèrent dans un labyrinthe de chemins éclairés par les nombreux poissons qui tapissaient les murs. Ils arrivèrent rapidement à une intersection de galeries qui partaient dans toutes les directions.

— Cet endroit est immense, dit Satria d'une voix sourde.

— Nous devrions peut-être retourner à la toile portail, proposa Tolyco.

— Non merci. Je ne tiens pas à revoir Pierrot… ni ce sorcier, dit Satria en frissonnant malgré la chaleur ambiante.

Léo tourna brusquement la tête et se cambra.

— Vous avez entendu cela ? demanda-t-il à voix basse, immobile et concentré.

Satria et Tolyco regardèrent nerveusement autour d'elles.

Elles ne perçurent rien, mais soudain, la lumière des poissons commença à faiblir. Ils se retrouvèrent graduellement dans l'obscurité, comme si quelqu'un avait soufflé une bougie. Bientôt, ils n'entendirent plus que le souffle de leurs respirations dans le noir.

Des bruits de lutte retentirent à la droite de Satria.

— Léo ? appela-t-elle en faisant volte-face. Tolyco ?

Quelque chose de pointu s'enfonça dans son dos. Elle essaya de se dégager, mais des mains la saisirent et la plaquèrent au sol. Avant même qu'elle ait compris ce qui se passait, on lui avait attaché les mains et les ailes. Une voix chuchota à son oreille :

— Ne bouge pas. Ne parle pas.

La consigne se répéta pour Léo et Tolyco sur le même ton menaçant.

— Qu'avons-nous là ! glissa méchamment à l'oreille de Tolyco une voix féminine. Quelle vermine ose s'aventurer sur le domaine du clan Priséis sans autorisation ?

— Arrête, Morane. On ne doit pas parler aux prisonniers.

Le cœur de Satria fit un bond. Ils étaient dans un clan de fées ! Elle n'avait jamais entendu parler du clan Priséis, mais elle fut tout de même rassurée. Lorsqu'ils leur expliqueraient la situation, les fées les laisseraient partir. Elles pourraient même leur offrir leur aide.

Elle entendit Léo qui luttait à ses côtés. Leurs assaillantes semblaient avoir des problèmes à le maîtriser. Un bruit sourd résonna suivi d'un grognement de douleur et Léo cessa de résister.

On les remit sur pied avec fermeté et des mains les forcèrent à avancer. Malgré la noirceur, ils étaient guidés rapidement et sans hésitation. Tolyco, qui avait les mains et les ailes attachées dans le dos, sentit qu'elle était entourée de deux fées. En dépit de l'avertissement, elle ne put se retenir :

— Satria ? Léo ? Vous allez bien ?

— Oui, répondirent-ils à l'unisson.

Aussitôt, Tolyco reçut un coup à l'estomac qui la plia en deux. Elle fut soulevée de force pour qu'elle continue à marcher.

— On t'avait dit de la fermer, grogna une voix à ses côtés.

— Vous me dites aussi de ne pas bouger et là, vous voulez que j'avance. Décidez-vous ! ne put s'empêcher de railler Tolyco.

Elle savait que cette provocation allait probablement lui coûter cher, mais cela lui importait peu. Elle ne voulait pas leur rendre la tâche facile.

Effectivement, un autre coup vint lui vriller les côtes dès qu'elle eut fini de parler et elle dut se retenir pour ne pas tomber à plat ventre.

Elle entendit Léo qui ne cessait de se débattre.

— Ça suffit, dit fermement la fée qui le retenait. Cesse d'essayer de défaire tes liens ou nous te laisserons ici. Tu ne voudrais pas abandonner tes deux amies seules et sans défense.

L'argument porta, car Léo, au prix d'un terrible effort, arrêta de s'agiter et accepta de les suivre.

La marche était longue. Une des filles qui escortaient Tolyco rompit le silence.

— Je ne peux pas croire que le garçon nous ait entendues. Céleste ne sera pas contente d'apprendre ça.

— Je crois que s'il a été capable de nous repérer, c'est parce que l'une de nous n'a pas fait assez attention. N'est-ce pas, Annabelle ?

— Ferme-la, Morane, répondit celle qui semblait être Annabelle et qui escortait Satria. Je te ferais remarquer que ce garçon est un uzul. Ce n'est pas un humain ordinaire. Et si tu tiens vraiment à désigner une coupable, puis-je te rappeler laquelle de nous deux a failli échouer à l'épreuve d'espionnage ?

— Tu ne peux jamais t'empêcher de la ramener, celle-là ! se rebiffa Morane, furieuse. Tu devrais juste accepter que je suis plus forte que toi et ça arrangerait bien des choses.

— Quoi ! s'emporta Annabelle en s'étranglant presque. Répète ça pour voir !

— Non, mais je rêve ! les coupa Tolyco, exaspérée.

Celle qui s'appelait Morane lui envoya un coup de poing si fort dans le ventre que Tolyco crut que ses yeux allaient sortir de leurs orbites.

— Ça suffit ! intervint une autre fille. Morane, Annabelle, vous faites honte à notre clan en vous conduisant ainsi. Vous réglerez vos différends en privé.

Un silence boudeur s'installa et on n'entendit plus que la respiration saccadée de Tolyco.

— Nous allons sortir de la grotte, annonça Annabelle aux prisonniers. Fermez vos yeux et gardez la tête baissée.

Satria et Léo firent ce qu'elle demanda, mais Tolyco ignora l'ordre.

— Pourquoi…, commença-t-elle.

Elle n'eut pas le temps de finir, car une lumière éblouissante lui brûla les yeux.

— Arrrrgghhh !

Elle ne vit que du blanc aveuglant avant de refermer les paupières.

— Ça me fait toujours rire, les gens qui se croient au-dessus de tout ! ironisa Morane. On se sent comment quand une fée-de-feu a l'impression d'avoir les yeux collés sur le soleil ? Laisse-moi deviner… attachée à son élément ?

Elle éclata d'un rire suraigu.

— Garde les yeux fermés, conseilla Annabelle à Tolyco en ignorant les sarcasmes de Morane. Tu pourras les ouvrir graduellement quand tu te seras habituée à la lumière.

Les yeux de Tolyco larmoyaient abondamment et la brûlaient atrocement. Elle hocha la tête tout en continuant d'avancer.

— Quelle est cette lumière ? demanda Léo.

Il gardait la tête baissée et essayait d'entrouvrir les yeux de temps à autre, mais il ne voyait qu'une lueur aveuglante qui lui brûlait la rétine.

— Notre clan est entièrement bâti avec un minéral spécial et unique qui s'appelle priséis, répondit Annabelle. Il a la particularité d'être d'un blanc immaculé qui requiert une période d'adaptation de quelques minutes pour réussir à le regarder sans avoir mal aux yeux. Cela a comme avantage qu'aucun ennemi ne pourrait nous attaquer sans être momentanément aveuglé.

— Ne révèle pas tous nos secrets, Annabelle! s'écria furieusement Morane.

— Taisez-vous, leur ordonna une autre fée. Pénélope, va avertir Céleste que nous arrivons.

Un bruissement d'ailes leur indiqua que Pénélope s'était envolée.

— Écoutez-moi bien, dit la même voix. Vous ne devez parler que si on vous en donne l'autorisation. Vous avez bien compris?

Ils firent oui de la tête.

Ils avancèrent encore un peu. L'air humide et lourd de la grotte avait été remplacé par une brise légère. Ils sentaient le soleil les réchauffer et, au loin, des gens riaient et bavardaient comme si de rien n'était.

Un bruit de porte résonna devant eux, suivi de chuchotements inquiets et précipités. On les fit entrer dans une salle.

— Vous devriez pouvoir ouvrir vos yeux graduelle-ment maintenant, les informa Annabelle.

Ils entendirent des bruissements d'ailes, puis les portes se refermèrent et ils ouvrirent lentement les paupières. Tolyco se méfiait et décida d'ouvrir un seul œil à la fois. En effet, le mal s'était atténué, mais elle mit encore plusieurs minutes avant de pouvoir discerner autre chose qu'un halo étincelant.

Leur vue revint peu à peu. Les fées qui les avaient escortés étaient parties, les laissant seuls au milieu d'une salle… déroutante. Le plancher, les murs, le plafond, tout était fait de ce minéral appelé priséis dont la blancheur irréelle donnait l'impression que tout autour d'eux palpitait lentement. La salle, bien qu'elle fût très grande, était épurée. Il y avait d'imposantes fenêtres ouvertes, dont les rideaux légers ondulaient au vent.

Un trône s'élevait devant eux, vide. Les deux sièges installés de part et d'autre étaient, eux, occupés : deux fées y étaient assises et les détaillaient de leurs yeux froids avec attention. Leurs ailes, noires et brillantes comme des écailles, ne partaient pas du milieu de leur dos comme chez les autres fées, mais s'étalaient plutôt tout au long de leurs bras.

— Quelles sont ces fées ? s'enquit Léo à Tolyco.

— Des fées-minuit, répondit Tolyco en déglutissant.

— De la famille des nébuleuses ?

— Oui, les plus puissantes…

Satria fut surprise que Léo sache cela. Un filet de sang coulait de sa tempe, mais il ne semblait pas s'en rendre compte. Il fixait les fées sans ciller et avec calme. Seule sa mâchoire crispée trahissait une émotion. Ils avaient tous les trois les mains et les ailes attachées. Satria croisa le regard de Tolyco. La présence des deux fées-minuit semblait l'avoir ébranlée.

Celles-ci n'étaient pas reconnues pour leur gentillesse ou leur générosité. Satria sentit un frisson glacé parcourir son échine en voyant leurs yeux rouges qui les dévisageaient comme s'ils étaient des proies.

Léo jeta un coup d'œil derrière lui. Deux fées-guerrières montaient la garde devant la porte. Lentement, il glissa ses doigts le long des cordes qui le retenaient prisonnier pour essayer de comprendre la complexité du nœud qui attachait ses poignets. Sans faire de mouvements brusques pour ne pas alerter les fées-guerrières, il commença à triturer ses liens.

— Trois individus se sont introduits sur le domaine du clan Priséis sans autorisation, déclara solennellement une des fées-minuit en les gratifiant d'un regard hostile. Cette séance sera présidée par la première fée du clan Priséis, Céleste.

Une porte dissimulée à l'arrière de la salle s'ouvrit.

Satria, Tolyco et Léo restèrent ébahis lorsqu'ils virent Céleste avancer.

Tolyco devança la question de Léo :

— C'est une fée-ivoire.

— Mais elle ne ressemble pas à Amonialta, commenta-t-il à voix basse.

— Je t'avais dit qu'elles ne se ressemblaient pas toutes…

Une fée-minuit les foudroya du regard et Tolyco se détourna de Léo.

Céleste semblait irréelle. Elle portait un simple foulard de soie qui tombait sur le sol. Sa peau était complètement transparente, mais, à la place des veines et du sang, on voyait des sources d'eau qui coulait. Ses organes étaient remplacés par du feuillage, des fleurs et du bois. Un large arc-en-ciel, dont les sept couleurs chatoyaient, entourait son cou. Ses cheveux ressemblaient étrangement à du feuillage et ils étaient ramenés en chignon sur le dessus de sa tête. Ses ailes étaient faites de nuages, de brume et de rayons de soleil. Le plus impressionnant était que toutes ces images étaient floues et se mouvaient constamment. On ne pouvait jamais être certain d'avoir nettement vu un papillon ou une abeille, ils bougeaient rapidement et allaient se poser ailleurs. Tolyco crut même voir un oiseau passer d'un bras à l'autre.

Seuls son visage et ses mains étaient recouverts d'une peau nacrée.

Elle se déplaçait lentement, gracieuse et souveraine. Elle prit place sur le trône et détailla avec attention les prisonniers.

— Nommez-vous.

Sa voix était grave et posée.

Satria, décontenancée par l'apparition soudaine, bafouilla. Tolyco intervint.

— Je m'appelle Tolyco et voici Satria. Nous faisons partie du clan Castel, dirigé par la première fée Amonialta.

Les papillons de Céleste s'affolèrent et elle fronça les sourcils.

— Je m'appelle Léomire Roorke Avery Oustos. Ma famille fait partie du clan des sorciers d'Ostandos. Quant à moi, j'ai quitté l'école Delphique, clama Léo d'une voix forte.

Le regard de Céleste se glaça.

— Votre père serait-il Merloch Roorke Oustos ?

— Lui-même. Mais je ne suis pas mon père…

— Que voulez-vous dire ?

— Que je vous demande de me juger sans tenir compte de vos relations avec lui.

Les lèvres de Céleste frémirent imperceptiblement.

— Bien entendu, mais je me dois de préciser que pénétrer en ces lieux sans autorisation est une offense très grave.

— C'était un accident…, commença Satria.

— Taisez-vous, cracha une fée-minuit. Vous parlerez lorsque nous vous en donnerons l'autorisation.

Le visage de Tolyco se durcit. Elle s'apprêtait à répliquer, mais le regard entendu de Léo l'en dissuada.

Céleste resta silencieuse. Un papillon longea son cou et virevolta dans son épaule. Elle jaugea Léo du regard.

— Vous êtes un uzul. Qui était votre mère ?

— Je l'ignore.

Elle semblait presque s'amuser. Un papillon voleta sur son bras gauche avant de disparaître dans l'arc-en-ciel.

— Ainsi, c'est donc vrai ce que l'on raconte… votre propre père vous a tenu dans l'ignorance pendant tout ce temps. Il a fait comme si elle n'avait jamais existé.

— Comment le savez-vous ?

La voix de Léo était toujours calme, mais ses yeux lançaient des éclairs.

— Disons simplement que je suis très bien informée. Dites-moi… comment êtes-vous entrés sur notre territoire ?

— Nous sommes arrivés par la toile portail qui se trouve dans la grotte.

Pour la première fois, Céleste sembla surprise.

— Vraiment ? Personne n'avait jamais emprunté cette toile auparavant, où se trouve l'autre portail ?

— Dans la cave d'un sorcier du nom de Nactère…

Le visage de Céleste se durcit, puis elle déclara :

— Je crois que vous devriez me donner plus d'explications.

Léo approuva de la tête, tandis que de ses doigts agiles, il manipulait les liens solides qui l'entravaient. Il se demanda un instant ce qu'il devait dire à Céleste, puis en vint à la conclusion qu'il était mieux de rester évasif.

— La tempête de Ceithir a frappé le territoire des sorciers d'Ostandos, dit-il en observant la réaction de Céleste, mais son visage resta impassible. Je suis ensuite allé avertir le clan Castel de son arrivée, mais je suis arrivé trop tard. Par chance, la tempête n'a pas duré et nous avons appris que sa source provient du volcan Brôme. Satria et Tolyco ont décidé de m'accompagner et c'est donc là que nous nous rendons. En chemin, nous…

Léo hésita un peu, il ne voulait pas entrer dans les détails de leur périple.

— Nous sommes tombés sur le sorcier Nactère qui nous a enfermés dans sa cave. Nos ailes ont touché la toile portail en même temps et nous avons atterri ici...

— C'est fascinant.

Céleste les toisa un instant puis ajouta :

— Il est vrai que pour actionner la clé de cette toile portail, il doit y avoir trois fées ou, dans votre cas – elle fit un geste de la main dans leur direction –, deux fées et un uzul. De plus, cette toile est à sens unique, on ne peut pas l'utiliser pour retourner à cet endroit. Le sorcier Nactère doit ignorer quelle est la clé de sa toile puisque personne ne l'avait jamais traversée avant vous.

Céleste pencha la tête sur le côté et dévisagea longtemps Satria et Tolyco.

— J'aimerais savoir pourquoi Amonialta a envoyé deux fées de votre âge pour accomplir une mission si périlleuse.

— Eh bien...

Tolyco avait de la difficulté à regarder Céleste dans les yeux, les papillons et les oiseaux qui voletaient partout sur elle attiraient constamment son regard.

— Hum, hum...

Une fée-minuit la rappela à l'ordre.

— Oui... euh, nous sommes parties de notre propre... chef, balbutia-t-elle enfin.

— Vraiment ? Alors, dites-moi, quelles sont les mesures qu'Amonialta a prises pour défendre son clan ? Est-ce qu'elle a décidé d'envoyer des fées-guerrières sur le territoire des Bannis ?

Personne ne répondit, car il était évident que Céleste connaissait déjà les réponses.

— Bien sûr que non, dit celle-ci en balayant l'air de la main. Elle n'oserait jamais...

Sa voix se perdit et elle resta interdite. Un oiseau remonta le long de son omoplate et se fondit dans l'arc-en-ciel.

— Vous savez, expliqua-t-elle comme si elle s'apercevait de nouveau de leur présence, il se passe des choses qui vont au-delà de vos connaissances et contre lesquelles vous ne pouvez rien. Même si vous réussissiez à arrêter la tempête de Ceithir, des forces encore plus maléfiques existeront toujours à cet endroit.

— Soit, dit Léo, mais nous tenterons tout de même d'agir pour le mieux.

Céleste semblait vouloir ajouter quelque chose, mais une fée-minuit prit la parole :

— Nous devons rendre notre verdict maintenant, annonça-t-elle sur un ton glacial.

Céleste n'ajouta rien, alors la fée-minuit enchaîna :

— Pour avoir pénétré sur le domaine du clan Priséis sans autorisation, la sentence est formelle : l'emprisonnement de Satria Castel, Tolyco Castel et de Léomire Roorke Avery Oustos pour une période d'un an. Après quatre saisons, nous évaluerons la possibilité de les libérer…

— Quoi ? hurla Tolyco.

Satria eut brusquement la vision d'une cellule froide et humide comme celle de la maison du sorcier Nactère et elle recula en sentant la panique la gagner.

— Non, je ne veux pas y retourner…, murmura-t-elle en tremblant.

— Elle tente de s'échapper ! cria une fée-minuit en pointant Satria qui reculait toujours.

Une des fées-guerrières qui gardaient la porte attrapa violemment Satria par le bras et cette dernière se figea de terreur, ne pouvant croire ce qui était en train de se produire. Un cri de colère lui fit tourner la tête.

— Lâchez-la !

C'était Léo. Il avait détaché ses liens, qui étaient tombés sur le sol, et se tenait face à la fée-guerrière, les yeux fous de rage.

Voyant le revirement de situation, les deux fées-minuit se placèrent aussitôt devant Céleste pour la protéger.

Léo avait toujours son sac de poudre accroché à sa ceinture, les fées avaient seulement saisi son épée dans la grotte. Il en prit une poignée qu'il répandit en prononçant.

— *Sablesam !*

La poudre décrivit un arc précis et frappa le visage de la fée-guerrière qui tomba sur le sol en entraînant Satria avec elle. Léo fut près d'elle en un instant, il l'aida rapidement à se relever et entreprit de défaire ses liens.

Tolyco vit la seconde fée-guerrière qui courait vers Léo, sa lance pointée dans son dos.

— Non ! hurla-t-elle de toutes ses forces.

À sa grande surprise, du feu surgit de ses mains et brûla aussitôt ses liens. Sans réfléchir, elle le dirigea sur la fée-guerrière. Cette dernière cria de douleur et s'effondra, à seulement quelques pas de Léo. Elle roula sur le sol pour étouffer les flammes pendant que Léo et Satria couraient vers Tolyco qui avait toujours une boule de feu dans son autre main.

— Comment arrives-tu à faire ça ? s'écria Satria.

— Aucune idée ! répondit Tolyco.

Satria se plaça près d'elle et regarda les fées-minuit en se demandant si elles allaient les attaquer.

— En tout cas, n'arrête pas ! dit-elle à Tolyco entre ses dents.

— Ne t'en fais pas, je ne saurais même pas comment.

Brusquement, la porte s'ouvrit à la volée et des dizaines de fées-guerrières firent leur entrée en courant et en volant. Rapidement, elles encerclèrent Satria,

Tolyco et Léo qui s'étaient placés dos à dos, l'extrémité de leurs ailes se touchant.

Léo avait de la poudre dans sa main et Tolyco avait levé sa paume remplie de feu. Les fées-guerrières pointèrent leurs lances sur eux et attendirent.

Satria, qui n'avait aucune arme, ferma les poings, se plaça en position de combat et essaya d'effacer la terreur dans son regard.

Après un long silence insupportable, les fées-guerrières attaquèrent dans un même mouvement. Satria vit plusieurs lances pointées sur son cœur se rapprocher à une vitesse affolante.

— Ça suffit ! ordonna une voix forte.

Toutes les fées-guerrières s'arrêtèrent brusquement dans leur élan et tournèrent la tête vers Céleste. Elle se tenait entre les deux fées-minuit qui semblaient surprises par l'ordre de leur chef. Lentement, Céleste descendit les marches et fendit la marée de fées-guerrières qui reculèrent sur son passage en baissant la tête. Elle arriva à la hauteur des prisonniers et regarda attentivement Satria et Tolyco. Tolyco avait toujours du feu dans la main et se demandait ce qu'elle devait en faire. Céleste le remarqua et elle chanta en faisant vibrer sa voix, ce qui fit briller l'indigo de son arc-en-ciel.

— *Saleeoum niictera sii.*

Le feu diminua progressivement jusqu'à s'éteindre complètement.

— J'annule votre sentence, déclara Céleste en continuant de dévisager les deux fées.

Les fées-minuit émirent des exclamations furieuses, mais Céleste les ignora.

— Vous êtes libres… à une condition.

— Quelle est-elle ? demanda Léo qui tenait toujours sa poudre dans le creux de sa main.

— J'aimerais que vous restiez quelques jours ici…

— Sommes-nous vraiment les bienvenus ? demanda sarcastiquement Tolyco en désignant les fées-guerrières qui les entouraient toujours.

— Bien sûr.

Céleste jeta un regard entendu aux fées-guerrières qui sortirent docilement de la pièce. Seules les fées-minuit restèrent.

Léo hésita un instant. Il se méfiait de la proposition de Céleste, mais il consulta Satria et Tolyco des yeux et elles semblaient si soulagées d'échapper à l'emprison-nement qu'il dut abdiquer.

— Nous acceptons.

Les lèvres de Céleste se soulevèrent quelque peu.

— Merci.

Sans ajouter un mot, elle tourna les talons et se dirigea vers la porte dissimulée derrière le trône. Alors qu'elle allait sortir, Léo l'interpella :

— Céleste !

Elle se tourna lentement, majestueuse.

— Pourquoi ? demanda-t-il simplement.

Une lueur s'alluma dans les yeux de Céleste et les papillons de ses bras s'affolèrent alors elle regardait tour à tour Satria et Tolyco.

— Parce que, Satria et Tolyco, je sais qui vous êtes. Nous nous sommes déjà rencontrées… Bienvenue au clan Priséis.

20

Un traitement royal

SANS UN MOT DE PLUS, Céleste s'était engouffrée dans le passage, les laissant seuls avec les fées-minuit dont les ailes noires, qui couraient tout au long de leur bras, étaient hérissées de fureur.

— Sortez d'ici, lâcha l'une d'entre elles.

Satria, Tolyco et Léo ne se firent pas prier, trop heureux de quitter cette salle et d'échapper à leur emprisonnement. À l'extérieur, les fées-guerrières avaient disparu et ils se retrouvèrent sur un pont fait de la même pierre blanche, lisse et lumineuse. De grands arbres bordaient le passage de chaque côté, leur bloquant la vue.

— Que fait-on ? demanda Tolyco.

Préoccupée de savoir s'ils pouvaient se promener librement, Satria ne répondit pas. Léo, lui, posa une autre question.

— Vous connaissez Céleste ?

— Non, dirent-elles d'une même voix.

— Vous êtes certaines ?

— Céleste n'est pas vraiment le genre de personne qu'on peut oublier, fit remarquer Tolyco.

— Peut-être est-elle déjà venue au clan Castel lorsque nous étions plus jeunes pour parler à Amonialta et qu'elle se souvient de nous, proposa Satria.

— Aucune chance! les coupa une voix derrière eux.

Ils se retournèrent et virent s'approcher la plus sublime des créatures. Pendant une seconde, ils crurent qu'ils n'avaient jamais rien vu d'aussi beau de toute leur vie et que s'ils cessaient de regarder cette fée, leur vie n'aurait plus de raison d'être.

La fée avança avec une grâce infinie vers eux. Sa chevelure d'un roux flamboyant tombait en masse dans son dos et encadrait son visage aux traits délicats et racés. Ses grands yeux étaient comme deux émeraudes étincelantes et ses ailes délicates chatoyaient du même vert soutenu. Elle avait des joues rebondies et une jolie bouche en cœur. Son sourire était à la fois resplendissant et envoûtant. Sa robe, du même vert que ses yeux, soulignait sa taille.

Elle s'avança en souriant et leur tendit la main.

— Bonjour, je m'appelle Annabelle et je suis…

— Une fée-citrouille, termina Tolyco pour elle.

— Exactement!

Léo se souvint de ce que lui avait dit Tolyco à propos de ces fées: elles faisaient partie de la famille des classiques et possédaient un charme très puissant, ce qui expliquait pourquoi il avait tant de mal à détourner ses yeux d'elle. Il s'aperçut que même Satria et Tolyco semblaient captivées par elle. Ce n'était pas tant sa beauté qui les fascinait, que son magnétisme. Léo était content que Tolyco l'eût prévenu du charme des fées-citrouilles, sinon il aurait été incapable de reprendre contenance.

— C'est toi qui étais dans la grotte et qui nous as faits prisonniers? demanda Léo un peu abruptement.

Le sourire d'Annabelle s'estompa. Le ton froid de Léo la prit de court, car elle était peu habituée à ce que des gens résistent à son charme, pourtant elle se reprit aussitôt.

— Oui… enfin, je n'étais pas toute seule et il faut dire que vous nous avez toutes mises sur un pied d'alerte en arrivant par cette toile portail. Les fées-minuit étaient dans tous leurs états. Elles ne cessaient de proclamer que vous étiez des espions. Je n'en croyais pas un mot, ajouta-t-elle en agitant la main avec grâce. Je savais que Céleste ne les laisserait pas vous enfermer.

— Vraiment ? Comment pouvais-tu en être si convaincue ?

— J'ai une forte intuition, assura Annabelle en souriant.

Elle agita ses ailes qui brillèrent d'un vert intense en captant la lumière du soleil.

— On m'a demandé de vous faire visiter le clan Priséis, venez !

Comme personne ne bougeait, elle ajouta :

— Bon, je suis sincèrement désolée pour l'épisode de la grotte, d'accord ? Je ne faisais que mon travail. Il ne faut pas que vous le preniez ainsi. Maintenant que vous avez été libérés, tout le monde sera aimable avec vous. On ne reçoit pas souvent de visiteurs ici ! Surtout pas des sorciers…, ajouta-t-elle en jetant un coup d'œil appréciateur à Léo. Et un uzul de surcroît ! Allez, venez !

Ils la suivirent tout en se présentant à Annabelle qui semblait très heureuse de les rencontrer.

Le pont bifurqua et ils s'arrêtèrent, stupéfaits.

La ligne des arbres s'arrêtait pour laisser place à une large étendue de collines verdoyantes qui se chevauchaient. Le clan Priséis avait été construit au centre de ces petites montagnes. Contrairement au château du clan Castel, qui s'élevait en hauteur, le clan Priséis s'étalait sur une grande distance. Plusieurs pavillons d'un blanc immaculé étaient dispersés un peu partout. Des ponts et des petites routes bordées d'arbres reliaient les bâtiments entre eux. Au centre du domaine se trouvait un lac miroitant. Plusieurs fées étaient assises tout autour. Elles riaient et discutaient en profitant du soleil.

Sans pouvoir l'expliquer, Satria se sentit immédiatement bien, comme si elle était apaisée.

— C'est… si beau, dit Tolyco qui semblait ressentir la même chose que son amie.

— Je sais, dit Annabelle en regardant le paysage avec fierté. Le minéral nommé priséis ne fait pas qu'aveugler nos ennemis, il dégage aussi de l'énergie. Cela fera maintenant quatre années que je suis dans ce clan, et je ne me lasse jamais de cette vue.

Tolyco fronça les sourcils.

— Comment… tu n'es pas née ici?

— Non. Le clan Priséis ne fonctionne pas comme les autres. Céleste recrute les fées les plus talentueuses dans les autres clans et les forme ici. Nous recevons un enseignement personnalisé selon nos caractéristiques. Il arrive même que les fées-virtuoses inventent des formules sur mesure pour qu'une fée puisse utiliser sa magie à son plein potentiel. Je suis une des seules classiques ici. Avant, j'appartenais au clan Abeille qui se trouve au sud du territoire des Bannis. C'est un petit domaine qui compte principalement des classiques. Céleste avait entendu parler de mes dons particuliers et elle est venue me chercher en personne.

— Quels sont ces dons? demanda Léo, curieux.

— Les fées-citrouilles sont reconnues pour leur charme très puissant… et le mien l'est encore plus! leur apprit-elle en riant. Céleste est convaincue que je pourrais apprendre à faire des envoûtements. J'ai travaillé sans relâche pour y arriver.

— Est-ce que tu y es parvenue?

— Pas encore. C'est très complexe. Je peux le faire avec les insectes, mais avec les animaux et les humains, les effets ne sont pas constants. Voyez-vous, je ne veux pas que mon envoûtement dure seulement quelques secondes ou quelques minutes, mais qu'il soit permanent.

Tolyco parut impressionnée.

— Avez-vous des naissances ici ? interrogea Satria.

— Nous avons bien quelques gemmes de nébuleuses, mais les naissances ne sont pas fréquentes. C'est pour cette raison que Céleste va chercher les fées dans les autres clans.

— Peut-être que Céleste est déjà allée au clan Castel pour y recruter des fées, suggéra Satria. Cela expliquerait pourquoi elle nous connaît.

— Aucune chance, dit Annabelle sur un ton sans réplique. Amonialta et Céleste se détestent.

— Vraiment ? s'étonna Tolyco. Pourquoi ?

Annabelle haussa les épaules en jouant avec une mèche de ses cheveux.

— Personne ne le sait. Pour cette raison, le clan Castel est le seul où nous n'avons jamais recruté personne, mais ne restons pas ici ! dit-elle en se détournant. Je veux vous faire visiter !

Annabelle déploya ses ailes et s'envola. Après un accord tacite, Satria, Tolyco et Léo s'envolèrent à leur tour et la suivirent.

Annabelle entreprit avec joie de leur faire découvrir les alentours. Il y avait de nombreux pavillons, des salles de classe et des arènes de sable pour que les fées puissent s'entraîner au combat. Tolyco se réjouit de voir qu'ici aussi, les fées dormaient dans des dionées.

— Bien entendu. C'est vraiment ce qu'il y a de mieux pour le sommeil d'une fée, affirma Annabelle.

Elle les guida à travers la bibliothèque – le seul endroit où les murs n'étaient pas blancs, mais tapissés de livres. Beaucoup de salles n'avaient pas de murs, mais

plutôt des rangées de colonnes blanches qui support-
taient les toits. Il y avait donc toujours une douce brise
parfumée qui les suivait partout où ils allaient. Des
fleurs aux couleurs éclatantes poussaient un peu partout,
faisant contraste avec la pierre immaculée.

— C'était mon idée, se rengorgea fièrement Annabelle
alors qu'ils passaient devant des rosiers aux odeurs
capiteuses. Tout ce blanc finissait par être assommant et
je voulais égayer le domaine avec un peu de couleur. J'ai
proposé à Céleste d'ajouter des fleurs un peu partout et
elle a donné son accord. C'est moi qui ai pensé à tout !

Elle leur indiqua une allée où se trouvait un assortiment de vases contenant des fleurs multicolores et
regarda Léo en attendant visiblement un compliment.

— C'est… euh… très beau, dit-il.

— Merveilleux !

Le pouvoir d'Annabelle était déroutant. Ils étaient
parvenus à se remettre de la fascination initiale qu'elle
avait exercée sur eux, mais il arrivait qu'avec un regard,
un sourire ou un simple haussement d'épaules, elle les
envoûte de nouveau. Lorsque cela arrivait, ils avaient
l'impression qu'ils ne pourraient plus jamais détacher
leurs yeux d'elle. C'était très déconcertant. Annabelle
était simple, enthousiaste et semblait prendre un réel
plaisir à leur faire visiter les lieux. Elle voulait en
apprendre davantage sur eux. Sa joie était contagieuse.
Tolyco se surprit à saluer des fées qu'elle croisait et ses
dernières lui répondirent toutes avec un grand sourire.

Annabelle leur fit même visiter l'infirmerie qui ressemblait beaucoup à celle du clan Castel.

C'était une grande pièce aérée avec des lits blancs
alignés le long du mur. Aucune touche de couleur ne
venait rompre la luminescence de la priséis dans cette
pièce.

Une fée-soignante vint immédiatement à leur rencontre. Elle était vêtue d'un tablier amidonné et avait relevé ses cheveux blancs en un haut chignon.

— C'est donc vous, les nouveaux venus ! Il faut dire que les nouvelles vont vite ici ! Bienvenue, je m'appelle Lina, dit-elle en leur tendant la main. Tout le monde ne parle que de vous. Je m'attendais à ce que vous veniez me voir. Tsss... voyez cette chemise toute déchirée, dit-elle à l'adresse de Léo.

En effet, son combat avec le sorcier Nactère avait laissé plusieurs accrocs dans ses vêtements.

— Et tu as du sang séché sur la tempe. Tu aurais dû me les amener plus tôt, reprocha-t-elle à Annabelle.

Elle empoigna le col de Léo et entreprit de lui enlever sa chemise. Plusieurs fées arrêtèrent leurs tâches pour regarder dans leur direction.

Léo empoigna doucement, mais fermement, les mains de Lina.

— Mademoiselle (celle-ci gloussa en s'entendant appeler ainsi), vous êtes très aimable de vouloir m'aider à faire ma toilette, mais je crois que j'ai quelques entailles aux bras qui devraient d'abord attirer votre attention.

— Mais oui, bien sûr, suis-je bête ! Suivez-moi, je vais vous installer et vous arranger tout ça !

Elle partit d'un pas décidé en lançant des ordres à droite et à gauche qui étaient aussitôt exécutés.

— Vous menez votre infirmerie d'une main de fer, dit Satria à Lina en s'assoyant sur un petit banc qu'elle lui désignait.

— Il le faut si on veut de l'ordre ici, ma petite. Bon, voyons cela.

Elle lissa d'une main experte les ailes de Satria à la recherche de coupures. Elle reprit ensuite le même manège pour Tolyco et Léo. Annabelle s'était assise sur un lit voisin et attendait.

— Est-ce que vous en avez pour longtemps, Lina ? Je dois les conduire au pavillon de confection afin qu'ils aient de nouveaux habits. Les leurs tombent en lambeaux.

Satria constata en effet que son pantalon était déchiré et taché à plusieurs endroits. Elle essaya de cacher un accroc en posant ses mains dessus, sans grand succès.

— Liz ! Apporte l'huile de mauve, ordonna Lina en auscultant les entailles de Léo. Si tu veux, Annabelle, je peux faire monter des habits directement ici. Vous n'aurez pas besoin de vous déplacer.

— C'est gentil, mais ça ne sera pas nécessaire, je veux leur faire visiter tous les pavillons.

— Pauvres petits, laissez-les respirer un peu ! Ils auront toute la journée de demain pour visiter !

Tolyco, Léo et Satria se regardèrent, mal à l'aise.

— Nous ne resterons pas jusqu'à demain, dit Léo. Nous comptons repartir au coucher du soleil ce soir.

— Mais regardez-vous ! Vous tombez de sommeil !

— Nous ne pourrons pas rester. Nous devons repartir.

Ils en avaient discuté tous les trois à voix basse pendant qu'Annabelle leur faisait visiter la salle de musique.

La menace de la tempête de Ceithir était trop importante et ils ne pouvaient pas perdre plusieurs jours au clan Priséis. Ils en étaient donc venus à la conclusion qu'ils allaient rester jusqu'au coucher du soleil. Ainsi, ils ne froisseraient pas Céleste et ils pourraient reprendre la route en montant la garde chacun leur tour pour dormir. Tolyco ne savait plus quand elle s'était reposée pour la dernière fois et maintenant que l'adrénaline était retombée, elle se sentait complètement exténuée.

Satria avait elle aussi de la difficulté à garder les yeux ouverts. Léo semblait tenir le coup plus facilement.

— Tu n'es pas fatigué ? demanda Tolyco.

— Oui, un peu, répondit Léo en souriant, mais il m'est déjà arrivé de ne pas dormir pendant de longues périodes. Je m'y suis habitué.

Annabelle eut l'air contrarié lorsqu'elle les entendit dire qu'ils voulaient partir le soir même. Elle rejeta ses longs cheveux derrière ses épaules et soupira.

— Je sais que vous devez vous rendre au volcan Brôme pour sauver votre clan, Céleste me l'a expliqué. Vous pourriez tout de même rester une seule nuit. Céleste veut vous rencontrer.

— Notre décision est prise, dit Léo avec fermeté. Nous partirons à la tombée du jour. Si Céleste veut nous parler, nous pourrons la rencontrer ce soir avant de partir.

Lina ordonna donc à une fée d'aller chercher des vêtements pour les trois invités. Elle observa les yeux violets de Satria et exigea qu'elle rapporte une robe violacée et bleu ciel. Après avoir examiné Tolyco, elle demanda une robe rouge. Une chemise blanche et un pantalon en daim furent choisis pour Léo. Elle s'appliqua ensuite à bien étaler un baume sur les plaies de ce dernier.

— Nous irons directement aux cuisines après l'infirmerie, dit Annabelle, vous devez avoir faim. Je ne vous ferai pas visiter la grotte, vous l'avez déjà vue ! C'est la fierté de notre clan. Elle est belle, n'est-ce pas, avec tous ces poissons ?

Les trois amis acquiescèrent.

— C'est là que se trouvent les gemmes des fées à naître. Nous avons aussi notre dragon fumarolle qui les protège. Vous êtes chanceux de ne pas être tombés sur lui. Je n'aurais pas donné cher de votre peau !

— Nous aussi nous avons notre fumarolle au château du clan Castel, dit Tolyco.

— Il y en a de moins en moins, dit Annabelle rêveusement. Il y a un autre clan de fées sur le territoire des Bannis : le clan Chronos. Il est très petit et les fées essayent de faire l'élevage des fumarolles, mais à ce qu'il paraît, ce n'est pas une réussite. Depuis que les fées ont retiré les gemmes de la nature et qu'elles les conservent dans les clans, le nombre de dragons fumarolles a considérablement diminué. Nous avons un groupe de fées ici même qui étudie ce phénomène.

Lina lissa les ailes de Satria.

— Elles sont belles, vos ailes, fit remarquer Annabelle en s'adressant à Satria et Tolyco. Les fées-de-feu et d'eau que j'ai rencontrées n'avaient pas d'aussi belles couleurs. Les vôtres sont… iridescentes. C'est magnifique !

Satria et Tolyco restèrent muettes de surprise. C'était la première fois qu'on leur faisait un compliment sur leur apparence.

— C'est vrai, enchaîna Léo en regardant un peu de biais Satria.

— Merci, murmura celle-ci en rougissant.

La fée chargée d'apporter les habits arriva en les tenant à bout de bras.

— Les voilà ! dit-elle en les déposants sur le lit. La dame de la confection m'a dit qu'elle se chargerait aussi de vous préparer des vêtements pour demain.

— Demain ?

Annabelle expliqua précipitamment :

— Il devait y avoir un banquet la semaine prochaine ; Céleste a décidé de le devancer afin de souligner votre présence, mais bien sûr, il devra être annulé.

Satria regarda vers le sol, embarrassée.

— Allons, ce n'est pas grave, dit Annabelle pour dissiper le malaise.

Lina se releva en se massant les reins.

— J'ai terminé avec vos blessures. Vous pouvez aller vous changer derrière ces paravents.

Satria revêtit la robe faite du même cuir souple d'obodame que le clan Castel utilisait. Elle était longue et foncée, d'un magnifique bleu nuit. Un ruban bleu cyan nouait sa taille. Elle ajusta l'encolure en *V* et les manches amples et longues en forme d'ailes d'oiseau.

Elle sortit et vit Tolyco qui avait aussi une robe aux manches longues d'un rouge soutenu. Annabelle lui tendit un ruban noir pour attacher ses cheveux lisses. Son visage ainsi dégagé mettait en valeur ses yeux en amande et ses pommettes hautes.

— Je n'ai pas de ruban bleu, Satria…

— Ce n'est pas grave.

Elle fit simplement gonfler ses cheveux bouclés avec ses doigts. Léo sortit à son tour, provoquant des commentaires admiratifs dans l'infirmerie. Il avait effectivement fière allure. Il avança vers Satria avec un drôle d'air, comme s'il se retenait de rire.

— Qu'est-ce qu'il y a ? lui demanda-t-elle.

— Rien. Si ce n'est que Lina est entrée pendant que je me changeais en insistant pour me coiffer en même temps.

Satria éclata de rire.

— Et…

— Je l'ai poliment mise à la porte. J'espère que je ne l'ai pas froissée…

Il la chercha des yeux, mais elle était partie s'occuper d'une patiente.

— Bon, allons-y ! décida Annabelle en tapant dans ses mains. J'imagine que vous devez avoir faim. Nous allons nous rendre à la salle Blanche où vous pourrez manger.

Elle les guida adroitement à travers les couloirs et les ponts du domaine tout en leur faisant la conversation avec joie.

— J'ai entendu dire que le château du clan Castel est magnifique. J'aimerais bien le visiter un jour…

— C'est… différent, dit Tolyco en songeant à la pierre grise du château, mais il a son charme.

— Et toi Léo, à quelle école es-tu allé ?

— J'ai fréquenté l'école Delphique…

Annabelle émit un sifflement admiratif.

— Céleste dit toujours que les sorciers de cette école sont les meilleurs.

— Est-ce qu'il y en a ici actuellement ? demanda Léo, curieux.

— Non, quelques sorciers résident présentement ici, mais ils ne viennent pas de ton école. Ceux qui nous visitent sont généralement de vieux sorciers qui désirent discuter avec Céleste et lui demander des conseils. Ils sont toujours tout rabougris et ils ne rient jamais. Il faut dire qu'ils n'ont pas trouvé très drôle la fois où on a glissé des algues dans leurs lits… Céleste était folle de rage, mais ça avait valu le coup juste pour voir leur visage quand ils ont surgi dans la salle Blanche, couverts d'algues visqueuses…, se remémora Annabelle en riant. Ah, nous y voilà ! Bienvenue dans la salle Blanche.

Ils pénétrèrent dans une grande pièce circulaire pourvue d'une haute coupole. Il n'y avait ni fenêtres ni murs, seulement de grandes colonnes blanches disposées à intervalles réguliers autour de la pièce. Le paysage était magnifique. On pouvait voir le lac ainsi qu'une partie de la forêt d'un côté et des pâturages de l'autre. Le soleil était en train de disparaître derrière les montagnes.

Satria, Tolyco et Léo mirent quelques instants à réaliser d'où venait la lumière subtile qui éclairait la pièce. Le priséis, éblouissant durant la journée, dégageait maintenant une lueur diffuse dans la brunante et des lucioles volaient librement dans la salle en émettant leur signal lumineux. Tout cela créait une ambiance feutrée. Des tables pouvant accueillir une dizaine de personnes étaient dispersées un peu partout dans la salle. Une grande table rectangulaire, remplie de victuailles aux fumets alléchants, trônait au centre de la pièce.

Plusieurs fées mangeaient tout en discutant. L'atmosphère était détendue. Satria remarqua qu'elles portaient toutes des robes longues.

— Vous êtes toujours aussi élégantes pour les repas ? demanda Satria à Annabelle.

— Pour le repas du soir, oui. Céleste tient à ce que l'on soit toujours bien mises.

Ils virent justement cette dernière qui était assise à une table avec de vieux sorciers qui avaient une bouche si tordue qu'ils semblaient sourire à l'envers.

Céleste leva les yeux et aperçut Annabelle. Elle lui fit un signe discret de la main.

— Je dois aller la voir, dit précipitamment Annabelle. Servez-vous et installez-vous à une table, je vous rejoins sous peu.

— Mmm… tout ça a l'air délicieux ! déclara Tolyco en humant les plats.

Il y avait des dizaines de mets différents qui semblaient tous appétissants.

Elle montra à Satria un bol rempli d'une mixture rouge.

— Que crois-tu que c'est ?

— Aucune idée, répondit Satria. De la purée de radis ? Tolyco fit la grimace.

— C'est de la compote de mûres au vin rouge et à la cannelle. Et c'est délicieux avec du pain grillé.

C'était une fée-aquila qui leur avait parlé. Ses ailes plumées étaient brunes avec de jolis reflets ambrés.

— Je me présente, Ely.

— Je m'appelle Léo. Voici Satria et Tolyco.

— Enchantée. Je vous souhaite la bienvenue au clan Priséis.

— Euh… merci, répondit Tolyco en essayant de cacher son scepticisme face à la gentillesse des fées. Elles les avaient tout de même attaqués quelques heures plus tôt.

Ely leur sourit et retourna s'asseoir à une table où d'autres fées-aquila l'attendaient.

Tolyco remplissait son assiette pendant que Léo observait Annabelle qui discutait avec Céleste. Elles semblaient en désaccord et Annabelle parlait en jetant des coups d'œil fréquents dans leur direction. Satria s'approcha de lui.

— Crois-tu que nous sommes en sécurité ici ?

— Je crois qu'elles manigancent quelque chose…

— Quoi ?

Léo hésita.

— Je ne suis pas certain, mais je pense qu'elles n'accepteront pas que nous restions uniquement jusqu'à ce soir.

— Elles vont nous empêcher de partir ?

— C'est mon impression.

— Est-ce que l'on devrait s'alarmer ?

— Non, pas pour l'instant. Ne t'inquiète pas.

— Je ne m'inquiète pas, je suis avec toi.

Léo regarda Satria et vit qu'elle lui souriait doucement. Il lui rendit son sourire.

Tolyco surgit à leurs côtés.

— Vous avez choisi ? Dépêchez-vous, j'ai faim…

Ils s'installèrent à une table déserte et mangèrent avec appétit. Tout était délicieux. Annabelle les rejoignit avec un plateau de desserts appétissants.

— Gardez-vous de la place. La cuisinière les a faits exprès pour vous.

Le regard d'Annabelle se durcit alors qu'elle fixait un point derrière eux.

— C'est donc toi qui as été choisie pour s'occuper de la vermine, Annabelle ? lâcha une voix méchante.

— Ferme-la, Morane, répliqua furieusement Annabelle.

Ils se retournèrent et virent une fée-masquée qui venait d'arriver à leur table et qui les dévisageait avec un air dédaigneux. Elle avait de longs cheveux somptueux d'un noir de jais et ses ailes imposantes étaient du même noir soutenu. Un masque en pierres précieuses couleur indigo encerclait ses yeux et se prolongeait jusqu'à ses tempes. Il n'était pas lisse, mais composé de plusieurs petites facettes ressemblant à des alvéoles, comme si on l'avait sculpté. Ses yeux étaient d'un bleu aussi clair et limpide que l'eau. Le contraste entre ses yeux et son masque était stupéfiant. Elle portait une robe bleu cobalt très ajustée au corset piqué de minuscules abeilles dorées. Son regard masqué était à la fois impressionnant et intimidant.

— Je ne savais pas que nous acceptions d'accueillir n'importe qui sur notre territoire, dit-elle en souriant méchamment.

— Si tu as un problème avec nos invités, va en discuter avec Céleste. J'ai bien hâte de voir ce qu'elle te répondra, répliqua Annabelle sur un ton cinglant.

— Tsss…, Annabelle, tu devrais essayer de te dominer. Perdre son sang-froid en public n'est pas vraiment digne d'une fée.

— Une attitude comme la tienne non plus, Morane.

— Mon attitude convient parfaitement à mon statut, siffla Morane entre ses dents.

— Tu veux parler de ton statut de nébuleuse ? demanda Annabelle, de plus en plus irritée.

— Exactement. Contrairement à toi… une vulgaire classique, persifla Morane. Je ne comprends pas encore comment Céleste a pu accepter une telle aberration. J'espère qu'elle ne recommencera pas avec vous.

Elle se tourna vers Satria et Tolyco.

— Vous n'êtes même pas identifiables à une famille de fées ! dit-elle en détaillant leurs cheveux et leurs ailes. Je suis surprise que vous ne soyez pas en disgrâce dans votre propre clan.

— Ça suffit, fous le camp, Morane, se fâcha Annabelle. Elle tremblait de fureur.

Morane leur fit un sourire hautain, tourna les talons et sortit de la salle en agitant ses ailes.

— Ne l'écoutez pas. Elle est vraiment insupportable, dit Annabelle qui avait l'air désolé.

— C'est une fée-masquée ? demanda Léo.

— Oui, répondit Annabelle, surprise. C'est plutôt évident, non ? C'est d'ailleurs la seule du clan et elle ne manque aucune occasion de nous le rappeler. Elle est convaincue que je ne devrais pas être ici, car le clan Priséis ne prend que les meilleures et je suis une fée-citrouille de la famille des classiques… les moins puissantes.

— Tu ne devrais pas t'en faire, dit Satria. Au moins, tu as des pouvoirs…

— Pourquoi je n'en aurais pas ? demanda Annabelle.

— Eh bien… Tolyco et moi n'en avons pas.

— Vraiment ! Je croyais que c'était impossible. Et puis ce n'est pas vrai… j'ai entendu dire que Tolyco avait produit et lancé du feu sur une fée-guerrière !

Satria regarda Tolyco. C'était vrai, elles n'avaient pas encore eu le temps d'en parler, mais Tolyco avait un pouvoir.

Tout à coup, Satria se sentit bien seule.

Tolyco vit l'expression de Satria et tendit la main vers elle. Cette dernière la prit en silence.

— Que se passe-t-il avec Céleste ? questionna Léo.

— Mmm ? Quoi ? hasarda Annabelle en regardant au loin.

— Vous ne sembliez pas vous entendre. De quoi parliez-vous ?

— Je lui ai dit que vous désiriez quitter notre territoire dès ce soir. Elle était en désaccord, mais je l'ai convaincue de vous rencontrer après votre repas. Tout est arrangé. Mangez maintenant, dit-elle en leur indiquant les pâtisseries. Ça serait mal vu si vous n'y goûtiez pas…

Ils n'avaient plus vraiment faim, mais comme ils ne voulaient pas vexer leurs hôtes, ils choisirent au hasard des petits sablés qu'ils croquèrent sans conviction.

Plus personne ne parlait et ils finirent leur dessert en observant l'activité autour d'eux.

Les tables avaient commencé à se vider. Céleste était toujours présente et discutait avec une fée-minuit.

Satria se sentit lasse. Elle était épuisée et les biscuits l'avaient rendue nauséeuse. Le décor se brouillait. Les montagnes qu'elle voyait entre les colonnes se dédoublaient. Elle avait la tête lourde et gardait difficilement les yeux ouverts. Elle entendit un bruit sourd à ses côtés et vit que Tolyco était tombée de sa chaise et ne semblait pas pouvoir se relever. Elle voulut l'aider, mais ses membres étaient lourds comme du plomb. La tête de Léo cogna la table et il ne bougea plus. Elle essaya de comprendre ce qui se passait, mais ses idées étaient confuses. Elle sentit que ses forces l'abandonnaient et qu'elle ne pourrait plus rester éveillée bien longtemps. La dernière chose qu'elle vit avant de s'écrouler était le regard triste d'Annabelle et elle entendit sa voix comme si elle venait de très, très loin.

— Je suis désolée. Vous ne nous avez pas laissé le choix…

Puis, tout devint noir.

21

Le feu et l'eau

— Je veux les voir ! Laisse-moi passer, Lina.

— Tu ne peux pas, ils ne sont pas encore réveillés. Cesse de crier, ce n'est pas convenable.

— Je vais cesser de crier si tu me laisses entrer.

— Annabelle, si tu penses que tes menaces m'impressionnent, tu es aussi bien de trouver autre chose !

Le ton changea.

— Laisse-moi les voir. Je vais être calme et rester dans mon coin.

— Non, Céleste me l'a interdit et je sais que tu vas essayer de les réveiller.

— S'il te plaît, Lina. Je me sens tellement mal de leur avoir menti, j'aimerais pouvoir m'expliquer.

— Bon... tu peux m'aider à préparer des onguents jusqu'à leur réveil, mais il est hors de question que je te laisse seule avec eux.

— Merci, Lina.

Tolyco avait un mal de tête épouvantable et aurait voulu que les voix se taisent pour qu'elle puisse se reposer. Elle se sentait lourde et avait l'impression qu'elle ne pourrait plus jamais bouger. Elle n'arrivait même pas à entrouvrir ses paupières. Elle resta immobile en attendant de reprendre la maîtrise de son corps.

Léo ouvrit les yeux. Il avait les membres ankylosés et il arrivait à bouger au prix de grands efforts. Il se souleva lentement sur ses coudes et vit qu'il était dans l'infirmerie. Satria et Tolyco dormaient sur des petits lits blancs à côté de lui. Le soleil filtrait à travers les fenêtres. Il jura intérieurement en se demandant depuis combien de temps ils étaient endormis.

Annabelle vit Léo qui essayait de se lever et alla immédiatement à sa rencontre.

— Bonjour…

Léo lui jeta un regard torve qui la fit reculer d'un pas.

— Je suis désolée, dit-elle aussitôt. Il ne faut pas m'en vouloir, je n'avais pas le choix…

— Qu'est-ce qu'il y avait dans les pâtisseries ? demanda Léo en se redressant.

— Euh… des somnifères, mais je peux tout vous expliquer…

— Nous sommes inconscients depuis combien de temps ?

— Un peu plus de douze heures…

Léo poussa un profond soupir.

— De quel droit vous permettez-vous ? demanda-t-il entre ses dents. Vous mettez la vie de gens en péril en nous retardant ainsi…

— Oui, je sais, répondit Annabelle, affolée, mais Céleste m'a assuré qu'elle vous aiderait à vous rendre au volcan plus rapidement. Vous ne prendrez donc pas de retard. S'il vous plaît, ajouta-t-elle à Satria et Tolyco qui avaient ouvert les yeux et qui peinaient à s'asseoir, je n'aurais jamais accepté si Céleste ne m'avait pas juré qu'elle vous aiderait dans votre mission.

— Je ne suis pas vraiment certaine que nous voulons de son aide, répliqua Tolyco en se massant la nuque.

— Elle m'a dit qu'elle devait absolument vous parler et que ça ne pouvait se faire en quelques minutes. Ce soir, il y aura un banquet et ensuite, je vous promets que vous pourrez partir. Tenez, regardez !

Annabelle leur montra leurs nouveaux habits pour leur prouver sa bonne volonté.

— Les couturières ont fabriqué de nouveaux vêtements sur le modèle de ceux que vous portiez lorsque vous êtes arrivés. Elles se sont dit que vous préféreriez en avoir des neufs, les vôtres étaient en lambeaux et les repriser aurait nécessité plus de temps.

Ils prirent les vêtements en tous points identiques à leurs anciens.

— Elles sont rapides ! apprécia Tolyco en examinant son pantalon.

— Ce sont des villageoises qui travaillent à la confection, répondit fièrement Annabelle. Tout ce qu'elles font est magnifique. Nous embauchons plusieurs des villageois et villageoises des environs pour remplir diverses tâches sur le domaine. Ils aiment beaucoup travailler ici, nous les payons bien et nous offrons aux plus jeunes l'éducation dont ils ont besoin.

— Nous faisons la même chose dans notre clan, dit Satria.

— Ah, vous êtes réveillés ! les salua Lina en arrivant avec son sourire bienveillant. Comment allez-vous ?

Elle insista pour les ausculter un moment.

— Tout est parfait ! déclara-t-elle en tapant dans ses mains. Allez vous changer maintenant.

Ils furent conduits à de petites salles de bain qui contenaient des baignoires remplies d'eau fumante.

Quelques instants plus tard, ils revinrent propres et vêtus de neuf. Sans un mot, Léo empoigna leurs sacs à dos qui se trouvaient près de leurs lits et en vérifia le contenu.

— On ne les a pas fouillés, les rassura précipitamment Annabelle.

— Il nous faudrait plus de provisions. Pouvez-vous nous en fournir ? demanda-t-il en relevant la tête. Sans somnifères… bien entendu, ajouta-t-il avec un sourire sardonique.

— Ça peut s'arranger. Nous passerons aux cuisines avant votre départ, répondit Annabelle qui semblait soulagée d'être pardonnée.

Tolyco plissa le front.

— Qu'est-ce que c'est ? demanda-t-elle en indiquant son corset.

— Quoi ?

— Ça !

Elle leur montra un petit écusson cousu sur le haut de son corset et de son pantalon. Elle vit que Satria et Léo avaient le même sauf que celui de Léo était cousu sur le revers de sa chemise. Habituellement, les fées apposaient un écusson représentant l'emblème de leur clan sur les vêtements des fées. L'emblème du clan Castel était vert bouteille et représentait un château à l'intérieur de la lettre *C*.

Celui qui se trouvait maintenant sur leur vêtement était différent. Il était blanc et un cercle bleu nuit encerclait la lettre *P*. Il y avait à l'arrière-plan des ailes de fées.

— C'est notre blason, expliqua Annabelle. Les couturières refusaient d'en poser un autre que le nôtre. Mais je dois avouer que je n'ai pas trop insisté. Vous aurez plus de facilité à vous déplacer sur le territoire des sorciers Bannis avec celui-là sur vos vêtements.

Un silence inhabituel s'abattit dans l'infirmerie. Ils regardèrent autour d'eux pour s'expliquer la cause de ce calme soudain et virent Céleste qui venait vers eux d'une démarche lente et majestueuse. Sa tunique blanche était si transparente qu'elle laissait voir l'étrangeté de son corps. Une source d'eau coulait le long de son bras droit et des papillons voletaient tout autour. Ses cheveux bruns ressemblant à du feuillage étaient entrelacés de fils d'or et dégagés vers l'arrière.

— Bonjour. J'espère que vous vous êtes bien reposés, dit-elle d'une voix grave.

— Grâce à vous ! lança Tolyco sarcastiquement.

Un murmure de désapprobation s'éleva dans l'infirmerie, mais Céleste resta impassible.

— Je vous comprends d'être en colère. Je peux cependant vous assurer que j'ai un moyen de vous faire rattraper votre retard et même de vous faire gagner plus de temps encore.

— Pourquoi ne pas nous avoir expliqué tout ça hier ? demanda Léo.

— Même si je vous avais convaincus de rester une journée de plus, vous ne nous auriez pas fait suffisamment confiance pour dormir sans faire chacun votre tour de garde. N'ai-je pas raison ?

— Oui… et alors ?

— Vous tombiez de fatigue. Votre mission au volcan Brôme risque d'être éprouvante et dangereuse. Vous aurez besoin de toutes vos forces.

— Comment vous y prendrez-vous pour nous faire rattraper notre retard ? demanda Satria.

Céleste sembla hésiter, puis déclara :

— Venez, je vais vous montrer.

Elle se tourna vers Annabelle qui s'apprêtait à les suivre.

— Annabelle, je crois que tu as une classe sur les différentes sortes de poisons que génèrent les cerises aujourd'hui…

— Oui, mais…

— Alors, tu devrais t'y rendre immédiatement afin de ne pas être en retard.

Annabelle baissa les yeux, déçue.

— Oui, j'y vais tout de suite, répondit-elle avant de se tourner vers eux avec un large sourire. Nous allons nous revoir au banquet ce soir !

Elle enjamba la fenêtre et s'envola sous les remontrances de Lina qui pestait contre les fées qui passaient par les fenêtres au mépris des règlements. Satria et Tolyco éclatèrent de rire.

Céleste sortit d'un pas léger et rapide qu'ils eurent du mal à suivre.

— Savez-vous quelles sont les sortes de poisons que génèrent les cerises ? demanda-t-elle abruptement en continuant de s'enfoncer dans le dédale de couloirs.

— Oui, répondit aussitôt Tolyco. Il y en a six sortes et ils ont tous des effets paralysants.

Satria enchaîna en comptant sur ses doigts :

— Deux sont produits en broyant les noyaux avec diverses herbes, trois en malaxant la chair avec un mélange de noix et le dernier poison, le plus dangereux et le plus complexe à concocter, nécessite des queues de cerises.

— Excellent. Vous êtes-vous entraînées à en faire ?

— Oui.

— Même le poison de nœud ?

— Celui avec les queues de cerises ? Oui, nous l'avons réussi. Les fées-guerrières l'ont utilisé et ont dit qu'il fonctionnait à merveille.

— C'est très bien, dit Céleste. Vous semblez avoir reçu une bonne formation.

— Eh bien…, hésita Satria, mal à l'aise. Nous avons toujours eu quelques problèmes avec nos pouvoirs. Nous avons donc décidé de pallier nos faiblesses en développant nos connaissances théoriques.

— Mais nous aurions préféré être capables d'appliquer la pratique plutôt que de bouquiner sans arrêt…, se désola Tolyco.

Satria approuva sans rien ajouter.

—Je comprends, assura Céleste. Cela dit, vos connaissances approfondies vous donneront un avantage. Par ailleurs, vous n'auriez pas dû mettre de côté la pratique de vos pouvoirs. Ce que tu as fait avec le feu, Tolyco, est très bien, mais tu aurais certainement pu faire mieux.

Tolyco resta estomaquée quelques instants avant de répondre :

—C'est que… c'était la deuxième fois que ça se produisait.

—Vraiment ?

Céleste fronça les sourcils.

—Dans ce cas, vous vous entraîniez à quoi avec Amonialta ?

—Nous suivions les classes normales, mais nos tentatives pour faire de la magie tournaient toujours au désastre…

—Quoi ?

Céleste semblait furieuse. L'arc-en-ciel dans son cou brilla, les papillons sur ses épaules s'affolèrent et l'eau de ses bras coula avec force. Elle marchait à présent si vite qu'ils étaient obligés d'utiliser leurs ailes pour rester à sa hauteur.

Satria ne comprenait pas pourquoi Céleste réagissait de cette façon.

—Nous n'avons pas…, affirma Satria en pensant au feu de Tolyco, ou presque pas de pouvoirs depuis notre naissance.

Céleste s'arrêta si brusquement qu'ils faillirent lui rentrer dedans.

—C'est ce que vous croyez ! Comment Amonialta a pu laisser faire une chose pareille ? murmura-t-elle pour elle-même. Elle manque complètement de jugement.

Ils arrivèrent à l'entrée de la grotte. Céleste s'y engouffra sans hésitation et ils la suivirent de près.

— Il y a une chose que j'aimerais savoir…, dit Céleste, Amonialta a accepté que vous partiez avec Léo, même si elle pense que vous n'avez pas de pouvoirs. C'est bien ça ?

Tolyco et Satria étaient très mal à l'aise. Est-ce que Céleste voudrait les empêcher d'aller au volcan si elle apprenait la vérité, est-ce qu'elle considérerait qu'elles étaient trop jeunes et trop inexpérimentées pour combattre un sorcier ? Elles n'eurent pas le temps de répondre que Céleste enchaîna :

— Je crois que vous êtes parties du clan Castel sans l'autorisation d'Amonialta… n'ai-je pas raison ?

Tolyco fit oui de la tête lentement en se mordant les lèvres.

— Pourquoi vous enfuir ainsi ?

— Amonialta ne voulait pas envoyer de fées-guerrières sur le territoire des sorciers Bannis, expliqua Tolyco. Elle ne voulait pas agir et elle retenait Léo prisonnier. Nous l'avons aidé à s'échapper pour qu'il puisse arrêter le sorcier… et nous l'avons accompagné.

Céleste soupira.

— Nous irons au volcan Brôme… même si vous n'êtes pas d'accord, ajouta Tolyco sur un ton décidé.

— Oh, mais je n'avais pas l'intention de vous en empêcher. Je ne suis pas votre chef, je n'ai aucune autorité sur vous… de plus, je crois que c'est une bonne chose que vous vous rendiez là-bas.

L'étrangeté des paroles de Céleste déstabilisa Tolyco et Satria. Cette dernière demanda :

— Céleste, est-ce que vous nous auriez envoyé un message dans une goutte d'eau ?

— Non, répondit Céleste qui semblait sincèrement surprise. Les seuls êtres capables de produire de tels messages sont les membres de la royauté des merrows.

Tolyco et Satria échangèrent un regard tandis qu'ils progressaient vers la grotte.

Les poissons multicolores nageaient sur les murs en diffusant leur douce lumière.

— C'est vraiment fascinant cet endroit, ne put s'empêcher de commenter Tolyco.

Céleste acquiesça et sa voix était plus douce lorsqu'elle s'adressa à eux :

— Cette grotte était déjà présente lors de notre arrivée ici. Nous avons construit le clan Priséis tout autour. D'après la légende, ce serait Pandore qui l'aurait créée.

— La première fée ? laissa tomber Satria, stupéfaite.

— Oui, confirma fièrement Céleste.

— Qui est la première fée ? demanda Léo.

— Pandore est la première fée qui a existé, l'informa Satria. Elle aurait vécu il y a des centaines d'années et aurait été dotée d'une puissance inégalée. Toute l'information que nous avons sur elle nous provient de légendes ou de contes. Certaines histoires soutiennent que la gemme de Pandore existerait toujours et qu'elle aurait un pouvoir si grand que la personne qui arriverait à la posséder deviendrait invincible. Beaucoup de gens ont passé une bonne partie de leur vie à la chercher, en vain.

— Et vous y croyez ? demanda Léo.

— Ce sont des sottises, rétorqua Céleste avant que Tolyco et Satria n'aient pu répondre. Pandore a disparu depuis trop longtemps pour que nous puissions retracer sa gemme. De plus, personne n'a jamais été capable d'affirmer avec certitude quelle sorte de fée était Pandore.

— Certains soutiennent qu'elle était une fée-masquée, dit Tolyco.

— Personne n'a jamais pu prouver quoi que ce soit, répliqua Céleste. Ils disent cela, car les fées-masquées sont rares, mais leur pouvoir égale celui des fées-ivoires ou des fées-minuit. Peut-être que Pandore ne faisait même pas partie de la famille des nébuleuses.

— Vous ne savez donc pas quelle est la sorte de gemme de Pandore ? demanda Léo.

— Non. Personne ne le sait.

— Comment pouvez-vous croire que c'est elle qui a créé cette grotte ? interrogea Satria.

— Il y a des indices significatifs dans la grotte, mais je n'ai pas le temps de m'étendre sur le sujet. Nous avons des choses plus importantes à voir.

Elle les fit entrer dans une salle aux plafonds hauts, taillés dans la pierre. Les poissons, qui étaient beaucoup plus nombreux, éclairaient fortement la pièce. C'était une sorte d'arène avec des gradins tout autour. Le sol était recouvert de sable. Deux fées-aquila, au centre, se livraient un combat ardu. Une troisième fée-aquila, plus vieille, observait la scène en donnant des instructions de temps à autre. Céleste prit place dans les gradins et les invita à en faire autant.

Satria mourait d'envie de demander à Céleste pourquoi elle avait dit qu'elle les connaissait, mais elle sentait que ce n'était pas le bon moment. Elle attendit donc en regardant le combat.

Léo était très absorbé par les techniques d'attaque qu'elles utilisaient.

— Tu es allé à l'école Delphique, lui dit Céleste.

Ce n'était pas une question, mais Léo acquiesça tout de même.

— J'ai déjà discuté à de nombreuses reprises de ton cas avec tes mentors, dit-elle. Ils essayaient désespérément de convaincre ton père de t'envoyer ici afin de compléter ta formation. Il a toujours refusé sous prétexte qu'il ne voulait plus entendre parler de fées. Je dois avouer que son comportement est inacceptable, mais tes mentors m'ont dit que tu étais très doué. Tu excelles dans les arts du combat...

—J'ai été formé dans cet unique but : me défendre et attaquer. Les mentors de l'école Delphique ne croient qu'à cela.

— Pas toi ?

—Je crois qu'il est possible de s'expliquer avec des mots avant de le faire avec nos poings.

— C'est ce que je crois aussi, déclara Céleste.

Elle n'ajouta plus rien, se contentant d'observer le combat.

Quand celui-ci prit fin, les deux fées-aquila étaient exténuées. Céleste s'adressa à leur enseignante :

— Falcore, j'aurais besoin du terrain pour un entraînement.

— Pas de problème, Céleste.

— Tu peux utiliser le terrain extérieur pour continuer l'entraînement, je me suis assurée qu'il soit libre.

— Merci.

— Et pourrais-tu me faire envoyer un bol d'eau et une cible, s'il te plaît ?

— Tout de suite.

Falcore sortit de la salle, suivie de ses deux élèves qui reprenaient leur souffle.

Après un instant, Satria posa la question qui lui brûlait la langue :

— Vous avez dit que vous nous aviez déjà rencontrées...

— En effet, mais je ne veux pas en parler maintenant. J'aimerais d'abord vérifier quelque chose avec vous, si vous me le permettez.

Satria et Tolyco se consultèrent du regard avant d'accepter. Elles étaient bien trop curieuses de voir ce que Céleste allait leur demander pour refuser.

— Très bien. Nous allons commencer avec toi, Tolyco. Va te placer au centre de l'arène.

Cette dernière s'exécuta.

— Bien, j'aimerais maintenant que tu reproduises ce que tu as fait hier dans la salle du trône.

— Euh… c'est-à-dire ?

— Du feu, bien sûr ! s'impatienta Céleste.

Tolyco devint soudain très nerveuse. Elle avait l'impression de se retrouver au clan Castel devant son enseignante et ses mains se mirent à trembler légèrement.

— Je ne sais pas comment, dit-elle dans un souffle.

Elle ferma les yeux tellement elle avait honte d'avouer cela.

Satria vit la détresse de son amie. Elle se leva et alla spontanément à sa rencontre.

— Tolyco.

Elle se plaça devant elle et prit sa main.

— Je ne veux pas encore une fois montrer à quelqu'un que je suis incapable, confia Tolyco à Satria en gardant les yeux fermés.

— Ne dis pas cela, Tolyco, dit fermement Satria. Tu l'as déjà fait. Je t'ai vue et c'était magnifique. Concentre-toi pour reproduire les émotions que tu ressentais. Refais la même chose.

— Mais si ça tournait mal comme toutes les autres fois ?

Satria n'avait jamais vu son amie aussi vulnérable et elle crut deviner pourquoi. Elles s'étaient habituées à être jugées par leur clan. Elles savaient qu'Amonialta était déçue de leurs piètres performances, mais recommencer le même manège devant Céleste, c'était trop. Tolyco ne voulait plus être humiliée.

— Fais-le. Tu es capable, dit Satria en serrant plus fort sa main.

Tolyco prit une grande inspiration.

— D'accord.

Son amie lui sourit puis retourna s'asseoir dans les estrades.

Tolyco ferma les yeux et essaya de retrouver la peur ressentie lorsqu'elle avait cru que Léo allait se faire attaquer ou quand Arby avait pointé ses longs doigts d'écorce vers elle.

— Nooonnnn! cria-t-elle de toutes ses forces.

Le même phénomène se produisit: elle sentit son corps trembler et du feu jaillit de ses mains.

Satria poussa un cri de victoire.

Sur cette entrefaites, une jeune fille timide entra dans la salle. Elle portait un bonnet blanc et une robe de paysanne. Elle montra le bol d'eau et une petite cible de marbre peinte en rouge à Céleste, qui lui fit signe de placer le point de mire devant Tolyco et le bol d'eau un peu plus loin. La jeune fille s'exécuta, non sans avoir jeté un regard apeuré en direction des paumes enflammées de Tolyco, puis fit une petite révérence avant de quitter la salle.

— Très bien. Tolyco, je voudrais que tu touches la cible avec le feu.

Tolyco avait un grand sourire en regardant le feu qui couvait dans ses mains. Chaque fois qu'elle en avait créé, elle avait cru que c'était de la chance, mais cette fois-ci, elle l'avait fait sans se trouver dans une véritable situation de danger.

Elle visa et lança le feu de toutes ses forces. Il frappa l'objectif de plein fouet, mais s'éteignit rapidement sur la surface du marbre.

— Merveilleux! la complimenta Satria en agitant ses ailes.

— Félicitations! ajouta Léo en applaudissant.

Céleste ne manifesta aucune joie devant la démonstration de Tolyco.

— Maintenant, je veux que tu essayes, mais sans crier. Tu dois reproduire le même chant dans ta gorge sans qu'un seul son sorte de ta bouche.

Tolyco était perplexe, mais tenta néanmoins d'exécuter ce que Céleste lui demandait.

Les premiers essais furent infructueux, car elle était trop excitée pour rester concentrée.

Céleste la réprimanda.

— Tu dois toujours rester maître de toi-même. Les meilleures fées sont celles qui sont les plus aptes à rester concentrées et calmes en situation de danger. Tu ne dois pas laisser tes émotions prendre le dessus. Recommence.

Tolyco rassembla toutes ses forces afin de reproduire les flammes, mais elle ne réussit qu'à générer de petites flammèches. Elle essaya à quelques reprises de prononcer un «Non!» pour s'aider, mais Céleste la rappelait toujours à l'ordre. Satria et Léo l'encourageaient avec ferveur.

Après de nouveaux essais infructueux, Céleste se leva et vint se placer devant la cible, face à Tolyco.

— Je vais t'aider. Ferme tes yeux et fais le vide dans ton esprit. Je veux que tu ressentes tout le pouvoir qu'il y a en toi. Tu n'as jamais voulu le voir parce qu'on te brimait, mais à partir d'aujourd'hui, les choses vont changer. Je veux que tu fasses vibrer les parois de ta gorge sans prononcer un seul mot. Très bien. Maintenant, écoute le son de ma voix.

Céleste se mit à chanter d'une voix ondulante et grave qui fit briller vivement la couleur jaune de son arc-en-ciel. Tolyco sentit la musique prendre possession de son corps et un changement se produisit. C'était comme s'il y avait quelque chose qui se réveillait en elle. Son pouvoir était tangible. Elle comprenait qu'elle pouvait le manipuler, mais avec précaution, car il était encore instable. Elle avait l'impression qu'il était lourd comme un caillou et fragile comme un œuf, tapi au creux de son corps, attendant le moment propice pour se manifester. Elle n'avait jamais ressenti son pouvoir de la sorte avant. C'était grâce au chant de Céleste qu'elle en prenait conscience.

— Maintenant, regarde-moi, dit Céleste lorsqu'elle eut terminé de chanter. Reste concentrée. Imagine-toi que je suis ton ennemie et que je te veux du mal. Très bien. Maintenant, attaque-moi.

Au fur et à mesure que Céleste parlait, Tolyco avait senti son pouvoir qui montait en elle, l'habitait, la possédait. Elle regarda Céleste et l'imagina comme son ennemie. Le feu jaillissait de ses paumes et elle parvint même à en varier l'intensité. Lorsque Céleste lui demanda d'attaquer, Tolyco lança le feu de toutes ses forces.

Céleste leva alors les mains et une barrière ressemblant à un arc-en-ciel s'érigea entre elle et Tolyco. Les flammes moururent sur le bouclier.

La fée-ivoire sourit pour la première fois.

— Félicitations. J'ai dû t'aider un peu en te faisant prendre conscience de ton pouvoir, mais je crois que tu pourras réussir par toi-même la prochaine fois.

Tolyco éclata de rire avant de tomber sur le sol, vidée de toute son énergie. Satria se précipita vers elle.

— Tolyco, tu n'as rien ?

— Non. Ça va ! C'est merveilleux ! répondit Tolyco, toujours hilare, les bras et les jambes en croix sur le sol. Mais je n'ai plus de force !

Satria et Léo l'aidèrent à se rasseoir dans les gradins.

— C'est très bien ce que tu as fait aujourd'hui, Tolyco, dit Céleste, mais parce que tu manques d'entraînement, tu perds rapidement ton énergie et j'ai pu te déjouer facilement. C'est tout de même un très beau début. Maintenant, c'est ton tour, Satria.

— Moi ? bredouilla celle-ci, incrédule. Mais…

— Allez vas-y, l'encouragea Tolyco. Si j'y suis arrivée, toi aussi tu peux le faire.

— Je suis certain que tu peux réussir, dit Léo.

Satria rougit et crut qu'elle allait s'empêtrer dans ses propres pieds lorsqu'elle se rendit au centre de l'arène.

— As-tu déjà vécu des manifestations magiques avant aujourd'hui ? Un peu comme Tolyco ? la questionna Céleste.

Satria réfléchit. Il y avait bien une possibilité, mais elle doutait qu'elle ait vraiment eu un impact sur l'événement en question.

— Eh bien, lorsque j'étais prisonnière du sorcier Nactère, il s'est passé quelque chose…

— Oui, continue.

— Il y avait un chaudron d'eau bouillante sur le feu. Lorsque j'ai vu le sorcier avec sa scie dans les mains…

Elle eut la vision de Lili pendue par une aile et eut un vertige.

— J'ai crié, puis le chaudron a basculé et toute l'eau s'est déversée par terre. Nactère était furieux et il m'accusait d'avoir causé cela… mais c'est impossible.

— Pourquoi dis-tu que c'est impossible ?

— Il a prétendu que la pièce était protégée contre la magie des fées. Alors, je ne comprends pas pourquoi il m'a ensuite accusée d'avoir fait bouger l'eau, surtout que j'étais enfermée.

Céleste resta pensive un instant.

— Le sorcier Nactère n'avait visiblement plus toute sa tête. J'aimerais que tu fasses le même essai que

Tolyco, mais avec le bol d'eau. Tu peux essayer de le renverser. Nous nous ajusterons au besoin.

Satria s'efforça de se concentrer, mais elle était nerveuse et elle avait si peur d'échouer qu'elle ne parvenait pas à ressentir quoi que ce soit. L'eau ne frémit même pas. Après des minutes qui lui parurent interminables, elle crut voir une vaguelette sur la surface de l'eau, mais c'était seulement son imagination.

— Je crois que tu as peur d'échouer avant même d'avoir essayé, dit Céleste. D'après ce que je comprends, Amonialta ne vous a pas bien traitées.

Elle enchaîna en voyant que Satria s'apprêtait à protester.

— Je parle uniquement de votre éducation magique. Elle a cru que vous n'aviez pas de pouvoirs, mais je suis convaincue du contraire. Tu vois, Satria, tu dois réussir à mettre de côté le passé. Si je t'annonce aujourd'hui que tu as des pouvoirs et qu'ils ont tout simplement été mal exploités jusqu'à maintenant, tu crois que tu pourrais passer par-dessus tes craintes ?

Le regard de Céleste était perçant, mais Satria ne cilla pas.

— Je crois que je le pourrais, dit-elle enfin.

Céleste approuva et se plaça près de Satria. Quand elle se mit à chanter avec sa voix ondulante, l'anneau jaune autour de son cou brilla encore.

Satria se concentra et cette fois, quelque chose de différent se produisit. Son énergie était plus présente. Elle fixa intensément le bol d'eau et, lorsque la musique entra en elle, son cœur vibra. Elle canalisa cette énergie et tenta de la dompter. Elle regardait le bol avec tellement d'intensité qu'elle ne comprenait pas pourquoi l'eau continuait de rester immobile. Céleste cessa de chanter. Un silence pesant et embarrassant s'installa, car il ne se passait toujours rien. Satria allait abandonner lorsqu'elle entendit Léo murmurer.

— C'est incroyable…

Pourquoi disait-il cela ? Elle n'avait rien fait.

— Satria, dit Tolyco d'une petite voix qu'elle ne lui connaissait pas, comment… comment fais-tu ça ?

— Quoi ?

À contrecœur, elle quitta des yeux l'eau immobile dans le bol et c'est là qu'elle vit le phénomène.

Les murs bougeaient. Cela lui prit quelques instants pour comprendre que c'était en fait l'eau sur les murs de la grotte qui s'était transformée en tourbillons déchaînés. Les poissons étaient ballottés dans tous les sens et tentaient de prendre la fuite sans y parvenir. Satria resta sans voix. Elle s'approcha et vit de près une petite trombe d'eau qui retenait prisonnière des dizaines de poissons. Elle leva la main et traça un sillon pour leur permettre de s'échapper.

C'était elle qui provoquait cela. Elle se sentait envahie par un sentiment de puissance qu'elle n'avait jamais éprouvé auparavant.

— C'est bien, Satria, dit Céleste avec un sourire. Tu peux arrêter maintenant.

— Euh… Comment ?

Satria s'énerva en réalisant soudain qu'elle ne savait pas comment arrêter. L'eau se mit à tourbillonner avec plus de forces, ce qui rendit Satria d'autant plus angoissée.

— Qu'est-ce que je dois faire ?

— Reste calme, Satria. Tu dois maîtriser ton pouvoir. Tout ira bien.

— Je ne sais pas comment.

Les torrents devenaient de plus en plus forts. Satria ferma les yeux et essaya de retrouver la puissance qui s'était manifestée un instant plus tôt, mais elle s'était envolée. Soudain, elle sentit une présence à ses côtés. C'était Léo.

— Ça va aller !

Sa voix était profonde et apaisante. Il lui sourit.

— Tu n'as pas à t'inquiéter. Je suis là, non ?

Son ton était moqueur, mais il redevint vite sérieux.

— Si tu as pu créer cela, tu peux aussi l'arrêter. Je sais que tu en es capable, insista-t-il.

Ses yeux pâles étaient un point fixe où elle pouvait s'accrocher. Elle voulait le croire. Elle prit une grande inspiration et tenta de se dominer. Elle se concentra et finit par percevoir la magie qui l'habitait, c'était comme une énergie. Alors, elle sut qu'elle y arriverait, qu'elle maîtriserait cette nouvelle parcelle de pouvoir. Elle fit vibrer sa gorge et les remous d'eau sur les murs cessèrent graduellement jusqu'à disparaître complètement. La plupart des poissons, probablement très secoués, quittèrent la pièce rapidement, plongeant ses occupants dans une quasi-obscurité.

Satria distinguait toujours les yeux bleus de Léo qui ne la quittaient pas dans la noirceur. Une éternité sembla passer avant que quelqu'un ne brise le silence. Ce fut Tolyco qui, remise de sa surprise, dévala les estrades et enlaça Satria si fort qu'elle la souleva de terre.

— Tu as réussi ! Tu as réussi ! répétait-elle en sautant sur place.

Céleste s'approcha de Satria et posa une main sur son épaule.

— Je te félicite. Tu es arrivée à un résultat. Cependant, ce n'est pas ce que nous voulions. Tu devais faire bouger l'eau dans le bol.

— C'est tout de même incroyable, ce qu'elle a fait, argumenta Tolyco qui voulait encourager Satria.

253

— Je ne prétends pas le contraire, mais elle n'a pas réussi à viser la bonne cible.

Satria avait franchement de la difficulté à donner raison à Céleste. Elle se sentait si bien d'avoir enfin, et pour la première fois de sa vie, réussi à faire de la magie.

— Je sais que tu es très surprise et contente, Satria, mais tu ne dois pas prendre cela à la légère. Lorsque tu devras utiliser à nouveau ton pouvoir, tous tes sens devront être en alerte et ton esprit devra se concentrer sur le résultat à atteindre.

Elle s'adressait maintenant aux deux fées :

— Vos pouvoirs sont des privilèges que vous devez honorer. Je suis très contrariée à l'idée que vous ne puissiez rester plus longtemps pour que je vous aide à affiner vos talents. Cela dit, je comprends votre empressement et je compte bien respecter mon engagement. Je vais vous faire récupérer le temps que vous avez passé ici.

— Comment comptez-vous y arriver ? demanda Léo.

— Vous avez une toile portail ? demanda à tout hasard Tolyco.

Un sourire énigmatique se dessina sur les lèvres de Céleste.

— Mieux que ça. Suivez-moi, je vais vous montrer.

22

Paixral

ILS S'ENFONÇAIENT davantage dans la grotte. Satria avait une foule de questions en tête et elle ne savait pas par laquelle commencer. Elle avait de la difficulté à croire à tout ce qui se passait. Tolyco et elle venaient de faire de la magie pour la première fois de leur vie. Et pas n'importe quelle sorte de magie. Ce qui venait de se produire était largement différent de la magie habituelle des fées.

Les fées-de-feu pouvaient toucher le feu sans se brûler. Elles produisaient de la lumière et elles pouvaient aussi rendre leur peau très chaude.

Satria savait qu'elles ne pouvaient produire du feu à partir de rien. Elles en étaient incapables. Pourtant, c'est ce que Tolyco venait de faire. Après y avoir réfléchi, elle prit conscience qu'elle n'avait jamais entendu parler d'une fée capable de lancer du feu.

Les pouvoirs des fées-d'eau étaient de parler les différentes langues aquatiques, leurs cordes vocales étant conçues à cette fin. Elles pouvaient retenir leur souffle très longtemps dans l'eau et, si plusieurs fées unissaient leur pouvoir, elles étaient capables de recueillir les particules d'eau contenues dans l'air et de les unir pour constituer un mur de protection temporaire.

Satria était absolument certaine qu'il n'y avait aucune fée capable de faire bouger une telle quantité d'eau aussi facilement et aussi rapidement.

Les fées-de-feu et d'eau avaient d'autres pouvoirs, mais ils nécessitaient tous de longues incantations complexes et pointilleuses pour se manifester. Rien qui pouvait se comparer à ce qu'elles venaient d'accomplir en si peu de temps.

Elle se décida enfin à poser une question à Céleste :

— Comment saviez-vous que l'on réussirait ?

— Je n'ai jamais vu un être magique qui ne pouvait pas faire de magie. Je suis convaincue que vous avez besoin d'une approche différente pour que vos pouvoirs fonctionnent. Je viens d'ailleurs d'en avoir la preuve.

— Mais… ce que nous venons de faire est si… inhabituel. Savez-vous pourquoi notre magie est différente ?

— Non, je n'ai pas d'explications. Peut-être une ou deux idées sur le sujet, mais je ne veux pas me prononcer pour l'instant. Je veux d'abord vous montrer ceci…

Ils descendirent une volée de marches avant d'arriver dans une pièce sombre. Il n'y avait aucun poisson à cet endroit. L'air était très chaud et humide. Céleste alluma une torche et fit le tour de la pièce pour en embraser d'autres. Une douce lumière se répandit.

— Ce sont des gemmes, n'est-ce pas ? demanda Léo en s'avançant, fasciné.

Satria et Tolyco approuvèrent. Il y avait une centaine de gemmes, aux formes et aux couleurs variées, disposées sur de hauts bancs de sable rouge.

Léo tendit la main pour en saisir une.

— Ne les touche pas, dit Céleste d'une voix ferme.

La main de Léo resta en suspens au-dessus d'une pierre jaune aux faces irrégulières. Soudain, un puissant grondement retentit derrière lui.

— Éloigne-toi des gemmes, ordonna-t-elle.

Léo fit quelques pas vers l'arrière, toute son attention fixée sur la provenance des grognements. Il vit une ouverture à l'arrière de la pièce et une ombre s'y profila. Léo ne faisait pas encore entièrement confiance à Céleste et, même si celle-ci paraissait calme, il préférait rester sur ses gardes. Ils étaient à présent si enfoncés dans les profondeurs de la grotte que sortir de là rapidement serait presque impossible. Il avait mémorisé tous les chemins qu'ils avaient empruntés, mais si la lumière des poissons s'éteignait, ils ne pourraient plus se déplacer aussi rapidement.

Soudainement, les grognements se firent plus présents et une énorme bête apparut dans l'ouverture au fond de la pièce. Léo se plaça aussitôt devant Satria et Tolyco.

Il sentit une main se poser sur son bras et Satria lui sourit.

— Ça va. C'est un dragon fumarolle. Il ne nous fera aucun mal.

Léo détailla la bête couverte de fourrure.

— Ça, c'est un dragon?

— Oui, eh bien, c'est vrai qu'il ne ressemble en rien aux dragons qui sont couverts d'écailles et qui crachent du feu, mais c'en est tout de même un. Il est d'une autre famille de dragons. C'est pour ça qu'ils sont mieux connus sous le nom de fumarolles. Ce sont les protecteurs des fées.

Satria tendit la main pour toucher l'épaisse toison de la bête qui s'était approchée d'eux. Le fumarolle renifla les deux fées et poussa un sifflement très aigu qui les fit sursauter.

Il avait la carrure d'un ours, bien qu'il fût encore plus grand et massif. Son abondante fourrure était blanche. Seuls ses pattes et le contour de ses yeux étaient noirs. Il avait un regard doux et gentil et des petites oreilles arrondies. Tolyco ne put s'empêcher de s'approcher pour flatter le bout de son museau noir.

— Nous en avons un au clan Castel, mais il est très différent. Il ressemble plus à un cheval de mer avec sa peau verte couverte d'écailles.

— Celui-ci s'appelle Paixral. Que savez-vous au sujet des fumarolles ? demanda Céleste en s'approchant à son tour.

— Ils sont tous très différents les uns des autres, répondit Satria. Habituellement, ils ont une ressemblance avec un animal, mais ils sont toujours beaucoup plus gros. Je dirais que celui-ci ressemble à… un ours.

— Oui… mais savez-vous quelles sont leurs tâches ? insista Céleste.

— Ils sont les gardiens des fées, enchaîna Satria. Ils doivent les protéger lorsqu'elles naissent. À l'époque où les gemmes des fées se trouvaient éparpillées dans la nature, ils devaient aller récupérer les bébés-fées afin de les apporter à un clan.

— Comment savaient-ils qu'il y avait des naissances ? demanda Léo.

— Ils le ressentaient et volaient jusqu'aux gemmes.

— Mais ils n'ont pas d'ailes ! nota Léo.

— Ils n'en ont pas besoin. C'est leur pouvoir et leur privilège de voler sans ailes. Maintenant que toutes les gemmes ont été rapatriées dans les clans afin de leur assurer une meilleure protection, ils s'occupent de garder les tanières où elles sont entreposées.

— Tout cela est exact, dit Céleste. Plusieurs personnes, dont moi, se sont opposées au rapatriement des gemmes dans des endroits sécuritaires, car ils dénaturaient la vraie tâche des fumarolles. Malheureusement, il y avait de plus en plus de vols de gemmes et des bébés-fées sont mortes avant qu'un fumarolle les trouve, alors nous n'avons pas eu d'autre choix que de nous adapter.

— N'est-ce pas mieux ainsi ? demanda Léo.

— Il est vrai qu'il y a moins d'incidents, mais la raison de notre réticence était que les fumarolles ont un autre pouvoir qui ne peut être exploité dans les circonstances actuelles.

— Lequel ? la questionna Tolyco.

— Lorsque les fumarolles reçoivent l'appel d'une fée qui vient de naître, un lien se crée entre la fée et le fumarolle. Ce dernier ne l'oubliera jamais. Il la reconnaîtra tout au long de sa vie. Lorsque les fées naissent en captivité comme ici, ce lien ne se crée pas.

— Ça n'est pas si grave, fit remarquer Tolyco en haussant les épaules.

— Détrompe-toi. Ce lien qui s'établit est très fort et si une fée se retrouve en danger de mort, elle peut appeler son fumarolle pour qu'il vienne la secourir. Peu importe la distance qui les sépare, il entendra toujours l'appel des fées qui sont sous sa garde. Malheureusement, cette protection n'existe presque plus aujourd'hui. Toutes les fées naissent dans les clans et ce pouvoir se perd.

Céleste resta silencieuse un instant. Elle paraissait triste et résignée.

Satria ne comprenait pas pourquoi elle leur disait tout cela.

— Il y a plusieurs années, continua Céleste, Paixral a reçu l'appel d'une fée qui venait de naître dans la nature. J'étais très surprise, car cela faisait longtemps que ça ne s'était plus produit. J'ai attendu son retour avec impatience... Quelle ne fut pas ma surprise lorsqu'il est revenu avec non pas une... mais deux fées !

Elle se tourna vers Tolyco et Satria.

— Une fée aux ailes rouges comme le sang et noires comme de l'encre. L'autre avec les ailes bleues et blanches, légères comme un nuage.

Léo déglutit.

Tolyco et Satria fixaient gravement Céleste.

— Lorsque Paixral vous a trouvées, nous menions une guerre contre les sorciers d'As et je ne pouvais garder deux bébés dans notre clan, c'était trop dangereux. J'ai donc écrit une lettre à Amonialta, lui demandant de s'occuper de vous deux. Sans égard à nos différends, je savais qu'elle accomplirait cette tâche avec toute la dignité qu'elle possédait. Je n'aurais jamais imaginé qu'elle se bornerait à vous dire que vous n'aviez pas de pouvoirs, alors qu'il me semblait évident dès le début que c'était tout le contraire.

— Vous… vous êtes certaine qu'il s'agissait de nous ?

— J'avais un doute, mais lorsque j'ai vu Tolyco lancer du feu, mon impression s'est renforcée. Puis, je viens maintenant d'en avoir la preuve irréfutable.

— Comment ?

— Paixral a sifflé lorsqu'il vous a vues. Il a reproduit le cri typique des fumarolles qui reconnaissent une fée avec laquelle ils ont un lien.

— Amonialta nous a toujours dit que nous étions nées au clan Castel, dit lentement Satria.

— Elle mentait, assura Céleste en haussant les épaules. Elle voulait vous protéger en vous cachant la vérité. Elle voulait… que vous considériez le clan Castel comme votre famille. J'aurais fait la même chose.

Satria resta interdite. Elle avait toujours eu cette certitude… celle d'être née au clan Castel. Cette assurance tranquille de faire partie d'une famille, malgré ses différences, venait de s'écrouler. C'était comme si rien ne l'y attachait désormais. Cette idée l'attrista. Elle songea à ce qu'aurait pu être leur vie, à Tolyco et elle, si

Céleste avait choisi de les garder. Seraient-elles capables de faire de la magie aujourd'hui ? Probablement. Céleste venait de leur montrer qu'avec une approche différente, elles pouvaient utiliser leurs pouvoirs.

Satria regarda Paixral d'un œil nouveau. Il la poussa doucement avec son museau pour qu'elle le flatte. Elle ne lui arrivait même pas à l'épaule, mais il ronronna comme un chat lorsqu'elle plongea ses doigts dans sa fourrure duveteuse.

À ses côtés, Tolyco était silencieuse et ses yeux brillaient d'un dur éclat. Satria se demanda à quoi elle pensait.

— C'est Paixral qui vous emmènera au volcan Brôme, dit Céleste d'une voix douce. Enfin, il vous conduira le plus près possible. Il y a des forces maléfiques qui rôdent aux alentours de ce volcan et je ne veux pas qu'il s'en approche.

— Ces forces maléfiques, quelles sont-elles ? interrogea Léo en jetant un coup d'œil à Satria et Tolyco qui demeuraient toujours muettes d'étonnement.

— Je ne sais pas ce que c'est, seulement, chaque fois que nous y avons envoyé des fées en éclaireuses, elles ne sont jamais revenues. Nous avons donc décidé de ne plus risquer la vie de nos fées et nous en avons parlé aux Bannis. Ils sont concernés de près par ce problème.

Elle s'approcha de Paixral et posa sa main sur sa tête. Ce dernier émit un feulement.

— Vous rattraperez votre retard sans problème, il est très rapide et c'est une créature magique qui jouit de l'immunité sur le territoire des sorciers Bannis. Il peut se promener partout sans que quiconque ait le droit de l'attaquer ou de l'arrêter. Ainsi, vous éviterez des ennuis.

Elle se tourna vers Léo.

— Je dois retourner à la salle du trône. Il y a beaucoup de choses à organiser pour le banquet de ce soir.

J'imagine que tu sais comment sortir d'ici ? demanda-t-elle avec un sourire en coin.

Léo approuva d'un signe de tête.

— Très bien. Vous pouvez rester un peu avec Paixral. Annabelle vous attendra à la sortie.

— Céleste ! appela Tolyco d'une voix étouffée avant que celle-ci ne sorte de la pièce.

La fée-ivoire s'arrêta, mais ne se retourna pas.

— Oui ?

Sa voix était hésitante, comme si elle craignait la question de Tolyco.

— Savez-vous à quel endroit Paixral nous a trouvées lorsque nous sommes nées ?

Céleste resta immobile, mais l'eau sur son corps se mit à couler avec intensité.

— Oui, dit-elle dans un souffle.

Elle se retourna et parla d'une voix blanche :

— Quelques jours après votre naissance, j'ai demandé à Paixral de me conduire à l'endroit où il vous avait trouvées. Il m'a menée... au volcan Brôme.

Satria accusa le choc et dut prendre appui sur Paixral.

— Quoi ? Mais... comment cela se peut-il ?

— Lorsque j'y suis allée, il n'y avait rien qu'un volcan vide et éteint. Je ne sais pas pourquoi vous étiez là-bas... je ne l'ai jamais su, mais j'espère que vous pourrez le découvrir.

Elle tourna les talons, déploya ses ailes et sortit de la pièce, laissant les trois amis dans un silence pesant.

23

Le banquet

ANNABELLE TOURNAIT autour de Tolyco et de Satria tout en les détaillant d'un œil connaisseur. Ces dernières se trouvaient dans une petite chambre couverte d'une épaisse moquette bleue. Elles étaient debout sur un petit podium, entourées de plusieurs jeunes villageoises qui s'agitaient autour d'elles comme des abeilles dans une ruche. Ces domestiques étaient chargées de coiffer et d'habiller Satria et Tolyco pour le banquet et elles semblaient croire que si cette tâche n'était pas convenablement exécutée, le monde entier s'écroulerait.

La réception allait bientôt débuter et Annabelle était déjà prête. Elle portait une longue robe en mousseline d'un vert soutenu qui faisait ressortir ses yeux ensorceleurs. Sa robe tombait sur le sol dans une superposition de plissés. Elle avait remonté ses cheveux en un chignon haut qui dégageait sa nuque délicate. Plusieurs papillons, victimes d'un charme d'Annabelle, s'étaient posés sur ses ailes pour les décorer et se contentaient de battre paresseusement des ailes en restant au même endroit.

Satria et Tolyco étaient présentes lorsque Annabelle avait effectué son envoûtement et elles avaient vite compris la force de son pouvoir. Bien qu'elles n'aient pas été l'objet du sortilège d'Annabelle, elles avaient ressenti une forte attraction qui les liait à elle. Annabelle aurait pu leur faire faire ce qu'elle désirait si elle l'avait voulu.

— Tu es ravissante, Annabelle, dit Satria.

— Merci ! répondit-elle avec son sourire éclatant. Attendez de vous voir toutes les deux ! Vous n'en reviendrez pas !

Depuis qu'ils étaient sortis de la grotte, secoués, les trois invités n'avaient pas eu une minute de repos. Léo avait été emmené par des enchanteurs, ces colosses à la barbe rousse, pour se préparer au banquet. Annabelle leur apprit que la fête était censée se tenir en leur honneur la semaine suivante. Céleste avait décidé de devancer la réception pour souligner aussi la présence de Satria, Tolyco et Léo.

— Vous allez voir qu'ils ont le sens de la fête ! se réjouissait Annabelle.

Satria se sentait nerveuse, mais ce n'était pas à cause du banquet. Elle avait parlé un peu avec Tolyco lorsqu'elles étaient sorties de la pièce remplie de gemmes. Léo était resté légèrement en retrait, comprenant qu'elles avaient besoin de discuter entre elles. Tolyco était troublée par les révélations de Céleste. Satria trouvait tout cela étrange, mais elle ne savait pas trop quoi en penser. Apprendre qu'elles étaient nées au volcan Brôme les secouait plus qu'elles ne voulaient l'admettre. Elles avaient toujours cru qu'elles étaient venues au monde au clan Castel et que leurs différences étaient un hasard, mais maintenant qu'elles savaient la vérité, elles se demandaient si le volcan Brôme n'avait pas eu un impact sur leurs naissances. Il s'était probablement passé quelque chose, un événement, pour que leurs gemmes se retrouvent à cet endroit. Quelqu'un avait dû les déposer là dans un but précis, mais lequel ?

Et pourquoi était-ce précisément au volcan Brôme qu'elles retournaient maintenant? Ce ne pouvait pas être une coïncidence. Le message qu'elles avaient reçu dans la goutte d'eau devenait de plus en plus important à leurs yeux. La personne qui le leur avait envoyé devait détenir des informations leur permettant peut-être de comprendre mieux qui elles étaient et d'où elles venaient. Leur espoir était de rencontrer le peuple des merrows près du volcan. Ce ne pouvait être qu'eux qui avaient produit la goutte d'eau. Bien qu'elles n'aient jamais vu de merrows de leur vie, il semblait bien qu'eux les connaissaient.

Après qu'elles se furent quelque peu perdues dans leurs pensées, Tolyco mit un terme à la discussion en déclarant:

— La seule façon d'en avoir le cœur net est de nous rendre au volcan comme prévu afin d'y voir pourquoi notre présence y est souhaitée. Peut-être saurons-nous aussi pourquoi nous sommes nées à cet endroit plutôt que dans un clan.

Satria avait hoché la tête en se disant que les choses devenaient de plus en plus complexes.

— Hé! Tu m'entends?

Annabelle dévisageait Satria, les bras croisés et tapant du pied.

— Reviens sur terre. Nous avons terminé.

Satria sortit de ses réflexions et s'efforça de s'intéresser à ce qui se passait autour d'elle.

Effectivement, toutes les filles étaient parties pour se préparer à leur tour. Annabelle leur avait expliqué que les fées conviaient les villageois et villageoises à certains événements, comme celui de ce soir.

Les domestiques avaient posé un grand miroir devant Satria avant de quitter la pièce. Elle se vit dans la glace et ses yeux s'agrandirent.

Annabelle applaudit en voyant la surprise sur le visage de la fée-d'eau.

Elle portait une robe sans bretelles au corsage crocheté de petites perles d'un bleu acier. Plusieurs étages de tulle vaporeux de la même teinte soulignaient sa taille et retombaient lourdement sur le sol. Lorsqu'elle bougea, Satria entendit sa robe froufrouter doucement. Ses cheveux blonds avaient été remontés et quelques mèches ondulées s'échappaient du ruban et tombaient le long de sa nuque et de ses tempes. Elle avait refusé qu'on la maquille, mais Annabelle avait insisté pour mettre du noir sur ses cils, ce qui rendait ses grands yeux violets hypnotisants. Ainsi, ils contrastaient encore plus joliment avec sa peau opaline.

Annabelle hésitait maintenant à déposer un voile léger sur les ailes de Satria.

— Tu comprends, c'est la tendance ces temps-ci de décorer ses ailes, mais je les trouve si belles et uniques que je ne voudrais pas gâcher l'effet si j'en fais trop…

Satria secoua la tête en souriant.

— Je n'en ai pas besoin, merci.

— Bon, très bien. C'est vrai que c'est très beau ainsi.

— Où est Tolyco? demanda Satria en la cherchant des yeux.

— Elle avait faim et quand elle a vu passer un plateau de bouchées, elle est partie en courant dans le corridor. Elle devrait revenir sous peu…

Satria leva les yeux au ciel.

De fait, Tolyco revint quelques secondes plus tard, la bouche pleine de petits pâtés qui faisaient des miettes sur sa robe.

— *Ché* délicieux! parvint-elle à articuler en projetant encore plus de miettes un peu partout.

— Tolyco, franchement!

— Quoi? Tu…

Sa voix se perdit quand elle vit Satria.

— Wahooo ! Tu es superbe !

— Merci. Ta robe aussi te va très bien, répondit Satria en se disant que c'était un euphémisme.

Tolyco était magnifique. Elle portait une robe rouge carmin qui lui allait à merveille. Des rubans de satin recouverts de grosses fleurs noires serpentaient tout au long de son corps. Le devant de sa robe s'arrêtait abruptement aux genoux tandis que l'arrière continuait sur le sol, créant une longue traîne. Ses cheveux rouge sang avaient été lissés et tombaient dans son dos dénudé. On avait déposé sur ses ailes un voile noir strié de velours blanc qui allait jusqu'au sol en se mêlant à la traîne de sa robe.

— J'aime bien, conclut Tolyco en tournant sur elle-même tout en s'observant dans le miroir. Ce n'est pas très discret, mais Annabelle m'a assurée que tous les invités seraient vêtus de la sorte.

— Nous allons être en retard, les pressa la fée-citrouille. Allons-y.

— Nous n'avons pas de bottes ! se récria Tolyco.

— Nous n'en portons jamais lors des réceptions, répondit Annabelle, visiblement déçue de ne pouvoir porter des souliers s'agençant à sa tenue.

— Mais… pourquoi ? demanda Tolyco, incrédule.

— C'est un signe de paix de défiler pieds nus, du moins dans notre clan. C'est une vieille tradition un peu désuète, mais tout le monde y tient ici.

Elles sortirent de la pièce et marchèrent en prenant leur temps, profitant de l'air tiède de la soirée.

— J'ai hâte que vous voyiez le spectacle.

— Il va y avoir un spectacle ? demanda Tolyco, intriguée.

— Bien sûr, Céleste ne vous a rien dit ?

— Non… elle n'en a pas eu le temps.

Annabelle n'avait pas posé de questions sur leur entretien avec Céleste, mais Tolyco se doutait qu'elle en mourait d'envie.

— Nous avons une spécialité ici qui s'appelle les Contes à l'encre noire, expliqua Annabelle. Nous sommes les seules fées sur tout le continent capable d'exercer cet art. En fait, c'est nous qui l'avons inventé !

— Qu'est-ce que c'est ?

— Nous avons une grande bibliothèque qui contient une banque importante de contes et de légendes. Chacune de ces histoires a été étudiée par nos fées-virtuoses et elles ont développé des incantations pour représenter visuellement ces récits. Je ne vous en dis pas plus, je tiens à vous laisser la surprise, mais je peux vous dire qu'à chaque représentation, quelques histoires sont sélectionnées pour être présentées et que ce soir, l'une d'entre elles a été choisie spécialement pour vous.

— Vraiment ? s'étonna Satria. Comme c'est gentil à vous. Est-ce que tu fais partie du spectacle ?

— Non ! répondit vivement Annabelle. Il faut des années pour arriver à maîtriser cet art. J'ai commencé mon apprentissage, mais je suis encore loin de pouvoir participer à une représentation. Réaliser les tableaux demande un doigté et une maîtrise exemplaire de ses pouvoirs.

Elles passèrent sur un petit pont et s'y arrêtèrent pour observer le pavillon de la salle Blanche au loin. Elles constatèrent, entre les colonnes blanches, que la salle commençait à se remplir d'invités.

— Combien d'invités attendez-vous ?

— Oh… Plus de deux cents.

— Tant que ça !

— Nous avons convié tous les gens des villages aux alentours. Nous aimons beaucoup organiser des réceptions comme ce soir. Nos fêtes sont toujours très réussies et les Contes à l'encre noire sont invariablement le clou de la soirée. Des gens venant des quatre coins du continent se déplacent pour y assister. Il n'y a que les fées du clan Castel qui ne viennent pas nous visiter à cause du froid entre Amonialta et Céleste.

Une jeune fille arriva à leur hauteur sur le pont et s'arrêta, tout sourire. Annabelle fit les présentations.

— Les filles, je vous présente Sabine qui habite le village du Petit-Boisé. Sabine, voici Satria et Tolyco.

Sabine avait une robe marron qui tranchait avec son teint laiteux. Ses petits yeux les regardaient avidement et sa bouche était pincée en une moue excitée.

— Je sais qui vous êtes. Tout le monde parle de vous au village. Vous êtes si belles! Il paraît que vous êtes arrivées par la grotte! Est-ce vrai?

— Euh…, répondit Tolyco.

Sabine pinça les lèvres un peu plus et changea de sujet sans attendre de réponse.

— On dit que Tim sera là ce soir! Vous imaginez!

— Non, pas vraiment…

Annabelle leur jeta un regard éloquent.

— Tim est un fermier de dix-huit ans. Il est grand, musclé, bronzé et il se prend pour le roi du monde.

Sabine avait joint ses mains en entendant la description d'Annabelle et elle approuvait vigoureusement de la tête à chaque qualité énoncée, répliqua au dernier énoncé de la fée.

— Il ne se prend pas pour le roi du monde.

— Franchement, Sabine! la réprimanda Annabelle, en levant les yeux au ciel.

— Crois-tu qu'il m'invitera à danser? demanda soudainement Sabine à Tolyco.

— Euh…

— Je suis certaine que oui. Je l'ai vu l'autre jour au marché et il m'a fait un clin d'œil…

— Il devait avoir une poussière dans l'œil, murmura Annabelle.

— Et il m'a souri…

— Parce qu'il t'a prise pour une autre…

— Ça suffit, Annabelle ! s'impatienta Sabine en tapant du pied.

— J'essaye juste de te faire comprendre que ce garçon est complètement idiot et qu'il ne pense qu'à lui. Tu pourrais trouver nettement mieux, Sabine, crois-moi.

— Balivernes, riposta Sabine en faisant la moue.

Un groupe de jeunes filles surexcitées et habillées de robes longues passèrent sur le pont en les saluant.

— Tu viens, Sabine ? demanda l'une d'entre elles. Les garçons sont déjà arrivés !

Sabine, qui avait déjà oublié sa mauvaise humeur, se dépêcha de rejoindre ses amies après avoir salué les fées de la main.

— On devrait y aller nous aussi, proposa Annabelle. Céleste doit se demander ce que l'on fait.

Elles acquiescèrent et repartirent pendant qu'Annabelle leur expliquait l'engouement (complètement injustifié, selon elle) des jeunes filles pour Tim.

— Elles sont toutes en pâmoison devant lui. Je plains les autres garçons de son âge qui doivent lui faire compétition. Ils passent tous complètement inaperçus !

Elles arrivèrent à l'entrée de la salle Blanche et furent immédiatement interceptées par Céleste qui portait une tenue des plus déconcertantes. Une multitude de crochets en argent reliés par des fils d'or composait sa robe, laissant entrevoir le paysage de son corps. Ses ailes avaient été agrémentées de dizaines de plumes de paon qui étaient disposées en éventail autour d'elle. Elle les détailla de la tête aux pieds puis, satisfaite, tendit la main pour qu'elles la suivent.

— Venez avec moi, je veux vous présenter.

Elle partit rejoindre un groupe d'enchanteurs et Satria et Tolyco lui emboîtèrent le pas.

Annabelle leur fit un signe de la main avant d'aller rejoindre d'autres fées.

Céleste les présenta à divers invités, dont plusieurs se montrèrent stupéfaits que des fées du clan Castel se retrouvent ici. Satria remarqua que Céleste restait vague sur la raison de leur présence au clan Priséis et qu'elle ne parlait jamais du volcan Brôme.

Les enchanteurs, reconnus pour leur courage hors du commun et leurs aptitudes au combat, semblaient tous sortis du même moule : grands, épaules larges, ventres proéminents, barbes et cheveux bruns fournis. Leur pouvoir était de créer des illusions. Ils se montrèrent particulièrement enthousiastes lorsqu'ils les rencontrèrent. Leurs habits étaient constitués de plusieurs bouts de cuir et de fourrures choisis au hasard et cousus dans un ordre aléatoire. On se demandait comment ils avaient réussi à trouver les trous pour y passer la tête et les bras.

Pendant que Tolyco était présentée à leurs femmes, Satria en profita pour faire un tour d'horizon de la salle.

Les colonnes et le plancher luisaient du même éclat blanc lumineux. Les tables avaient été enlevées et remplacées par plusieurs présentoirs où étaient déposées de grandes quantités de mets aux odeurs alléchantes. Des serveurs se tenaient de chaque côté des tables et s'occupaient des convives, qui retournaient ensuite discuter avec les autres, leurs assiettes à la main. La foule était dense et les conversations, animées et bruyantes. Satria remarqua que les invités portaient tous des souliers, sauf les fées. Elle nota mentalement de faire attention à ses orteils lorsqu'elle vit les énormes sabots de bois des enchanteurs.

La plupart des femmes portaient des robes dans des tons de rose et de bleu pâle avec quelques touches plus soutenues de noir et de gris. Il y avait beaucoup de dentelle et de broderie ainsi que des jupes vaporeuses. Les femmes des enchanteurs avaient orné leurs habits des fleurs aux couleurs flamboyantes. Satria observait toute cette effervescence avec beaucoup d'intérêt, les banquets du clan Castel étant nettement moins mondains.

Satria chercha Léo des yeux, mais ne le vit pas. Par contre, elle crut repérer le dénommé Tim dont leur avait parlé Sabine. Elle supposa que c'était lui justement, parce qu'une cohorte d'admiratrices le suivaient en gloussant et en poussant de petits cris excités. Tim était, en effet, tel qu'Annabelle l'avait décrit, et son sourire présomptueux confirma à Satria l'autre côté de sa personnalité. Il la vit et s'empressa de lui faire un clin d'œil si exagéré qu'il en ouvrit la bouche sous l'effort. Elle lui fit un léger salut de la tête en retenant son envie de rire et détourna les yeux à la recherche de Léo.

Elle le trouva immédiatement.

Il était en grande discussion avec un enchanteur et éclata de rire après une remarque de celui-ci. Satria constata qu'il avait l'air détendu et que ses ailes robustes étaient plus basses qu'à l'habitude. Il portait une chemise blanche, une veste noire ajustée sur ses larges épaules et un pantalon de lin vert foncé. Il était plus grand que la plupart des invités. Ses cheveux châtains avaient été lissés vers l'arrière. Satria ne put s'empêcher de songer que même s'il était habillé comme un aristocrate, il avait toujours ce regard de fauve, comme s'il était prêt à attaquer à tout instant. Léo tourna les yeux vers elle et s'immobilisa. Son interlocuteur continuait de lui parler, mais Léo n'écoutait plus. Il fixait intensément Satria, un sourire aux lèvres. Elle soutint son regard avec plaisir et lui rendit son sourire. Ils restèrent ainsi jusqu'à ce que Céleste surgisse aux côtés de Satria, la forçant à détourner la tête. Elle se sentit arrachée à une bulle invisible et le brouhaha ambiant la ramena à la réalité.

— Satria, tu viens avec moi… je veux vous présenter, Tolyco et toi, à quelques personnes influentes de la région. C'est important pour établir vos relations, vous voyez?

Elle ne voyait pas du tout, mais elle adressa un sourire d'excuses à Léo avant de suivre Céleste.

Cette dernière semblait vouloir les présenter à tous les invités sans exception, car elles passèrent une bonne partie de la soirée à voguer de groupe en groupe sous sa gouverne. Tolyco était incapable de se souvenir des prénoms et elle commençait à avoir faim, alors elle faussa compagnie à l'aubergiste du village voisin qui lui expliquait, avec force détails, comment obtenir la meilleure bière possible. Satria discutait plus loin avec un petit homme aux cheveux gris qui arborait des lunettes si grosses qu'elles lui donnaient l'air d'un hibou. Satria vit Tolyco qui lui faisait signe et elle s'excusa auprès de son interlocuteur pour aller la rejoindre.

— Où est passée Céleste? s'inquiéta-t-elle.

— Elle est là-bas, avec les fées-minuit, lui indiqua Tolyco. Allons plus loin pour éviter qu'elle nous trouve. Elle serait bien capable de nous présenter aux fées qui ont ordonné notre emprisonnement!

Elle la traîna jusqu'à une table qui contenait une quantité impressionnante de nourriture. Tolyco fit rapidement son choix et Satria, qui ne connaissait pas la plupart des plats, choisit quelques mets colorés au hasard. Le serveur leur tendit les assiettes et elles se placèrent près d'une colonne pour avoir une bonne vue sur la fête tout en mangeant.

Sa première bouchée fit suffoquer Satria, tellement c'était épicé. Elle sentit les larmes lui monter aux yeux pendant que Tolyco allait lui chercher quelque chose à boire. Elle lui apporta une flûte contenant un liquide ambré.

— Qu'est-ce que c'est ? demanda Satria pour la forme, car elle avait la bouche en feu et était prête à boire n'importe quoi.

— Aucune idée, mais c'est tout ce qu'il y avait.

Elle prit une gorgée et fut surprise de découvrir qu'il s'agissait de vin chaud à la cannelle. Elle le sirota lentement pour atténuer le feu dans sa gorge.

À ses côtés, Tolyco rigolait.

— Qu'y a-t-il ?

— Regarde un peu notre ami…

Elle lui indiqua d'un signe de tête Léo qui discutait avec Céleste. Elle comprit ce que Tolyco voulait dire quand elle vit Sabine et ses amies, qui lui faisaient les yeux doux et tentaient d'attirer son attention par des petits signes de la main accompagnés de gloussements. Léo, quant à lui, ne semblait pas du tout remarquer leurs efforts.

— Je crois bien que Tim a été relégué aux oubliettes, déclara Tolyco.

Ce dernier se tenait en effet un peu en retrait et décochait fréquemment des regards assassins à Léo.

Satria s'esclaffa en voyant la déconfiture du pauvre Tim.

— Bah, il s'en remettra bien vite quand Léo sera parti ! fit remarquer Tolyco.

— Tu sais, dit Satria, je ne peux m'empêcher de repenser à ce qu'on a fait dans la grotte.

— Moi aussi. Tout ça est tellement incroyable. C'est dommage que l'on n'ait pas eu une seconde à nous depuis. J'aurais bien aimé m'exercer avant que l'on arrive au volcan Brôme.

— Céleste a dit que Paixral ne pourrait pas nous conduire directement au volcan. Nous n'aurons qu'à nous entraîner en chemin.

Tolyco approuva.

— Bonne idée…

— Vous perdez votre temps.

Elles n'avaient pas remarqué Morane près d'elles. La fée-masquée les regardait de ses yeux pâles et froids. Les facettes irrégulières de son masque de pierres précieuses luisaient dans la lumière feutrée de la salle. Elle portait une robe fourreau bleu nuit dont le corset était brodé d'étoiles bleues et cristallines comme ses yeux. La robe avait une encolure haute et tendue comme des pétales derrière sa nuque, soulignant ses pommettes saillantes. Une cape longue glissait sur le sol derrière elle. Ses ailes n'avaient aucune décoration, mais elle n'en avait pas besoin : tout en elle respirait l'élégance et la prestance. Beaucoup d'invités lui jetaient des regards en coin, impressionnés. Satria remarqua Sabine qui regardait Morane la bouche ouverte, tant elle était subjuguée.

— De quoi tu parles, Morane ? demanda Tolyco sur un ton qu'elle voulait détaché.

Un sourire mesquin vint animer son visage.

— J'ai entendu parler de vos… prétendus exploits de cet après-midi.

Tout en elle était distant et calculateur. Elle s'avança majestueusement, son regard tourné vers la noirceur de la nuit, avant de poursuivre, consciente de son effet :

— J'espère que vous ne croyez pas que ce que vous avez fait était exceptionnel.

Elle tourna lentement la tête vers Satria.

— Tu n'as même pas réussi à faire ce que Céleste t'avait demandé. Tu ne sais pas utiliser tes pouvoirs, alors aussi bien dire qu'ils te sont inutiles.

— C'est...

Satria allait dire que c'était faux, mais elle dut admettre que Morane avait peut-être raison. Cette dernière, sentant l'hésitation de Satria, continua sur sa lancée :

— Imagine quels désastres tu pourrais causer si tu essayais d'utiliser tes pouvoirs dans une situation de danger.

Elle pencha la tête sur le côté et lui parla comme si elle était une petite fille.

— Tu pourrais te faire mal et faire mal... à tes amis.

— J'étais en contrôle, répliqua Satria.

Elle ne savait pas pourquoi l'eau dans le bol était restée immobile, mais elle était certaine qu'elle avait maîtrisé son pouvoir quand l'eau sur les murs s'était animée.

— Tu veux quoi, Morane ? demanda Tolyco, complètement excédée.

— Vous mettre en garde contre vos fausses impressions de pouvoir. Vous ne devriez pas recourir à la magie si vous vous montrez incapables de la dominer.

— Je n'ai aucun problème de ce côté, merci, rétorqua Tolyco d'une voix forte.

— J'ai entendu parler de tes capacités, enchaîna Morane qui semblait s'amuser de plus en plus. Tu produis du feu et le lances. C'est ça ?

Tolyco acquiesça.

— Laisse-moi donc te dire que les seuls êtres capables de produire du feu et de le lancer ont toujours été des êtres diaboliques et nuisibles. Et c'est ainsi depuis que le monde est monde.

— Tu devrais peut-être dire le fond de ta pensée, Morane, siffla Tolyco entre ses dents.

— Oh, mais bien sûr. Je ne voudrais en aucun cas que tu te trompes sur mes intentions. Vois-tu, tes pouvoirs démoniaques prouvent seulement que tu es un être vilain et maléfique. Tu ne mérites pas tes ailes, Tolyco.

Le regard noir de Tolyco s'enflamma et Satria crut bon de s'interposer.

— Ça suffit. Allons-nous-en. Tout ce qu'elle dit est faux et elle nous fait perdre notre temps.

— Bonne soirée, lâcha Tolyco d'un ton sec.

Elles s'éloignèrent et entendirent aussitôt un déchirement sonore.

— Qu'est-ce que… c'est quoi ce bruit ? demanda Satria en regardant autour d'elle.

Elle comprit aussitôt lorsqu'elle vit la robe de Tolyco, déchirée. Morane avait posé son pied sur la traîne et elle s'était fendue au niveau des genoux.

Tolyco regarda un instant les lambeaux de sa robe et leva les yeux vers Morane. Celle-ci souriait pernicieusement et semblait attendre quelque chose. Plusieurs invités ayant entendu le bruit s'étaient rapprochés et observaient la scène en murmurant.

« Elle veut que je me fâche. Elle veut me prouver qu'elle a raison, que je suis maléfique. Pas question », pensa Tolyco.

Elle se recomposa un visage et gratifia Morane, au prix d'un terrible effort, d'un sourire radieux. Celle-ci sembla désorientée.

Tolyco arracha agilement les restes de lambeaux qui pendaient autour de ses chevilles et plia le rebord abîmé de la robe. En un tour de main, elle avait converti sa robe longue en une robe courte.

Elle se releva en proférant un « Ta-Da ! » triomphant et les invités applaudirent avant de retourner à leurs discussions.

—Merci, Morane, c'est beaucoup mieux ainsi, la nargua Tolyco avec un large sourire.

Satria et elle s'éloignèrent, ravies de la déconfiture de Morane.

Annabelle arriva à leurs côtés.

—J'ai vu tout ce qui s'est passé ! J'étais avec Céleste et vous pouvez être sûres qu'elle ne laissera pas cela impuni. Elle fulminait !

Annabelle semblait aux anges.

—C'est vraiment une peste, cette Morane. Chaque fois qu'elle est dans un de mes cours, elle fait tout pour me gâcher la vie. Elle se croit supérieure parce qu'elle est une fée-masquée. Oh regardez ! Ils ont sorti les desserts !

Elle les emmena à une table où étaient posés des dizaines de plats différents.

—Tu as vu tous ces gâteaux ! s'extasia Tolyco.

Annabelle prit de minuscules graines brunes dans un pot.

—Goûtez à ça.

—Est-ce épicé ? demanda Satria, méfiante.

—Mais non ! C'est sucré. Une spécialité de notre clan. Ça s'appelle une truffe confite.

Elles mirent la friandise dans leur bouche et croquèrent le petit grain. Aussitôt, une mousse dense jaillit dans tous les recoins de leurs bouches et gonfla leurs joues comme celles des écureuils.

Satria voulut parler, mais s'en abstint, craignant que la mousse lui remonte jusque dans les narines.

Annabelle pouffa.

—Vous ne devez pas les croquer trop vite ! Attendez un peu, la mousse va fondre.

Tolyco et Satria se regardèrent et durent faire de gros efforts pour ne pas rire. Leurs joues étaient étirées au maximum et elles ne pouvaient pas ouvrir la bouche sous peine de tout recracher.

« Au moins, ça a bon goût », pensa Satria.

— C'est du chocolat, les informa Annabelle. Nous le faisons venir de très, très loin.

— Bonsoir, les filles.

Satria reconnut avec horreur la voix dans son dos. Elle se retourna lentement avec Tolyco et fit une tentative de sourire malgré ses joues bombées, mais ne parvint qu'à faire une grimace.

Léo se dirigeait vers elles, un verre de vin à la main. Une expression de surprise se dessina sur son visage lorsqu'il vit Satria.

— Euh… Est-ce que ça va ?

Annabelle vint à leur secours et lui expliqua la situation.

— Je vois, dit Léo qui, manifestement, réprimait son envie de rire. Faites attention de ne pas vous étouffer, conseilla-t-il avant d'ajouter avec un large sourire, je tenais à vous dire que vous êtes resplendissantes ce soir.

Tolyco lui lança un regard noir pendant que Satria rougissait.

Elles réussirent finalement à mâcher et à avaler la mousse onctueuse.

— C'est vrai que c'est bon, apprécia Tolyco.

— N'est-ce pas ! renchérit Annabelle. Mais vous ne vous y êtes pas bien prises. Je vais vous montrer comment faire.

Annabelle prit une poignée de petits grains pour commencer sa démonstration.

Léo vit que Satria ne semblait pas vouloir recommencer l'expérience.

Il tendit la main vers elle.

— Voudrais-tu venir marcher avec moi dehors ?

— Oui… j'aimerais bien.

Elle se tourna vers Tolyco qui s'empressa de dire qu'ils se verraient plus tard.

— Ne prenez pas trop votre temps surtout, leur recommanda Annabelle en fronçant les sourcils. Le spectacle va commencer dans peu de temps et je veux que vous ayez de bonnes places.

Léo rassura Annabelle, puis ils partirent vers les jardins, sous les regards envieux de Sabine et de ses amies.

De grosses lucioles voletaient entre les arbustes et les fleurs du jardin. L'air tiède de la nuit s'était parfumé d'une odeur d'herbe et de sève. Satria et Léo marchèrent lentement entre les buissons en discutant de tout et de rien. Satria remarqua qu'il évitait toutefois de faire allusion au volcan et à toutes leurs aventures. Elle lui en était reconnaissante, car la nuit était calme et bientôt, ils devraient repartir dans un tourbillon de dangers dont elle n'avait pas envie de parler pour l'instant.

Il lui posa de nombreuses questions sur sa vie au château, ses goûts et ses occupations quotidiennes. Elle parla sans gêne. Elle était bien en sa présence et pouvait dire ce qu'elle voulait sans qu'il la juge. Ils prirent place sur un banc et contemplèrent le lac.

— Je me sens bien ici, dit-elle à voix basse.

Elle prit un instant pour bien choisir ses mots.

— Je crois que malgré la guerre qui avait lieu lorsque nous sommes nées, Céleste n'aurait pas dû nous envoyer au clan Castel. Ça n'a jamais été notre maison. J'aurais… préféré qu'elle nous garde ici.

— Mais c'est trop tard, conclut Léo en suivant ses pensées.

Il l'observa à la dérobée. Elle avait un teint semblable à de la porcelaine dans la lumière tamisée de la nuit.

— Oui.

—Mais Annabelle a changé de clan. Peut-être pourriez-vous faire la même chose ?

Le visage de Satria s'éclaira.

—C'est vrai !

Elle plissa le front.

—Non, ça n'arrivera sûrement pas. Nous avons désobéi à notre clan. Je ne crois pas que Céleste veuille accepter des fées qui sont reniées. De plus, la première fée du clan doit donner son autorisation pour qu'une fée quitte son clan et je doute qu'Amonialta accepte. Elle déteste Céleste.

Léo éclata de rire.

—Fais-moi confiance, ce n'est pas parce que deux personnes se détestent qu'elles ne peuvent pas négocier. Les sorciers d'Ostandos sont des experts dans cet art !

—Ton père est un sorcier d'Ostandos, n'est-ce pas ?

—Oui.

—Alors toi aussi, tu es un sorcier d'Ostandos ?

—Si on veut. Je suis davantage lié à l'école Delphique, car j'y ai passé presque toute ma vie, mais je suis toujours le bienvenu au château de mon père. J'ai un oncle et deux cousins qui y vivent en plus de mon père. Je m'entends bien avec eux.

Après un court silence, Léo aborda un autre sujet.

—J'ai vu ce que Morane a fait à Tolyco tantôt...

C'était maintenant à Léo de chercher ses mots.

—Oui..., l'encouragea Satria.

—Je me demandais... si toutes les fées-masquées étaient... comme ça.

—Tu veux dire d'horribles pestes ?

—Oui, si on veut.

Satria comprit aussitôt ce qu'il voulait dire.

—Non, la plupart des fées sont gentilles... et je suis certaine que ta mère l'était aussi.

Léo la regarda, surpris, puis il hocha la tête en souriant.

— Merci...

— Léo ? demanda Satria alors qu'ils se relevaient.

— Mmm...

— Pourquoi as-tu accepté que nous t'accompagnions jusqu'au volcan Brôme ?

Sa question n'était pas innocente et il le savait. Satria voulait comprendre ses motivations.

Elle tourna la tête vers lui et plongea son regard violet dans ses yeux bleus.

Léo la contempla gravement. Son regard était si intense qu'un frisson parcourut tout le corps de Satria.

Il s'était penché vers elle et s'apprêtait à dire quelque chose quand une voix les héla.

— Vous êtes là !

Annabelle volait à leur rencontre et atterrit face à eux.

— Je vous ai cherchés partout ! s'exclama-t-elle. Le spectacle va commencer.

24

Les Contes à l'encre noire

ANNABELLE DÉPLOYA ses ailes et se dirigea, non pas vers la salle Blanche, mais vers un pavillon plus petit situé en bordure du lac. Léo et Satria la suivirent et rattrapèrent les invités qui sortaient tous de la salle Blanche pour se rendre au pavillon.

C'était une salle de spectacle dont les sièges de bois noir disposés en demi-lune étaient recouverts de gros coussins moelleux de velours bourgogne. La scène était entièrement ouverte sur la nuit étoilée. Quelques fées avaient des bougies à la main, pour que les invités puissent se déplacer dans la pénombre.

Annabelle leur désigna des places à l'avant, là où Tolyco les attendait. Ils s'assirent sur les épais coussins.

— C'était bien, la promenade? demanda Tolyco à Satria avec un sourire énigmatique aux lèvres.

— Très bien, éluda celle-ci, heureuse qu'il fasse trop sombre pour que Tolyco puisse distinguer son visage encore troublé.

— C'est le seul endroit qui est fait de matière noire sur notre domaine, les interrompit Annabelle. Nous devons être dans l'obscurité totale pour avoir le meilleur résultat possible.

Ils ne voyaient en effet pas grand-chose hormis les étoiles qui brillaient dans la nuit. La quasi-obscurité de l'amphithéâtre était très reposante.

— Où est la scène ? demanda Tolyco.

— Devant vous, répondit Annabelle en ouvrant les bras sur le ciel étoilé.

Les fées qui tenaient les bougies s'assurèrent que tous les invités étaient bien installés, avant d'en éteindre les mèches.

L'obscurité enveloppa la salle, puis on entendit des chuchotements et des rires étouffés. Les invités semblaient fébriles et impatients.

Subitement, une lueur apparut devant les spectateurs et s'intensifia sous leurs exclamations de surprise.

— C'est Céleste, s'étonna Léo.

— Quoi ? chuchotèrent Satria et Tolyco en même temps.

— C'est Céleste qui brille, répéta-t-il.

— Bien sûr que c'est elle, répliqua Annabelle. Chut… écoutez.

En effet, il s'agissait bien de Céleste qui se tenait en suspens dans les airs. L'eau de ses bras et l'arc-en-ciel sur son cou dégageaient une lumière brillante et bleutée. Même les oiseaux et les papillons étaient illuminés. Seuls son visage et ses mains restaient dans l'ombre, créant une illusion éblouissante. Lorsque la salle redevint silencieuse, elle prit la parole d'une voix grave et majestueuse :

— Bienvenue au clan Priséis. Ce soir, vous aurez le privilège d'assister aux Contes à l'encre noire. Notre maîtrise de cet art légendaire fera de cette représentation une expérience unique. Nous avons choisi six tableaux différents qui, j'en suis certaine, vous plairont grandement. Je vous demanderais de ne pas parler pendant les histoires afin de ne pas perturber nos fées, qui auront besoin de toute leur concentration… Merci.

Tolyco s'aperçut qu'elle était tendue vers l'avant tellement elle avait hâte de voir de quoi il s'agissait. Elle se recala confortablement dans son coussin afin de bien profiter du spectacle.

Le temps passa et Satria se dit que la seule différence qu'il y avait était que les étoiles paraissaient plus brillantes. Rien d'autre ne se produisait. Elle allait tourner la tête vers Annabelle pour lui demander si c'était normal quand un point scintillant attira son attention. Ce n'était pas une étoile, sa lumière était plus intense, plus rapprochée et elle grossissait à vue d'œil.

Un chant doux et mélodieux s'éleva dans la nuit. Satria remarqua qu'il y avait cinq fées assises sur la scène de bois. C'étaient elles qui chantaient de leurs voix satinées et chaudes. Satria n'avait jamais rien entendu d'aussi beau. Elle se laissa bercer par la musique, Léo était assis près d'elle et elle pouvait sentir sa chaleur contre son bras, sa main frôlant la sienne.

Les choristes avaient placé leurs têtes dans leurs mains et semblaient profondément concentrées. Le chant se fit plus intense au fur et à mesure que la boule phosphorescente continuait de croître. Elle était si grosse que Satria eut l'impression qu'elle pourrait la toucher si elle tendait la main. Soudainement, la sphère explosa en une pluie de filaments d'encre coulante qui resta en suspens dans le ciel. Tous les invités poussèrent un long soupir chargé d'émotion lorsqu'un tableau se créa devant eux.

Dans le ciel se tenait maintenant une scène tracée avec des coulées d'encre. On distinguait clairement, et avec une infinité de détails, un paysage. Une route bordée de pommiers traversait un champ où des chevaux paissaient. Au bout de la route se dressait une ville.

Chaque fois que les chevaux agitaient la tête en faisant bouger leurs crinières, c'était comme si une coulée d'encre glissait dans les airs. Toutes les images étaient coulantes, fluides et brillantes, dans les teintes de noir, de blanc et de gris.

La fée placée au milieu de la scène releva la tête et prit la parole :

— Il y a de cela plus de deux cents ans, un événement vraiment énigmatique se produisit.

Les autres fées continuaient de chanter doucement, leurs voix ressemblant étrangement à des violons.

Le décor changea en glissant et la ville se retrouva au premier plan. L'encre dégoulinait sur le ciel étoilé pour former les silhouettes des passants qui faisaient leurs courses au village.

— Comme vous le savez, plusieurs créatures magiques peuplent notre monde. Certaines sont inoffensives, d'autres dangereuses. Mais les êtres les plus mystérieux et les plus craints sont... les vengeurs. Ils forment un groupe d'hommes et de femmes issus d'un autre monde.

Le chant devint plus fort, augmentant en intensité alors que les images défilaient dans la nuit.

— À cette époque lointaine, les habitants de la ville de Lolise étaient heureux et vivaient bien de leurs récoltes. Mais un jour, des visiteurs arrivèrent d'on ne sait où. C'étaient des vengeurs. Ils inspirent la peur depuis la nuit des temps. Nous savons peu de choses d'eux, sinon qu'ils sont presque invincibles. Nous avons réussi à recréer, pour vous, leur passage dans notre monde.

Le tableau se modifia. Les spectateurs voyaient maintenant la route comme s'ils se trouvaient à l'intérieur de la ville. Au loin, presque comme un mirage, on pouvait voir venir un groupe de personnes marchant du même pas. Les vengeurs avaient adopté la formation d'un sablier. Ils étaient des centaines à avancer dans un synchronisme parfait. Leur visage froid comme du marbre ne laissait filtrer aucune émotion, le vent ne semblait pas avoir d'effet sur eux ; ils paraissaient irréels. L'encre coula pour montrer les paysans qui prenaient peur en voyant ces êtres. Ils s'enfuyaient dans toutes les directions. On pouvait voir que tout ce que les vengeurs piétinaient mourait, putréfié. Le champ de pommiers qui se trouvait sur leur chemin était à présent jonché d'arbres flétris et d'herbe sèche et jaunie.

— Nous ne savons pas à quelle fréquence se manifestent les vengeurs ni d'où ils viennent, continua la fée d'une voix théâtrale très poignante, mais nous pouvons affirmer qu'ils appartiennent à un autre monde. Ils n'ont pas de cœur, aucune émotion. On raconte que leur maître intercepte l'âme de morts qu'il choisit soigneusement – comme s'il les collectionnait – et qu'il les garde avec lui, empêchant ainsi les défunts de reposer en paix. Il se constitue une armée redoutable d'êtres immortels… sans jamais l'utiliser. Chaque fois qu'ils sont venus nous visiter, les vengeurs ont marché sur des kilomètres, à pied et en silence, sans jamais ralentir leur cadence. Personne ne sait comment ils arrivent sur notre continent ni comment ils en repartent. On ne sait pas non plus pourquoi ils sortent de leur monde pour venir nous retrouver. Certains racontent qu'ils voulaient transmettre des pouvoirs à des sorciers, d'autres prétendent qu'ils étaient là pour prédire des événements importants. L'information s'est… perdue avec les années. Les versions diffèrent, mais sont unanimes quant au fait que les vengeurs ne cherchaient pas à faire du mal aux humains. Toutefois, personne ne pouvait se mettre en travers de leur chemin sans subir en retour leur châtiment cruel.

Le tableau montrait à présent les vengeurs marchant à travers la ville. Des villageois se tenaient en bordure de la route et observaient la procession en silence. Ils faisaient tous attention de ne pas se retrouver sur leur passage. Les mères serraient leurs enfants contre elles et les hommes, au premier rang, tentaient de protéger leur famille.

Soudainement, une petite femme rondelette aux cheveux gris se mit à crier. Elle sortit du groupe de villageois et s'élança vers les vengeurs. Elle arriva à la hauteur de l'un d'entre eux, un jeune homme aux traits délicats. Il regardait en avant, impassible et complètement insensible aux pleurs de la femme qui répétait désespérément :

— C'est mon fils ! Damien ! Regarde-moi ! C'est maman ! Regarde-moi, Damien, regarde maman... je t'en supplie...

Le visage de la vieille dame était couvert de larmes et sa voix se brisa lorsqu'elle vit que son fils l'ignorait. Il continuait sa marche sans même se rendre compte que sa mère était tombée à genoux. Des gens s'étaient approchés d'elle. Ils essayèrent de la remettre debout, mais elle les repoussa et se releva brusquement pour courir de nouveau vers son fils. Elle l'empoigna par le bras et tenta de le faire sortir du groupe. Au moment où elle le toucha, tous les vengeurs s'arrêtèrent d'un coup et tournèrent la tête vers la femme qui s'évertuait à essayer de sortir son fils du rang. Sans un mot, les vengeurs prirent la femme et l'emmenèrent au milieu de leur groupe. Son hurlement de terreur glaça le sang, mais les villageois n'osaient pas faire un mouvement, ils avaient trop peur. En un instant, la femme fut engloutie et ses cris s'étouffèrent. Le groupe repartit en silence. Damien n'avait pas bronché...

Tout au long de la scène, les fées avaient augmenté l'intensité de leur chant. À la fin, leurs voix roulaient comme un tambour.

La fée du milieu reprit la parole pendant que les spectateurs voyaient les vengeurs quitter la ville comme ils y étaient arrivés.

— Damien était mort quelques mois auparavant. Il s'était noyé en allant à la pêche avec quelques amis. D'autres personnes ont pu confirmer que c'était effectivement lui qui se trouvait dans le groupe de vengeurs. Il n'a jamais reconnu sa mère et n'a jamais essayé de la défendre.

La fée prit une grande inspiration et continua.

— Les vengeurs ne sont jamais revenus depuis cet épisode. Nous vivons dans l'espoir qu'ils restent dans leur monde… et laissent le nôtre en paix.

Les images s'effacèrent graduellement pour faire place au ciel étoilé.

Un tonnerre d'applaudissements s'abattit dans l'amphithéâtre. Satria et Tolyco applaudirent avec énergie.

— Magnifique ! admira Tolyco. Est-ce que c'est vrai cette histoire ? C'était tellement triste.

— C'est une légende, répondit Annabelle, mais les légendes ont toujours un fond de vérité.

— Comment arrivent-elles à faire ça ? s'enquit Léo, impressionné.

— C'est assez complexe comme processus, mais je peux le résumer en disant que les fées projettent les images mentales des scènes que vous avez vues.

— Comment est-ce possible ?

— Les fées-virtuoses ont réussi à encoder les images de façon à ce qu'elles soient imbriquées dans les partitions de musique. Les choristes les chantent ensuite et les images apparaissent sous forme de dessins tracés à l'encre liquide.

— Génial, murmura Tolyco.

— Ça va recommencer, les prévint Annabelle. La prochaine histoire va vous intéresser. Nous l'avons choisie spécialement pour vous.

Le silence revint dans la salle et une nouvelle image fluide apparue.

Un volcan.

— La tempête de Ceithir, dit la fée.

Léo s'avança sur son siège. Tolyco et Satria retinrent leur souffle. Les images défilaient au rythme des paroles de la fée. Elle parlait d'une voix lente et solennelle.

— Elle a été expérimentée par erreur, il y a cent cinquante ans. Un sorcier du nom de Ceithir vivait dans un volcan. Pour lui, l'endroit avait quelque chose de puissant et d'effrayant. Il cherchait à faire sa place dans le monde des sorciers et voulait se démarquer en inventant ses propres sortilèges. Le sorcier Ceithir croyait fortement aux pouvoirs des éléments. Un beau jour, il décida d'allier la force d'une tempête à sa magie. Ce qu'il fit créa la tempête la plus dangereuse et la plus meurtrière de tous les temps.

On y voyait un sorcier à l'intérieur d'un volcan sombre. De temps à autre, le tableau s'éclairait d'encre blanche, représentant la foudre. Le sorcier ne se souciait guère de la tourmente autour de lui, il continuait d'effectuer ses préparatifs.

— Ceithir s'est servi du feu de la foudre, des tremblements de la terre, du vent impétueux et de la pluie diluvienne. Il a réuni tous ces éléments et les a contrôlés.

Le sorcier prit des objets dans ses mains et les souleva au-dessus de sa tête. Une tornade commença à se créer dans la bouche du volcan pendant qu'il récitait des paroles inaudibles et que la foudre s'abattait tout autour de lui.

— Ceithir voulait devenir célèbre, se démarquer des autres. Il n'avait pas prévu que la tempête prendrait cette ampleur. Il était trop inexpérimenté. Sa soif de gloire eut raison de lui... C'est souvent le désir d'obtenir un pouvoir démesuré qui mène les gens à leur perte.

Des nuages noirs roulaient dans le ciel. La pluie formait un voile autour du sorcier Ceithir et la tornade gonflait à vue d'œil. Le sorcier baissa soudainement les bras et toute la salle put voir la peur qui se peignait sur son visage. Il agita les bras comme pour arrêter ce qu'il venait de créer, mais il était trop tard, la tempête s'illumina et tous les éléments se déchaînèrent. La tornade enveloppa le sorcier et prit de l'expansion. Soudainement, il y eut une immense explosion sous les cris de surprise des spectateurs et le calme revint peu à peu.

On ne voyait plus que l'intérieur du volcan, vide et sombre.

— Ceithir n'a pas survécu à sa propre création. Malheureusement, il a laissé des écrits que d'autres ont trouvés et, au cours des siècles, des sorciers ont tenté de reproduire cette calamité afin de s'en servir pour leur propre bénéfice. Nous avons eu beaucoup de chance, car jusqu'à présent, aucun sorcier n'a réussi à maîtriser la tempête de Ceithir. Ils en sont tous morts. C'est d'ailleurs ce qui a pu nous sauver, car nous n'avons pas encore trouvé de moyen de contrer cette horrible création. Si un jour un sorcier devait arriver à dompter ce monstre, nous pourrions dire adieu au monde tel que nous le connaissons aujourd'hui.

Le tableau disparut, et les applaudissements fusèrent de nouveau avec force.

Satria, Tolyco et Léo étaient figés dans leur siège.

— Vous allez bien? leur demanda timidement Annabelle.

— Oui, répondit Léo. Ça confirme mes doutes.

— Je suis sous le choc, dit Satria.

— Pas de doute, c'est vraiment cette tempête qui s'est abattue sur le château, confirma Tolyco.

— Céleste tenait à vous montrer ce que vous aurez à affronter, expliqua Annabelle. Je suis la seule à qui elle a dit que vous alliez au volcan Brôme pour affronter le sorcier. Elle ne veut pas créer de mouvements de panique.

Satria déglutit.

— Rassurez-vous, ajouta Annabelle en voyant la pâleur de Satria. Il y a de fortes chances pour que vous ayez seulement à combattre le sorcier. La tempête sera peut-être faible là-bas.

— Peut-être, répondit Tolyco, songeuse.

Le troisième tableau commença avant qu'ils ne puissent poursuivre leur conversation.

C'était l'histoire d'une sirène qui s'exilait afin de retrouver son grand amour. Elle était racontée dans la langue des sirènes et Satria la traduisit à l'oreille de Léo. Les invités ne comprenaient pas les langues des êtres de l'eau, mais appréciaient la beauté des mots et les images étaient assez explicites pour qu'ils en saisissent l'essentiel.

Les trois autres tableaux parlaient d'amour entre des fées et des sorciers, et Tolyco se dit que Céleste voulait probablement détendre l'atmosphère après les deux premières histoires.

Effectivement, lorsque le spectacle se termina, tous les spectateurs applaudirent en criant des « Hourras ! » bien sentis. L'atmosphère était joyeuse et légère. Les gens se levèrent en discutant bruyamment et repartirent vers la salle Blanche afin de continuer la fête.

Annabelle était déjà debout pour suivre les invités, mais elle s'arrêta et fronça les sourcils en voyant que Satria, Tolyco et Léo restaient assis.

— Que faites-vous ?

Satria leva la tête vers elle.

— On doit y aller, dit-elle avec un faible sourire.

Ils n'avaient pas eu besoin de se consulter : l'histoire de la tempête de Ceithir les avait secoués et ils ressentaient plus que jamais l'urgence de partir.

Le sourire d'Annabelle disparut.

— Vous êtes certains ?

— Oui. Nous sommes restés pour Céleste, répondit Léo, et aussi parce qu'on ne nous a pas vraiment laissé le choix. Mais nous devons partir maintenant.

Annabelle semblait déçue, mais elle n'insista pas.

— Très bien, je vais chercher Céleste. Pendant ce temps, vous pouvez aller vous changer à l'infirmerie, vos habits y sont. Attendez-nous ensuite à l'entrée du domaine, devant les portes de Priséis.

Elle rejoignit la foule et se mêla aux invités pour trouver Céleste tandis qu'ils s'envolaient vers l'infirmerie.

Lina les accueillit avec joie dans son sarrau blanc amidonné. Elle leur donna leurs vêtements et leur prodigua tout un tas de conseils pendant qu'ils se changeaient.

— … et n'oubliez pas de bien montrer vos écussons du clan Priséis si jamais vous tombiez sur des Bannis. Ils ne pourront pas vous faire de mal s'ils croient que vous faites partie de notre clan… Et n'oubliez pas de prendre vos sacs, j'y ai fait mettre des provisions supplémentaires… Il y a des pochettes d'eau cristallisée, de la viande séchée – elle est un peu raide sous la dent, mais assez consistante –, quelques fruits et des galettes de céréales.

L'écusson du clan Priséis, bien que petit, était bien en évidence sur leurs vêtements. Léo portait une veste, une chemise et un bouclier de cuir qui cintrait son torse. Ses armes pendaient à sa ceinture.

Satria et Tolyco saisirent leurs petits poignards et les glissèrent dans leurs étuis accrochés à leur taille. Tolyco décida d'attacher ses cheveux rouges en une longue tresse. Son visage ainsi dégagé soulignait ses traits lumineux et ses yeux noirs. Satria garda son chignon qu'elle trouvait pratique.

— Vous devriez mettre vos capes, ajouta Lina, soucieuse. Paixral va très vite et l'air va se refroidir rapidement.

Elle leur tendit les capes noires qu'ils enfilèrent en silence.

— Bon, eh bien, vous êtes prêts, déclara-t-elle après les avoir contemplés de la tête aux pieds.

Elle les serra fort, son front barré de plis soucieux, avant de les laisser s'envoler jusqu'à l'entrée du domaine.

Cela leur prit quelques minutes de vol tant le territoire du clan Priséis était vaste et ils atterrirent près de l'enceinte, devant d'immenses grilles ouvragées où brillait le symbole du clan.

Deux fées-aquila étaient postées devant les grilles et Satria vit plusieurs fées-guerrières qui montaient la garde devant la haute muraille qui entourait le domaine. Céleste et Annabelle les attendaient à la porte, accompagnées de Paixral dont le corps blanc semblait luire dans la nuit.

Ce dernier émit un sifflement aigu lorsqu'il reconnut Tolyco et Satria. Il s'approcha d'elles pour qu'elles le caressent.

— Je vous remercie d'avoir assisté à cette fête, fit Céleste en ouvrant les bras.

— Vous ne nous avez pas vraiment laissé le choix…, répliqua Léo, dubitatif.

Céleste balaya l'air de sa main.

— Peu importe, vous auriez pu refuser de rester ce matin. Je suis contente que vous ayez accepté… J'ai bien expliqué à Paixral qu'il ne doit pas dépasser une certaine limite. Vous comprendrez que je ne peux pas placer mon fumarolle en situation de danger…

— Bien entendu. Du moment que vous respectez votre entente de nous faire rattraper notre retard…

— Paixral est très rapide, vous ne serez pas déçus. Aussi, j'aimerais vous mettre en garde contre les choses étranges qui se passent là où vous allez. Il y a des forces maléfiques qui sont établies près du volcan… et je me dois de vous prévenir du danger que vous courez en approchant de cette zone.

— Si vous pouviez nous en dire plus sur les forces en question, peut-être que ça nous aiderait. De quoi ont-elles l'air, ces fameuses forces, par exemple ?

Céleste fixa longuement Léo sans broncher. Son visage était insondable, mais l'eau de ses bras ne coulait plus, les papillons s'étaient volatilisés et les oiseaux restaient immobiles, comme si elle retenait son souffle.

— Je ne sais rien sur l'origine de ces forces maléfiques…, répondit-elle après un lourd silence.

— Ce n'est pas ce que je vous ai demandé, rétorqua Léo, un sourire en coin.

Céleste tressaillit.

— J'aimerais vous aider davantage, mais que je ne le peux pas. Mon pouvoir ne peut rien contre ce qu'il y a là-bas. Je veux seulement que vous soyez prudents, conclut-elle.

Ils hochèrent la tête et Annabelle se précipita vers eux pour les prendre dans ses bras avant qu'ils ne s'installent sur le dos de Paixral. Elle donna un petit sac à Tolyco.

— Des truffes confites pour la route, chuchota-t-elle avec un clin d'œil. Il y en a aussi à la vanille…

— Merci, Annabelle, dit Tolyco en riant.

Satria se tourna brusquement vers Céleste et lui posa la question qui la tourmentait depuis leur arrivée au clan Priséis.

— Céleste… lorsque j'étais prisonnière du sorcier Nactère, il m'a dit qu'Amonialta faisait partie de la Société du cygne noir et qu'elle avait fait des choses horribles sur le territoire des Bannis… Est-ce vrai ?

Céleste sembla très triste tout à coup.

— Oui…, souffla-t-elle.

— Et c'est pour ça que vous vous détestez ? demanda Tolyco alors que cette évidence lui sautait aux yeux.

— Oui… en quelque sorte.

— Qu'a-t-elle fait ?

Satria avait posé la question sans être sûre de vouloir connaître la réponse.

— Je…

Céleste ne semblait pas savoir quoi répondre. Ses yeux se voilèrent un instant, comme si elle réfléchissait intensément.

— La Société du cygne noir n'aurait jamais dû exister, évoqua-t-elle en regardant au loin comme s'ils n'étaient pas là. Heureusement, elle est dissoute aujourd'hui… et c'est tout ce qui compte. Je ne peux rien dire… Je suis tenue au secret, ajouta-t-elle sur un ton d'excuse.

Elle se détourna brusquement et revint à son état normal.

— Bon ! C'est l'heure maintenant.

Satria, Tolyco et Léo voulaient en savoir plus mais, manifestement, Céleste n'était plus disposée à parler. Ils s'envolèrent donc pour aller se poser sur le large dos de Paixral. Son épaisse toison était chaude et douce.

— Vous pouvez vous cramponner à sa fourrure, leur conseilla Céleste. Vous devriez replier vos ailes pour éviter de le ralentir.

Satria et Tolyco s'exécutèrent et, à leur grande surprise, Léo plia ses ailes à la perfection du premier coup, sans leur aide.

— Tu as réussi ! le félicita Tolyco.

— Je me suis exercé…, expliqua-t-il avec un sourire. Pendant que vous vous prépariez pour le banquet…

Céleste s'approcha d'eux et posa une main sur Paixral.

— J'aimerais vous faire une proposition, déclarat-elle solennellement. Quand toute cette histoire de volcan sera derrière vous…, j'aimerais que vous veniez vivre ici, au clan Priséis.

Annabelle étouffa un cri de joie et un grand sourire éclaira son visage lorsqu'elle entendit la nouvelle.

Satria et Tolyco restèrent sans voix.

Paixral s'ébroua et Satria remarqua que ses mains s'enfonçaient dans sa peau. Elle relâcha sa prise.

— L'offre tient évidemment pour toi aussi, Léo, précisa Céleste. Tu nous ferais un honneur de venir parfaire ta formation avec nous, ici. Tu ne pourrais pas faire partie du clan Priséis, car tu n'es pas une fée à proprement parler, mais tu serais traité comme notre égal et tu pourrais rester aussi longtemps que tu le désires.

— Nous changerions de clan ? bafouilla Tolyco.

— Bien entendu, répondit Céleste, mais seulement si vous le désirez.

— Amonialta n'acceptera jamais…, commença Satria.

— Laissez-moi m'occuper d'Amonialta, voulez-vous. D'ailleurs, vous n'avez pas à me donner une réponse maintenant. Pensez-y. Je crois que c'est ici qu'est votre vraie maison.

Tolyco saisit la main de Satria et la serra très fort.

— Tu imagines vivre ici…, lui chuchota-t-elle à l'oreille.

— Oui…, répondit Satria à voix basse, comprenant tout ce que cette proposition impliquait.

— Bon! s'exclama Céleste afin de modérer la fébrilité des deux fées. Je dois retourner au banquet m'occuper de mes invités maintenant. Soyez prudents. Léo, je peux compter sur toi? dit-elle en lui jetant un regard éloquent.

— Oui, Céleste. Je vais les protéger.

Tolyco se mit à bouder.

— Nous sommes quand même capables de nous protéger nous-mêmes! s'offusqua-t-elle sur un ton renfrogné.

— Je n'en doute pas un instant, la taquina Céleste, un sourire en coin. Vous profiterez du voyage pour dormir un peu. Vous aurez besoin de toutes vos forces…

Elle s'éloigna pour laisser Paixral prendre son envol.

Pour la première fois, Satria remarqua que Céleste semblait anxieuse.

— Revenez vite, dit-elle alors que le dragon s'envolait vers le ciel.

Annabelle agita sa main dans de grands signes d'au revoir et rapidement, elle et Céleste rapetissèrent pour ne devenir que de petits points dans le paysage.

Les trois amis voyaient toute l'immensité du clan, sa pierre blanche luisait dans le noir et ses pavillons s'étendaient à travers les landes et les collines, sur une très grande superficie.

Paixral piqua alors vers le sol pour voler au ras des arbres et ils perdirent de vue le clan Priséis.

25

Les forces maléfiques

Dans la nuit fraîche, Paixral se montra effectivement très rapide. Satria, malgré sa cape épaisse et
la proximité de Tolyco qui dégageait sa chaleur habituelle, se mit à grelotter dès les premières minutes. Léo
s'en aperçut et dégrafa immédiatement sa cape qu'il
déploya avec dextérité sur les épaules de Satria. Celle-ci
tenta de s'y opposer, mais Léo ne voulut rien entendre.
Il sortit une veste que Lina avait mise dans son sac et
l'enfila. Satria devina en voyant le tissu mince du vêtement qu'il n'allait pas le protéger du froid. Elle tenta
encore de résister, mais le vent sifflait fort, si bien
qu'elle devait crier pour se faire entendre et elle gesti-
culait tant qu'elle faillit tomber. Léo la ramena juste à
temps en riant et refusa de l'écouter davantage. Elle dut
admettre qu'elle avait moins froid ainsi. Le vent fouettait son visage avec force. Elle se roula en boule tout en
coinçant fermement ses jambes autour des flancs de
Paixral. Léo remarqua sa position peu confortable, alors
il se tourna de côté et la cala contre lui afin qu'elle
puisse réussir à dormir. Satria sentit peu à peu l'engour-
dissement la gagner jusqu'à ce qu'elle sombre dans un
sommeil sans rêve.

Elle s'éveilla subitement, ne sachant pas depuis combien de temps elle dormait. Les bras forts qui l'entouraient la ramenèrent brusquement à la réalité et tout lui revint en mémoire. Le volcan Brôme, Léo, le sorcier Nactère, le clan Priséis, Céleste… et sa proposition incroyable… Aller vivre au clan Priséis… Satria avait hâte d'en discuter avec Tolyco. Elle ne prendrait pas de décision sans consulter son amie, mais elle savait que Tolyco voudrait probablement accepter l'offre de Céleste, tout comme elle. Ces deux jours au clan Priséis avaient été merveilleux, si elle faisait exception de l'épisode où elles avaient failli se faire enfermer. Personne ne les avait regardées comme si elles étaient repoussantes ou étranges. Elles avaient même réussi à faire de la magie. À cette pensée, Satria ne put s'empêcher de sourire. C'était si grisant de penser qu'à présent, elles seraient des fées à part entière. Encore différentes, certes, mais tout de même capables de prendre leur destin en main, d'avoir du talent pour quelque chose et de pouvoir l'exploiter.

Elle ouvrit les yeux sur cette pensée et vit le visage de Léo au-dessus d'elle, concentré, qui regardait au loin. Manifestement, elle avait dormi quelques heures, car la nuit était terminée. Le soleil restait cependant dissimulé par une couche de nuages denses et opaques. Léo n'avait pas dormi et avait gardé la même position inconfortable afin de la protéger du vent. Il baissa les yeux en la sentant bouger et sourit.

— Bonjour.

Elle lui retourna son sourire en se redressant.

Tolyco était couchée derrière Satria, le visage dans les poils de Paixral, les bras et les jambes de chaque côté de ses flancs.

— Elle dort depuis longtemps ?

— Elle s'est endormie presque en même temps que toi, répondit Léo en se massant la nuque.

Elle promena son regard autour d'elle et le changement de paysage la consterna. Plus rien ne ressemblait à ce qu'ils avaient quitté plus tôt. La végétation verte et luxuriante avait été remplacée par une forêt morte. Les champs où paissaient des moutons étaient devenus des étals d'herbes desséchées. Une brume compacte flottait au-dessus des arbres déracinés et affaissés au sol. La terre était sèche et un relent de soufre parvint jusqu'à eux.

— Ça fait un bout de temps que c'est ainsi, dit Léo.

Satria scruta l'horizon, mais la brume était si dense qu'elle ne voyait pas très loin. Elle ne pouvait même pas deviner la forme du volcan au loin.

— Pourquoi volons-nous si bas ? demanda-t-elle en remarquant que Paixral frôlait la cime des pins noircis et dépourvus de branches.

— J'ai cru voir quelques entitors au loin.

Satria frissonna en songeant à ces créatures hideuses.

— Ils n'ont pas essayé de venir vers nous, peut-être parce que nous sommes avec Paixral. Quoi qu'il en soit, j'ai jugé préférable de le faire descendre pour ne pas attirer l'attention sur nous. La brume s'est installée à mesure que nous nous enfoncions dans cette zone et ensuite, je les ai perdus de vue.

— Mais ils pourraient surgir près de nous... on ne voit pas beaucoup avec ce brouillard...

— J'y ai pensé, dit Léo en fronçant les sourcils, c'est pourquoi je nous ai fait descendre aussi bas. S'ils arrivent, nous aurons le temps de nous cacher dans la forêt. Les entitors sont gros, ils auront de la difficulté à nous suivre.

Satria remarqua qu'en effet, bien que plus rien de vivant ne se trouvât sous eux, la forêt était remplie de bois mort et de branches compactes qui s'entrelaçaient comme des toiles d'araignées.

— C'est certain que nos vêtements vont nous camoufler efficacement! dit-elle avec un sourire ironique en regardant son habit bleu et les vêtements rouges de Tolyco. La fourrure blanche et noire de Paixral se découpait aussi nettement dans le décor.

Léo éclata de rire.

— C'est vrai que vous n'êtes pas facilement… dissimulables… mais je crois qu'avec les capes, nous pourrons les tromper un moment s'ils voulaient nous attaquer.

— De toute façon, Céleste a dit qu'ils n'approcheraient pas, car Paixral peut aller où il veut sans être intercepté.

Léo haussa les épaules, peu convaincu.

— Paixral peut se promener seul, mais si les sorciers voient que le fumarolle transporte des gens, ils voudront peut-être en savoir plus.

Satria approuva et se pencha davantage pour voir à quelle vitesse ils allaient. Elle resta interdite en observant le paysage sous elle.

— Ça ressemble… à ce que j'ai vu dans le message!

Elle avait crié et Tolyco releva la tête brusquement.

— Hein? Quoi?

Elle avait les yeux ensommeillés et ne semblait pas se rappeler où elle était.

— Tu devrais te réveiller, lui dit Léo. Je crois que l'on arrive bientôt.

Elle se passa une main dans les cheveux en essayant de rassembler ses idées. Elle regarda autour d'elle en prenant tranquillement conscience de ce qui l'entourait. Ses yeux s'arrondirent lorsqu'elle prit une grande inspiration.

— Ça sent le soufre, lâcha-t-elle.

Satria approuva avant d'enchaîner :

— Comme dans la vision que j'ai eue.

Le regard somnolent de Tolyco se fit plus inquisiteur.

— C'est ça que tu as vu dans le message ? demanda-t-elle. C'est ici ?

Satria ferma les yeux et essaya de se remémorer avec le plus de précisions possible ce que la vision de la goutte d'eau lui avait montré. Elle revit en pensée la forêt morte et le tourbillon qui s'approchait d'elle en engloutissant tout sur son passage. Ensuite, elle avait été propulsée devant le volcan Brôme et c'était tout…

— Je crois que oui, répondit Satria en rouvrant les yeux, mais il n'y a pas le tourbillon dans la terre qui aspirait tout…

— Tant mieux ! fit Tolyco en se relevant. C'est incroyable ce qu'il est confortable, ce Paixral !

Elle caressa la bête comme pour confirmer ses dires et Paixral lui répondit en sifflant joyeusement.

— Et toi, tu as bien dormi ? demanda Tolyco à Satria avec un sourire entendu.

Cette dernière rougit en repensant aux bras protecteurs de Léo qui la maintenait au chaud.

— Euh, en fait, pas trop mal si on pense qu'on est sur le dos d'un fumarolle…, bredouilla-t-elle.

Tolyco lui sourit, mais n'ajouta rien, au grand soulagement de son amie. Elle sortit des provisions du sac et en distribua à chacun d'entre eux.

— À quoi doit-on s'attendre au volcan ? s'informat-elle à Léo après avoir mordu dans une galette au raisin et au miel.

Léo réfléchit un instant avant de répondre :

— À un sorcier assez puissant, peut-être même deux, mais je ne crois pas qu'il y en ait plus.

— Pourquoi ? demanda Satria.

— La formule ne peut être utilisée que par un seul sorcier à la fois. Je ne vois donc pas l'intérêt qu'un groupe de sorciers restent sur place en sachant qu'ils mourront tous si quelque chose tourne mal… comme c'est arrivé chaque fois. Si on a affaire à un sorcier expérimenté, ce qui est le cas à mon avis, il utilisera de la poudre de soufre et vous devrez faire attention à ses sortilèges.

— J'ai un plan, leur apprit Tolyco en croquant une pastille d'eau cristallisée. J'entre dans le volcan, je lance du feu sur le sorcier et toi – elle pointa Léo – tu l'attaches, puis on repart avec lui pour le livrer aux Bannis. Et voilà !

— Oui…

Léo prit une bouchée de sa galette en souriant.

— Il y a un petit hic…

— Quoi ?

— Il aura probablement une protection autour de lui qui empêchera ton feu de l'atteindre. Nous devrions donc avoir un autre plan… au cas où…

— Très bien, en as-tu un ? rétorqua-t-elle.

— Je pense que nous devrons attendre d'être là-bas pour avoir une meilleure idée de ce qui nous attend, mais si le sorcier est seul, je peux essayer de briser sa protection et quand je te le dirai, tu lanceras du feu sur lui et nous l'attacherons… en suivant ton plan.

— J'aime bien, déclara Tolyco après y avoir réfléchi un instant.

— Et moi, je fais quoi ? demanda Satria qui était un peu vexée de n'être pas incluse dans leur stratégie.

— Eh bien…

Léo leva les mains en l'air pour montrer qu'il l'ignorait.

— Je ne veux pas que vous vous battiez… vous n'avez pas suffisamment d'expérience. Et comme je crois que l'endroit le plus improbable pour trouver de l'eau, c'est justement dans un volcan, je doute que tu puisses utiliser tes nouveaux pouvoirs.

— Mais… lorsque tu as accepté que l'on parte avec toi, nous n'avions justement pas de pouvoirs, argumenta Satria. Tu pensais qu'on allait t'aider comment si tu ne veux pas que l'on se batte ?

— J'avais prévu m'occuper du sorcier seul…, avoua-t-il. Et bien que je sois très heureux de votre présence, ajouta-t-il en voyant le regard furieux de Tolyco, je refuse de vous mettre en danger.

— Je crois que c'est déjà fait, remarqua Satria. Tu te souviens… le sorcier Nactère, le clan Priséis…

— Oui, et c'est justement pour cette raison que je ne veux pas que ça se reproduise. Je ne pourrais pas me le pardonner, s'il vous arrivait quelque chose.

— Tu ne peux pas toujours nous protéger, ajouta Tolyco en haussant les épaules. Nous serons à tes côtés dans le volcan, que cela te plaise ou non.

Léo leva les yeux au ciel, mais n'insista pas. Il avait son idée là-dessus et comptait garder ses deux amies à l'abri, quitte à les endormir avec sa poudre avant d'entrer dans le volcan. Il regarda Satria et sa conviction n'en fut que renforcée. L'idée qu'il lui arrive quelque chose lui était intolérable.

— Et si nous arrivons et que la tempête a déjà commencé ? s'enquit Satria.

— C'est possible, admit Léo. On devra alors composer avec elle.

— Ce n'est pas ce que je voulais dire, précisa Satria en regardant Léo. Si la tempête a débuté, il va y avoir de l'eau non ? Beaucoup d'eau…

— En effet, il risque d'y avoir de la pluie.

— Alors, je ne servirai pas à rien, conclut Satria pour elle-même.

Léo ne dit mot.

Il comprenait qu'elles veuillent agir après avoir passé toute leur vie sans être capables de faire de la magie, mais cette situation était trop importante et hasardeuse pour risquer qu'elles se blessent ou pire encore… Il songea à l'offre que Céleste lui avait faite d'aller vivre pour un temps au clan Priséis. Cette proposition l'intéressait beaucoup… surtout si Satria et Tolyco l'acceptaient aussi. Il songea à son ami Marcus qu'il n'avait pas revu depuis qu'il avait quitté en trombe l'école Delphique. Il se souvint de l'affrontement qui avait eu lieu entre eux lors de son départ. Des images lui revinrent en tête : des disputes, des éclats de voix, Marcus fonçant vers lui pour l'attaquer, lui-même sortant son épée de son fourreau avec une rage qu'il ne se connaissait pas, les mentors qui les séparaient avec difficulté… Il en avait fallu plus d'une dizaine pour y arriver. La réconciliation ne serait pas chose aisée… Il y avait trop de rancœur pour tout pardonner facilement. Au clan Priséis, il pourrait se refaire une vie.

Paixral ralentit brusquement, ce qui arracha Léo à ses sombres pensées. Le dragon perdit de l'altitude jusqu'à atterrir sur une colline tapissée d'herbe jaunie.

— Je crois que nous sommes arrivés à destination ! déclara Léo en sautant en bas de Paixral, suivi de Satria et Tolyco.

— Merci, Paixral, dit Tolyco en flattant son museau.

Ce dernier feula de contentement et glissa sa grosse tête dans le cou de Tolyco qui s'esclaffa. Elle enroula ses bras autour de son cou et le serra fort. Satria gratta les oreilles de la grosse bête en guise de remerciement.

— À bientôt, Paixral, j'espère, lui dit-elle à l'oreille.

Ce dernier s'ébroua puis, après un dernier feulement, prit son envol et disparut rapidement dans la brume. Satria, Tolyco et Léo se regardèrent un instant, la nervosité pouvant se lire sur leur visage maintenant qu'ils étaient tout près du but.

— Allons dans cette direction, décida Léo après avoir consulté sa boussole. Je crois que nous pouvons encore voler près de la cime des arbres pour l'instant. Nous allons garder nos capes pour éviter d'être repérés.

Satria et Tolyco étirèrent leurs ailes afin de se soulager des raideurs causées par le pliage. Léo fit de même et ils s'envolèrent en frôlant le sommet des arbres morts.

Ils volèrent pendant un moment. Le brouillard s'était intensifié à tel point qu'ils devaient rester rapprochés pour ne pas se perdre de vue.

L'odeur de soufre était plus forte. Brusquement, Satria s'arrêta. Tolyco et Léo firent demi-tour pour la rejoindre. La fée-d'eau s'était posée en douceur sur le sol et regardait autour d'elle, une expression angoissée sur le visage. Léo arriva aussitôt à ses côtés.

— Que se passe-t-il ?

Elle déglutit avant de laisser tomber dans un souffle :

— C'est ici.

Tolyco, qui avait atterri près d'elle, fronça les sourcils.

— Où ça ? Je ne vois aucun volcan.

— Non, pas le volcan. Le tourbillon. C'est ici que j'étais lorsque je l'ai vu dans la vision.

Tolyco regarda autour d'elle.

— Il n'y a rien ici…

— Il était par là, dit Satria en pointant un arbre à sa droite.

— Là non plus, il n'y a pas de tourbillon, la contredit Tolyco, perplexe. Es-tu certaine que c'était bien ici ?

— Absolument.

— Mais…, commença Tolyco.

Satria lui lança un regard éloquent et elle abdiqua.

— Bon, très bien, c'était par là, tu dis ? Alors, allons-y.

— Je… je ne suis pas certaine que ce soit une bonne idée…

Satria regarda Léo pour voir ce qu'il en pensait.

— Peut-être que ce que tu as vu a un lien avec la tempête de Ceithir ou celui qui tente de la créer. Cette direction ne nous écarte pas trop de l'endroit où nous nous dirigeons, dit-il, nous pouvons aller voir s'il y a quelque chose d'inhabituel.

— D'accord, concéda Satria, mais je ne veux pas que nos pieds touchent le sol ! Au cas où l'on tomberait sur ce… cette chose, crut-elle bon de justifier.

Tolyco leva les yeux au ciel devant l'inquiétude de son amie et s'enfonça dans la forêt en s'efforçant de ne pas toucher le sol.

— Soyons prudents, conseilla Léo qui crut entendre un grondement au loin. Restez derrière moi.

Satria et Tolyco obtempérèrent et volèrent silencieusement au ras du sol en s'efforçant de contrôler leur nervosité.

— Il n'y a plus de brouillard…, constata Léo en continuant d'avancer prudemment et en faisant attention de toujours être devant Satria et Tolyco.

Même si la nappe de brouillard s'était dissipée, ils ne pouvaient toujours pas voir beaucoup plus loin. L'amoncellement d'arbres était dense et Léo devait régulièrement enlever de grosses branches de leur chemin. Cela limitait donc leur vision à quelques mètres devant eux.

Brusquement, Léo s'arrêta.

— Qu'est-ce que…

Il s'arrêta de parler pour repartir rapidement.

— Léo, attends-nous ! siffla Tolyco entre ses dents.

Il traversa un enchevêtrement de branches et s'immobilisa immédiatement après avoir atteint l'autre côté. Elles pouvaient à peine discerner son dos immobile.

— Satria ? prononça-t-il d'une voix étrangement détachée.

— On arrive ! répondit celle-ci en se glissant entre les branchages récalcitrants.

Tolyco l'aida et elles parvinrent à traverser le mur compact de bois, non sans quelques égratignures et échardes. Tolyco marcha jusqu'aux côtés de Léo, les yeux baissés sur son pantalon pour essayer d'en retirer tous les morceaux de bois qui s'y était accrochés. Satria rejoignit Léo et aperçut ce qu'il fixait. Elle s'arrêta près de lui, incapable de faire un pas de plus. Seule Tolyco continuait de gigoter pour enlever les échardes de bois en pestant contre tous les troncs d'arbres de la terre.

— Tolyco...

— Quoi ?

Elle releva la tête et se figea aussitôt.

— Oh non...

Elle avait prononcé ces mots dans un râle. Les yeux écarquillés d'horreur, elle porta sa main à sa bouche grande ouverte.

Devant eux se dressait un tourbillon pareil à celui que Satria leur avait décrit. Il semblait composé d'un mélange de terre, de sable et de boue, et tournait lentement, très lentement sur le sol. La seule chose qui s'éloignait de la description de Satria était ses dimensions. Il était si vaste qu'ils avaient de la difficulté à en voir l'extrémité. Il avait la forme d'un cercle irrégulier et plusieurs embranchements de terre mouvante partaient dans toutes les directions pour aller s'enfoncer dans la forêt, comme une araignée avec de nombreuses pattes. Le soleil était toujours caché derrière une couche épaisse de nuages, donnant l'impression qu'il faisait presque nuit.

— C'est horrible..., laissa échapper Satria à mi-voix.

Tolyco avança jusqu'à la limite du tourbillon et se pencha pour l'observer de plus près.

Elle tendit la main, mais Léo fut près d'elle en deux enjambées et la tira fermement vers l'arrière.

— N'y touche pas ! cria-t-il.

Tolyco fut surprise par la colère dans la voix de Léo, mais elle recula. Elle comprit qu'il avait eu peur pour elle.

Léo se pencha à son tour et, après avoir observé le vortex un instant, il montra à Tolyco ce qu'il craignait.

— Regarde, tu vois ce sable et ces cailloux qui se trouvent au bord ?

— Oui.

— Attends un peu.

Tolyco fixa un caillou avec impatience. Après un long moment, il disparut instantanément.

— Le trou s'agrandit ! nota-t-elle avec effroi.

Elle vit de petits grains de sable être aspirés un à un dans le tourbillon, très lentement.

— Oui, approuva Léo. Et non seulement cette chose prend de l'expansion, mais elle engloutit tout ce qui la touche.

Tolyco alla chercher une longue branche et la tendit vers les sables mouvants. Elle s'échappa de ses mains aussitôt qu'elle entra en contact avec la terre instable.

— Incroyable, murmura-t-elle.

Elle se tourna vers Léo.

— C'est quoi cette chose ? s'écria-t-elle malgré elle.

Léo ignora la peur dans sa voix.

— Ce dont Céleste voulait qu'on se garde. Ce sont les forces maléfiques dont elle nous parlait.

— Elle a dit que personne n'en était jamais revenu…

— Peut-être que les fées-guerrières ont touché au tourbillon… et qu'elles y ont toutes été englouties.

Tolyco fit une moue dubitative.

— J'imagine mal des fées-guerrières se laisser berner et continuer à toucher au tourbillon quand leurs consœurs disparaissent tour à tour…

Léo observa les alentours, cherchant une autre explication.

— Ici, dit-il presque instantanément.

Il lui montra de fines rigoles qui se détachaient du cercle principal pour aller sinuer dans la forêt. Certaines faisaient à peine quelques centimètres de largeur.

— Peut-être ont-elles marché sur un de ces sillons sans faire exprès et qu'elles ont été absorbées.

Tolyco fut parcourue d'un long frisson en pensant à la mort atroce de ces pauvres fées.

— Mais qu'est-ce que c'est ? demanda Satria.

— Je n'en ai aucune idée. Je n'ai jamais vu quoi que ce soit de semblable avant et je n'avais jamais entendu parler d'un tourbillon meurtrier qui grossissait à vue d'œil. Si c'est vraiment causé par des forces maléfiques, comme nous l'a dit Céleste, alors elles sont très puissantes. Je ne sais même pas à quelle sorte de magie cela peut être associé.

Léo était très sérieux, presque grave.

— Regardez ! s'exclama Satria en pointant quelque chose à l'horizon.

Ils durent plisser les yeux pour comprendre de quoi elle parlait.

— Un château, murmura-t-elle au moment où ils l'apercevaient.

Il y avait en effet un château, immense et sombre. Sa pierre noire et mate se mêlait à la forêt de bois mort. Il ne semblait pas très loin de la limite du tourbillon.

Tolyco prit le plan du territoire des sorciers Bannis dans son sac et le détailla.

— Il n'y a pas de château sur ce plan, dit-elle. Et pas de tourbillon non plus, ajouta-t-elle.

— Bien sûr que non, dit Léo. Ce plan a probablement été fait avant que les Bannis n'interdisent l'accès de leur territoire aux fées du clan Castel. Cela fait plus d'une trentaine d'années que le traité a été signé. Ce tourbillon a peut-être mis du temps à grossir... ou peut-être pas, mais à regarder la vitesse à laquelle il s'élargit, je dirais que cela a dû prendre plusieurs années avant qu'il devienne si gros.

— Plusieurs années sans que personne se rende compte de rien ! s'insurgea Tolyco. C'est impossible.

— Cette portion du territoire est presque déserte, poursuivit Léo. Peut-être que les occupants du château font tout pour que le tourbillon reste secret.

— Pourquoi dis-tu ça ? le questionna Tolyco.

— Regardez bien les contours du tourbillon près du château. Vous ne voyez rien ?

Satria regarda attentivement et comprit.

— Il contourne le château...

— Exactement, confirma Léo. Les habitants de ce lieu sont probablement associés à ces forces maléfiques.

— Crois-tu que les sorciers Bannis ont quelque chose à y voir ? interrogea Tolyco. Peut-être est-ce eux qui vivent là...

Léo haussa les épaules pour montrer qu'il n'en savait rien.

— Tout ça me dépasse, avoua-t-il.

— Que faisons-nous ? dit Tolyco en se tordant les mains.

Léo s'accroupit devant le tourbillon.

— Nous irons au volcan, déclara-t-il après réflexion. Je ne crois pas que cette chose constitue une menace immédiate, mais nous devrons faire preuve d'encore plus de prudence. Nous irons voir Céleste dès que nous aurons réglé le problème de la tempête de Ceithir et nous lui exposerons la situation.

Les deux fées approuvèrent.

— Partons vite d'ici, supplia Satria. Je n'aime pas cet endroit.

— Oui, partons, dit Léo en se relevant.

26

Le combat des minotaures

— Je suis certaine que c'est à cause du tourbillon que tout est mort autour…, affirma Satria tandis qu'ils tournaient les talons pour repartir.

— Ce ne serait pas impossible…, dit Léo en réfléchissant. Ce vortex est si…

Ses yeux s'agrandirent soudainement. Sans un mot, il s'élança et arriva aux côtés de Satria si rapidement qu'elle n'eut même pas le temps de réagir. Il la prit par les épaules et la poussa violemment sur le sol. Une seconde plus tard, un bruit violent retentit. Satria avait atterri beaucoup plus loin, face contre terre, et elle eut tout juste le temps de se retourner pour voir Léo reculer *in extremis* afin d'éviter une énorme hache à deux tranchants qui s'abattit avec force dans la terre. Avant même que son cerveau ait eu le temps d'enregistrer ce qui se passait, elle vit Léo rouler au sol et se relever avec fougue tout en retirant adroitement son épée de son fourreau. De son autre main, il avait déjà pris une poignée de poudre noire qu'il lança devant lui en criant : « *Mercurio !* » Satria ne comprenait pas d'où la hache était venue ni quels étaient les ennemis que Léo combattait. Elle ne l'avait jamais vu si tendu. Elle comprit lorsqu'elle vit du coin de l'œil un mouvement qui provenait de la forêt. Elle tourna la tête et vit des créatures immondes en sortir. Son sang se figea et sa bouche s'ouvrit sans qu'aucun son n'en sorte. Elle voulut reculer, mais ne parvint qu'à se traîner sur quelques centimètres. Les créatures fonçaient droit sur eux en poussant d'horribles grognements.

— Des minotaures ! hurla Tolyco.

Lorsque l'idée fit son chemin jusqu'à Satria, elle saisit toute l'horreur de cette révélation. C'était bien des minotaures, Satria en avait vu dans les livres relatant des légendes. Elle était certaine que les minotaures n'étaient qu'un mythe et qu'ils n'étaient pas censés exister pour vrai. Ceux qui couraient vers eux semblaient plus que réels, malgré leur aspect repoussant. Ils avaient un corps d'homme aux proportions démesurées avec une tête de taureau aux yeux rouges globuleux et surmontée de cornes imposantes. Satria remarqua brièvement que leur peau semblait encore plus épaisse que du cuir et qu'ils dépassaient Léo d'au moins trois têtes. Ils avaient tous une hache à double tranchant à la main et ils semblaient pressés de s'en servir.

Satria s'envola sans réfléchir et vit Tolyco faire de même. Léo était aux prises avec l'une des bêtes et il lui porta un violent coup d'épée qui ripa sur sa peau épaisse. Il se tourna vers les fées et cria :

— Fuyez !

Il reprit le combat en portant des coups précis, mais qui étaient inefficaces contre le monstre.

Satria remarqua qu'il n'y avait que trois minotaures. Elle avait d'abord cru qu'il y en avait le double tellement ils étaient imposants. L'un d'eux se battait avec Léo et les deux autres s'étaient postés sous Satria et Tolyco. Ils les regardaient en silence. Satria éprouva un malaise en voyant leurs yeux rouges fixés sur elles, même si elles restaient hors de portée.

— Fais du feu ! suggéra-t-elle à Tolyco.

— Hein ? répondit cette dernière qui était encore saisie par leur arrivée soudaine. Ah oui, du feu…

Elle se concentra et fit jaillir une flamme de ses paumes, mais elle s'éteignit presque aussitôt.

— Qu'est-ce que tu fais ? la pressa Satria. Dépêche-toi !

— Il se passe quelque chose, j'ai l'impression qu'on me tire vers le sol…

Satria réalisa qu'elle aussi ressentait la même chose. Elle regarda les minotaures et vit qu'ils avaient levé une main vers elles.

— Quel est le pouvoir de ces êtres ? cria Satria en se sentant glisser vers eux.

— Je ne sais pas, je ne pensais pas qu'ils avaient des pouvoirs… je ne savais même pas qu'ils existaient ! répondit Tolyco, effarée.

Elles se mirent à battre des ailes avec l'énergie du désespoir, mais rien n'y fit, elles se rapprochaient des minotaures comme s'ils étaient des aimants.

— Léo ! hurla Satria.

Celui-ci évita un coup de hache avant de se retourner pour voir les fées glisser inexorablement jusqu'au sol. Sa consternation fit rapidement place à une détermination féroce. Il se battit avec une nouvelle énergie en essayant d'atteindre son assaillant au cou. Cela semblait être son point faible, mais il était difficile à toucher, vu son bouclier. Sa magie n'avait pas d'effet sur eux, alors il misa sur sa rapidité et son agilité au combat pour déstabiliser son adversaire.

Satria sentit le minotaure l'attraper à la cheville dès qu'elle fut assez proche et il la tira brusquement pour ensuite l'immobiliser entre ses bras puissants. Elle n'avait même pas pu se débattre et se sentait prise dans un étau. Le minotaure avait une odeur de bête sauvage et de sueur qui lui donna la nausée.

Tolyco fut elle aussi immobilisée par l'autre minotaure qui lui prit les mains et les plaqua contre sa nuque. Il l'avait sûrement vue faire du feu et ne voulait pas qu'elle recommence. Elle produisit tout de même une flamme qu'elle sentit autour de son cou, mais comme elle ne pouvait bouger, cela ne servait à rien. Le feu ne la brûlait pas, mais elle sentait sa peau devenir incandescente, alors elle eut une idée. Elle se concentra pour augmenter l'intensité de la chaleur afin qu'elle se répande partout sur sa peau, peut-être réussirait-elle ainsi à brûler la créature, même si elle en douta en voyant l'épaisse couche de cuir qui recouvrait la bête.

Les deux minotaures qui retenaient Satria et Tolyco semblaient embêtées par la résistance de Léo, comme s'il était une mouche ennuyeuse qu'ils voulaient écraser.

Celui qui retenait Tolyco était le plus grand et le plus massif, et son bouclier rouge ne comportait pas les mêmes gravures que ceux des deux autres. Satria pensa qu'il devait être le chef lorsqu'elle l'entendit parler dans un grognement si guttural qu'elle n'en saisit que l'essentiel.

— Toi, jette la fée dans le gouffre et va t'occuper de l'homme, ordonna-t-il au minotaure qui retenait Satria.

Cette dernière n'était pas certaine d'avoir bien compris, jusqu'à ce qu'elle sente qu'on la traînait vers le tourbillon. La panique s'empara d'elle et elle cria tout en se débattant tandis que Tolyco protestait de toutes ses forces. Elle vit le tourbillon s'approcher à une vitesse alarmante et se tortilla comme une anguille afin de glisser des mains de son adversaire. Le minotaure l'empoigna si fort qu'elle crut qu'il allait lui broyer les os.

Léo tourna la tête une fraction de seconde et vit Satria qui se faisait tirer vers le tourbillon. Ses yeux se plissèrent en deux fentes menaçantes. Il évita un coup de hache et fit ce qu'aucun combattant ne devrait jamais faire : il tourna le dos à son adversaire. Il n'avait plus rien d'autre en tête que d'arriver avant Satria au tourbillon. Il entendit un sifflement dans son dos et se pencha juste à temps pour éviter la hache que son adversaire venait de lancer. Celle-ci décrivit un grand arc de cercle et alla se ficher dans le dos du minotaure qui retenait Satria. Ce dernier poussa un hurlement en sentant la morsure de la lame dans sa chair et il courba le dos sans lâcher Satria. Ils étaient à présent tout près du tourbillon. Léo redoubla d'efforts pour accélérer. Lorsqu'il arriva près du monstre, il saisit le manche de l'arme enfoncée dans son dos et poussa dessus en se servant de son élan pour l'enfoncer davantage. La créature poussa un autre hurlement bestial et lâcha Satria, ses mains battant l'air derrière lui pour atteindre le manche de la hache. Sans attendre, Léo prit Satria par la taille et la souleva au bout de ses bras. Il l'envoya dans les airs le plus loin possible afin qu'elle puisse voler, ce qu'elle fit. Ses ailes s'ouvrirent par réflexe et elle s'éloigna le plus possible du tourbillon. Léo fit volte-face juste à temps pour voir l'énorme minotaure contre qui il se battait arriver à la course dans sa direction. Léo tenta de s'envoler, mais il était trop tard, le minotaure fonça sur lui et lui asséna un coup d'épaule si puissant qu'il le projeta dans les airs en émettant un craquement inquiétant. Après que son corps eut décrit un gracieux demi-cercle, Léo ouvrit les yeux et regarda Satria une fraction de seconde avant que ses pieds ne touchent le tourbillon.

Il disparut aussitôt.

Satria arrêta de battre des ailes et atterrit sur le sol sans même s'en apercevoir.

Non, non, non, c'était impossible. Pas Léo. Pas lui. Il allait revenir. Mais pourquoi est-ce qu'il ne revenait pas ? Elle fixait l'endroit où Léo s'était trouvé un instant plus tôt, ne pouvant croire qu'il n'était plus là. Elle était pétrifiée, tout en elle s'était figé. Elle ne sentait plus son corps, ne voyait plus rien que l'endroit où Léo avait été englouti par le tourbillon. Elle ne réagit même pas lorsque le minotaure qui avait propulsé Léo dans le tourbillon lui empoigna violemment le bras. Une plainte semblait monter dans sa gorge, mais elle ne pouvait plus crier, ne savait plus comment faire. Tout était trop froid. Une brûlure submergea tout son corps, comme des cristaux de glace qui lui poignardait la peau sans ménagement.

« Il est mort. Il ne reviendra jamais. » À l'instant où cette pensée traversa son esprit, elle sentit quelque chose se déchirer à l'intérieur d'elle et tout devint noir dans sa tête.

Tolyco avait vu, sans vraiment y croire, Léo toucher le tourbillon pour y disparaître instantanément. Elle comprit aussitôt qu'il était mort et, avant que son cerveau n'assimile cette information, son attention fut détournée par Satria qu'un minotaure venait de saisir, mais elle ne parut pas s'en rendre compte. Son visage était fermé et son regard dur comme de la glace. Elle fixait le tourbillon sans le voir et sans se soucier du monstre à ses côtés et de l'autre créature qui essayait toujours d'atteindre la hache plantée dans son dos. Tolyco ne savait pas si c'était le choc, mais elle s'aperçut que le feu de ses mains avait décuplé et qu'il se diffusait maintenant à travers tout son corps. Le minotaure qui la retenait grogna en la lâchant subitement et elle vit de grosses cloques se former rapidement sur le cuir de ses paumes.

Dès qu'elle sentit la poigne de la bête la relâcher, elle courut vers la forêt sans attendre. Elle voulait s'éloigner pour avoir le temps de lancer du feu avant qu'une de ces créatures ne réussisse à la rejoindre. Elle songea un instant à s'envoler, mais le pouvoir inattendu de ces monstres la convainquit de n'en rien faire. Elle entendit des pas de course qui faisaient trembler la terre derrière elle et elle accéléra. Brusquement, une bourrasque de vent l'atteignit de plein fouet et elle trébucha sur le sol. Elle roula plusieurs fois avant de pouvoir reprendre son équilibre, mais le vent était toujours trop fort pour qu'elle puisse se remettre debout. Elle vit un rocher qui sortait de la terre et réussit à s'y cramponner. Le minotaure derrière elle tomba à son tour sous la force des rafales et commença à glisser vers le tourbillon tout en grognant pour se remettre debout. Elle ne comprenait pas d'où venaient ces rafales puissantes et elle eut peur tout à coup que ce soit la tempête de Ceithir. Elle se tourna tout en maintenant ses mains fermement agrippées au rocher – ses jambes commençaient à s'élever dans les airs tellement le vent était puissant – et vit Satria plus loin. Tolyco comprit tout de suite que ce n'était pas la tempête de Ceithir qui se manifestait, c'était Satria.

Son amie était debout, statufiée, son regard froid fixé sur le tourbillon. Le minotaure qui la tenait un instant plus tôt était tombé sous les bourrasques et glissait de plus en plus rapidement, s'éloignant de Satria, car c'était d'elle que provenait le vent. Tolyco pouvait voir les ondulations des rafales qui partaient de son corps pour repousser tout ce qui l'entourait avec une force de plus en plus grande.

Tolyco devait à présent plisser les yeux pour les protéger des bourrasques et ses mains glissaient sur le rocher. Elle replia ses ailes pour qu'elles ne se prennent pas dans le vent et appela son amie :

— Satria !

Celle-ci l'ignora. Tolyco n'était même pas certaine qu'elle l'ait entendue. Subitement, Satria se mit à changer de couleur. Ses ailes, ses cheveux et même sa peau délicate prenaient brusquement une teinte argentée pour reprendre ensuite leur couleur normale. C'était comme un clignotement irrégulier. Tolyco prit peur en réalisant ce qui était en train de se produire.

— Non, s'il vous plaît, pas elle, geignit-elle en ne sachant pas à qui elle s'adressait.

Un minotaure arriva au seuil du tourbillon et disparut dès qu'il en toucha l'extrémité. Un autre le rejoignit très vite. Tolyco n'avait plus de forces, ses bras tremblaient d'épuisement et elle savait qu'elle ne pourrait plus tenir bien longtemps, le vent la poussait trop fort. Le troisième et dernier minotaure plongea dans le tourbillon. La couleur argentée s'emparait de Satria et devenait plus intense.

Tolyco rassembla ses dernières forces pour hurler :

— Satria !

Son cri laissa transparaître tout son désespoir, mais Satria ne la regarda pas. Ce n'était plus elle. Elle n'aurait jamais ignoré Tolyco en temps normal. Le vent poussait Tolyco si fort qu'elle glissa un peu plus. Elle dut détourner son regard de Satria pour essayer de chercher une meilleure prise, mais ses forces diminuaient. Des larmes de rage coulaient le long de son visage. Elle essaya de tenir encore un peu, mais ses mains glissèrent et elle lâcha prise. Le vent l'entraîna aussitôt vers le tourbillon.

L'esprit brumeux de Satria n'arrivait plus à se rappeler qui elle était ni où elle se trouvait. Elle ne voyait que Léo qui tombait encore et encore dans ce tourbillon maudit. Cette pensée lui était insupportable. Elle se souvenait de ses yeux lorsqu'il l'avait regardée avant de mourir. Il n'avait pas eu peur. Il avait semblé s'accrocher à elle comme à une bouée, comme si elle était son espoir. C'est tout ce dont elle pouvait se souvenir. Il était mort pour lui avoir sauvé la vie… Son esprit était si embrouillé – comme envahi d'une brume argentée avec des éclats de gris qui s'entrechoquaient. Ces secousses étaient comme des éclairs qui déchiraient son corps et la laissaient meurtrie. Elle avait si mal, mais elle ne pouvait pas bouger. La couleur argentée couvrit son regard et enveloppa son cœur, apaisant un peu ses souffrances. Cette couleur iridescente prenait toute la place afin d'amoindrir cette intenable douleur au cœur.

Soudainement, elle entendit quelqu'un crier au loin. C'était peut-être son nom. Elle n'en était pas sûre, tout était si confus. Avec toute la force de sa volonté, elle tourna la tête et vit une fée aux ailes rouge et noire agrippée à un rocher. Elle ne la regardait pas. Elle était concentrée afin de ne pas lâcher sa prise, mais Satria ne comprenait pas pourquoi. Elle se dit qu'elle connaissait cette fée. Elle ne pouvait se souvenir de son nom, mais elle était certaine de l'avoir connue… autrefois. Voir la détresse de cette fée fit jaillir un signal d'alarme dans sa tête. Elle ne pouvait supporter de la voir souffrir. Elle aurait dû détourner son regard pour laisser la douce vague argentée l'envahir et la calmer, mais une voix enfouie en elle lui disait de n'en rien faire. La fée aux ailes rouges croisa son regard une seconde avant de lâcher le rocher. Lorsqu'elle vit les yeux noirs comme du charbon de Tolyco, une vague d'émotion submergea Satria. Elle se souvint de tout. Les souvenirs affluèrent en elle comme une tornade et elle comprit le danger que courait son amie.

— Tolyco…

Elle sentit que le flot argenté tentait de l'envelopper, mais elle résista. Elle savait que pour aider Tolyco, elle devait combattre, résister. La douleur revint en elle comme un serpent sournois, mais elle n'essaya pas de l'éviter. Tolyco glissait vers le tourbillon à une vitesse affolante. Au prix d'un terrible effort, Satria repoussa le voile argenté qui recouvrait son cœur et une émotion atroce la plia en deux. Elle tomba sur ses genoux en sachant qu'elle venait de réintégrer le monde réel. Son cocon apaisant l'avait quittée. En levant les yeux, elle vit Tolyco qui s'était arrêtée à quelques pas du tourbillon. Elle se remettait péniblement sur ses jambes.

L'inquiétude de Satria s'estompa, laissant toute la place à l'idée que Léo était mort.

Tout son corps se mit à trembler lorsque cette pensée l'envahit et des larmes jaillirent de ses orbites sans qu'elle puisse les retenir. Sa gorge brûlait atrocement et une douleur sourde lui écrasait la poitrine. Elle pleura en silence. Elle pleura sans pouvoir s'arrêter.

Soudain, elle sentit des bras l'entourer avec une tendresse infinie.

Tolyco ne prononça pas un mot. Elle étreignit son amie pour ne pas la laisser sombrer. Elle la serra fort en appuyant sa tête contre la sienne.

— Léo…, chuchota Satria en fermant les yeux.

Tolyco serra son amie encore plus fort pour cacher le tremblement de ses propres mains.

Elle savait ce qui venait de se produire. Elle avait eu si peur de la perdre et il s'en était fallu de peu. Elle ne demanda pas la raison de ce revirement, cela lui importait peu. Elle était seulement soulagée que Satria ne soit pas devenue une rouge.

27

Une reine sans royaume

ELLES RESTÈRENT LONGTEMPS ainsi, recroquevillées, blotties l'une contre l'autre. Tolyco attendit que Satria retrouve un souffle plus régulier avant de lui parler.

— Je suis désolée, Satria…

— Moi aussi.

Sa voix était enrouée. Elle releva la tête et son regard empli de tristesse croisa celui de Tolyco.

— On ne peut pas rester ici.

— Non, tu as raison, l'approuva Tolyco en regardant les alentours. Ils pourraient y en avoir d'autres.

— D'où est-ce qu'ils sortent, ces minotaures?

— Aucune idée, avoua Tolyco en soupirant. Peut-être est-ce eux qui habitent au château.

Tolyco réfléchit un instant, puis ajouta:

— Je crois que ce sont eux qui ont empêché les fées du clan Priséis de revenir. Ça n'a pas été compliqué, s'ils ont le pouvoir de nous attirer à eux lorsque nous volons. Ils ont dû les intercepter et les précipiter ensuite dans le gouffre.

— Le gouffre?

— C'est comme ça que le minotaure a appelé le tourbillon, l'informa Tolyco.

— Ah…

Satria frissonna en pensant à toutes ces fées mortes de la même façon que Léo.

— Où allons-nous maintenant ? demanda Tolyco.

— Quoi ? Comment ça ?

— Eh bien… je pensais que maintenant que Léo… Enfin, nous ne pouvons quand même pas aller au volcan seules…

— Pourquoi pas ? se rebella Satria en se dégageant.

— Euh… bien, parce que nous n'avons pas suffisamment d'expérience pour affronter un sorcier.

— Nous n'avons pas fait tout ce chemin pour nous arrêter si près du but, s'entêta Satria.

C'était la seule idée qui permettait à Satria de ne pas se laisser envahir par la tristesse. Elles devaient poursuivre la tâche de Léo, le faire pour lui, pour qu'il ne soit pas mort en vain.

— Oui, je sais mais…

— Léo s'est sacrifié pour nous, l'interrompit furieusement Satria. On lui doit de terminer ça.

Tolyco hésita, ne sachant quoi répondre. Elle avait peur pour Satria qui devenait trop impulsive. Ses réactions étaient entravées par un voile d'émotion.

— Écoute, continua Satria. Nous sommes tout près du volcan. Nous devons au moins y aller pour voir ce qui se passe là-bas. Si la situation est trop dangereuse, je te promets que nous partirons. Mais si ce n'est pas le cas, nous nous battrons.

Les yeux de Tolyco brillèrent comme deux diamants noirs. Elle jaugea Satria qui soutint son regard sans ciller. Tolyco devait admettre que, bien qu'elle veuille protéger son amie, elle brûlait d'envie de se rendre au volcan.

— D'accord, mais si la situation devient incontrôlable…

— … nous partirons, termina Satria.

— Exact.

Tolyco sortit le plan de son sac et le consulta un instant.

— Nous devons aller par là, dit-elle en indiquant un point sur leur droite.

— Regarde, dit Satria en posant une main sur son bras, le volcan est là-bas.

Tolyco leva la tête et vit effectivement la masse sombre du volcan Brôme se dessiner au loin.

— Pourquoi on ne l'a pas vu avant ?

— Nous étions trop absorbées par le gouffre.

Le volcan noir fendait la forêt comme un champignon grotesque. Au-dessus de lui planait un nuage noir et menaçant.

— La tempête a débuté…, constata Satria à mi-voix.

Tolyco approuva en silence après l'avoir observé un instant, comme si elle évaluait un adversaire.

— Nous allons voler jusque-là, dit-elle enfin. Le plus rapidement possible et on ne s'arrête sous aucun prétexte.

— D'accord, mais que fait-on si l'on croise d'autres minotaures ?

Le regard de Tolyco se durcit :

— Lorsqu'ils ont utilisé leur pouvoir en nous attirant à eux, j'ai été déconcentrée et je n'ai pas été capable de leur lancer du feu, mais je ne me laisserai pas prendre une deuxième fois.

— Tu viseras leurs yeux, suggéra Satria après réflexion, ils sont énormes. Ça devrait les mettre hors d'état de nuire…

— Bonne idée, répondit Tolyco. Tu es prête ?

Satria eut un mouvement de recul et elle se tourna, malgré elle, vers le gouffre.

— Satria…, l'appela Tolyco à voix basse.

—Je… je pensais à Léo…

La voix de Satria se brisa, mais elle sembla plus résolue que jamais.

—On ne peut pas rester ici plus longtemps, dit doucement Tolyco. Il pourrait y avoir d'autres minotaures…

Satria fit oui de la tête et se tourna vers le volcan.

Sans un mot, elles déployèrent leurs ailes dans un synchronisme parfait et s'élancèrent dans le ciel.

Dès que le vent fouetta son visage, la douleur qui vrillait encore le cœur de Satria s'apaisa un peu, mais elle savait que les choses ne seraient plus comme avant. Elle se souvenait du voile argenté qui l'avait enveloppée quelques instants près du gouffre. Elle ne regrettait pas de l'avoir repoussé – Tolyco était en danger et elle n'aurait pas supporté de perdre son amie, mais elle avait l'impression d'être une plaie à vif. Seule la mission du volcan l'avait incitée à se relever rapidement, au lieu de sombrer dans une torpeur lancinante. Elle voulait terminer ce pour quoi Léo était mort, car l'idée qu'il avait accompli tout cela en vain lui était insupportable. C'était la seule pensée à laquelle elle pouvait se raccrocher pour l'instant.

Elle sentait aussi que, si elle le voulait, elle pourrait laisser le voile argenté l'envahir et que cette fois, il n'y aurait pas de retour en arrière. C'était comme s'il était tapi au fond d'elle, attendant un signe de faiblesse pour revenir à l'assaut. Elle savait très bien ce qui s'était produit près du gouffre. Elle avait tout oublié pendant un instant, ne pouvant que revoir la scène où Léo était tombé dans le tourbillon, et seule Tolyco lui avait donné la force de résister, de revenir dans le monde réel. Elle savait qu'elle avait failli devenir une rouge. Elle supposa que si elle s'était laissé submerger, ses ailes et ses cheveux auraient changé de couleur pour devenir argentés. Elle n'aurait alors eu aucune maîtrise sur ses pouvoirs – ce qui n'était pas nouveau en soi, mais à la différence qu'elle aurait été dangereuse et incontrôlable. Sa magie aurait explosé sans prévenir et aurait pu mettre en danger la vie de tous ceux qui auraient tenté de l'approcher. Elle n'aurait plus eu aucun souvenir de sa vie passée et elle aurait probablement été enfermée par des fées ou tuée par un débordement de ses propres pouvoirs. Tolyco aussi serait morte, elle aurait été poussée jusque dans le gouffre à cause de la force de ce vent qui émanait de Satria.

Satria se demanda si toutes les fées qui étaient devenues des rouges étaient passées par les mêmes étapes de métamorphose. Est-ce qu'elles avaient toutes produit du vent, empêchant ainsi quiconque de pouvoir les approcher pour les sauver ? Est-ce qu'elles avaient eu le choix de refuser cette transformation comme elle ? Peut-être que certaines d'entre elles n'avaient eu personne à leur côté pour les aider à résister. Si Tolyco n'avait pas été là, elle serait sans nul doute devenue une rouge, Satria en était convaincue.

Il y avait eu peu de rouges dans l'histoire des fées et elles étaient systématiquement enfermées et isolées aussitôt qu'elles se modifiaient. Elles devenaient un sujet tabou, honteux. Satria avait elle-même un peu honte, car elle se trouvait faible d'avoir failli succomber. Elle était certaine que jamais Tolyco ne pourrait devenir une rouge, elle était trop forte pour cela.

Ses pensées se reportèrent au souvenir de Léo et elle déglutit. Elle pensa à l'offre que Céleste leur avait faite. Elle savait qu'il aurait aimé habiter au clan Priséis avec elles. Il aurait pu en apprendre davantage sur les fées. Elle se sentait si bien lorsqu'elle était avec lui… Elle se força à penser à autre chose, car cette idée faisait naître en elle une nouvelle vague de douleur insupportable.

Satria regarda le volcan qui se rapprochait trop lentement à son goût. Il formait une masse sombre et circulaire qui sortait du sol comme une excroissance repoussante. Elle se demanda ce qu'elles trouveraient à l'intérieur. Elle espérait qu'il n'y ait qu'un seul sorcier. Cela simplifierait les choses et elles pourraient le combattre. La tempête avait commencé au-dessus du volcan. Ce dernier crachait des éclairs tout comme s'il refaisait violemment éruption. À cette vision, Satria se dit qu'elle pourrait être utile. Son pouvoir sur l'eau était rudimentaire, mais elle pourrait utiliser la pluie pour créer un mur autour du sorcier afin de le déstabiliser. Tolyco volait près d'elle. Elle était plus proche qu'à l'habitude et Satria se dit qu'elle voulait lui montrer qu'elle était là pour elle. Cette marque d'affection était suffisante pour Satria. Elles n'avaient pas besoin de parler pour se comprendre.

La forêt morte devenait plus clairsemée au fur et à mesure qu'elles progressaient. Du sable rouge couvrait à présent le sol et une forte odeur de soufre en émanait. Satria regardait défiler les arbres comme un brouillon d'images. Un éclat bleu vif attira son regard pendant un bref instant et elle s'arrêta net, surprise. Elle pivota sur elle-même pour essayer de trouver d'où venait cette couleur bleue alors que tout autour était noir ou rouge. Tolyco s'arrêta à son tour, inquiète.

— Que se passe-t-il, Satria ? Tu as vu quelque chose ?

— Je ne suis pas certaine. J'ai cru voir… de l'eau.

— On ne devrait pas s'attarder.

— Attends…

Elle revint dans le chemin qu'elles avaient pris, descendit et se cacha vivement derrière un tronc d'arbre. Elle fit signe à Tolyco de la rejoindre.

Cette dernière vola jusqu'à Satria et vit ce qui l'avait alertée. Elle se dissimula à son tour derrière un arbre, non loin de son amie.

— Qu'est-ce que c'est ? demanda-t-elle à voix basse.

Elles jetèrent un coup d'œil et virent une minuscule surface d'eau brouillée, pas plus grande qu'un ruisselet, où des ondulations concentriques bougeaient à la surface, comme si quelque chose avait plongé dans l'eau.

Tolyco fronça les sourcils.

— Il n'est pas censé y avoir d'eau ici, nota Satria, perplexe.

Les yeux de Tolyco s'agrandirent.

— Regarde ! murmura-t-elle.

Une créature était sortie de l'eau et se tenait dos à elles, son corps à moitié sorti de la mare. Elle avait une longue chevelure noire qui ondulait et une peau blanche comme la neige.

— C'est une merrows…, chuchota Satria.

Elle s'élança pour s'approcher, mais Tolyco la retint par le bras.

— Mais qu'est-ce qu'elle fait ici ?

— Je ne sais pas… mais le message que j'ai reçu était en langue aquatique et c'est la seule créature aquatique dans les environs, alors ça vaut la peine de lui demander.

Elles volèrent en silence jusqu'à la sirène qui leur tournait toujours le dos. Elle semblait s'ennuyer, sa queue battant l'eau de temps à autre et sa main traçant des cercles à la surface de la mare.

Elles se posèrent sur le sol et Tolyco toussa pour manifester leur présence.

Effrayée, la sirène se tourna vers elles promptement.

Dès qu'elle vit son visage, Satria s'agenouilla rapidement au sol en baissant la tête.

— Ma reine…, dit-elle d'un ton cérémonieux.

Tolyco l'imita avec plus de réticences.

La sirène avait des yeux étranges, sans pupilles. Toute leur surface était du même vert hypnotisant. Ses cheveux d'ébène continuaient de flotter autour d'elle. Des écailles vertes la recouvraient jusqu'à son cou. Seuls ses bras et son visage étaient d'une blancheur fantomatique. Elle les observait en penchant la tête d'un côté et de l'autre, curieuse.

— Satria et Tolyco… Vous êtes venues…, déclara-t-elle d'une voix aux étranges intonations aqueuses.

— Est-ce qu'on peut se relever maintenant ? demanda Tolyco.

— Oui, faites…

Les deux fées s'exécutèrent.

— Comment sais-tu que c'est une reine ? chuchota Tolyco à l'oreille de Satria.

— Tous les membres de la royauté des peuples aquatiques ont des yeux semblables, répondit Satria en regardant la reine, impressionnée. Vous savez qui nous sommes ? demanda-t-elle d'une voix forte.

La reine hocha la tête, mais n'ajouta rien.

Un long silence s'installa avant que Tolyco ne perde patience.

— Bon, je ne sais pas si vous essayez d'observer le code protocolaire de la famille royale en gardant un mutisme calculé, mais voyez-vous, nous sommes pressées alors si vous pouviez abréger…

— Tolyco ! s'offusqua Satria.

— Quoi ? C'est vrai, non ?

— Vous avez raison, les coupa la sirène, je vous retarde. Et votre temps est précieux. Pardonnez mon silence, c'est que je me remets de ma surprise. Je ne croyais pas que mon message se rendrait à destination… je suis très affaiblie.

— C'est donc vous qui nous l'avez envoyé ?

La reine hocha de nouveau la tête.

— Mais… pourquoi ? Et que faites-vous ici ? demanda Satria en regardant l'étendue de sable rouge qui les entourait.

La sirène commença son récit de sa voix ondulante.

— Je m'appelle Adèle. Je suis… ou plutôt j'étais la reine du royaume des eaux de Pompide. C'était, autrefois, une vaste étendue d'eau profonde et pure. Ce que vous voyez aujourd'hui – elle désigna la mare d'eau d'un geste de la main – est tout ce qu'il en reste. Nous vivions en paix depuis de nombreuses années et nous étions en bons termes avec les sorciers Bannis. Un beau jour, ils ont cessé de venir nous visiter. Comme nous ne pouvons sortir de l'eau et que le lac était très éloigné des villages, nous n'avons pas pu savoir la raison de cet abandon. Il s'est passé un long moment avant que nous commencions à voir des sillons dans le sol qui s'approchaient de nous. C'étaient comme… des filaments de terre qui tournaient, très lentement. Les gardes étaient préoccupés, mais je n'ai pas voulu qu'ils agissent… je croyais que c'était sans danger, voyez-vous. Lorsqu'un des filaments a atteint le lac, ce fut horrible. L'eau a agi comme un stimulant sur cette… chose. Le lac s'est rapidement rempli de terre tourbillonnante, emportant tout mon peuple sous mes yeux… et je n'ai rien pu faire pour les sauver.

Adèle essayait désespérément de reprendre la contenance qui convenait à son titre royal, mais Satria et Tolyco voyaient bien qu'elle n'y parvenait pas. Elle se passa une main sur les yeux en refoulant ses tremblements.

Satria s'approcha d'elle.

— Mais vous avez survécu.

— Oui…, répondit la reine dans un souffle, comme si elle revoyait ce drame. Les gardes étaient inquiets pour ma sécurité et, malgré mon ordre de ne rien tenter, ils avaient construit un étroit tunnel qui menait à une petite poche d'eau, suffisamment grande pour une seule personne. Lorsque ce tourbillon nous a envahis, les gardes ont tout juste eu le temps de me faire passer dans le tunnel avant d'en refermer l'entrée avec de la terre. J'ai nagé jusqu'à la petite cavité d'eau d'où j'ai vu tout mon peuple mourir et disparaître en quelques minutes. Une fois le lac rempli de cette substance maléfique, les sables mouvants ont considérablement ralenti. J'ai donc eu le temps de me déplacer et de m'en éloigner. J'ai traîné avec moi ma petite cavité d'eau en creusant la terre devant moi et en la replaçant derrière.

— Vous vous êtes déplacée longtemps ainsi ? demanda Satria, compatissante.

— Jusqu'à ce que je sois certaine de m'en être suffisamment éloignée. J'ai passé des jours et des nuits, à creuser la terre de mes propres mains, seule...

Le regard d'Adèle s'assombrit et une larme coula sur sa joue.

— Pourquoi nous avez-vous envoyé ce message ? demanda Satria.

— Et comment se fait-il que vous sachiez qui nous sommes ? enchaîna Tolyco.

— Si vous me le permettez, je vais continuer mon récit afin de vous éclairer à ce propos, répondit Adèle, qui avait retrouvé sa prestance.

— Bien entendu, dit Satria en baissant la tête.

La reine opina légèrement et poursuivit.

— Comme je vous l'ai dit, j'ai réussi à m'éloigner suffisamment du tourbillon pour pouvoir rester en sécurité jusqu'à ce que quelqu'un vienne me secourir... mais personne n'est venu. J'ai donc décidé de rassembler ma force magique afin d'envoyer un message. Cela m'a pris beaucoup de temps – la magie des sirènes est fragile et précaire lorsque nous ne sommes pas en groupe. Je n'ai fait que ça pendant plusieurs mois : me concentrer pour assembler mon énergie. Lorsque j'ai su que j'avais réuni suffisamment de magie, quelque chose d'étrange s'est produit… il s'est mis à pleuvoir et une tempête a commencé à se former au-dessus du volcan. Mais elle n'était pas… normale, la pluie s'arrêtait et repartait brusquement, puis les nuages s'estompaient pour devenir plus opaques par la suite. Des rigoles d'eau se sont rapidement formées dans la terre et j'ai pu nager, ou plutôt me traîner, jusqu'au volcan. Il a plusieurs brèches à sa base et je me suis glissée dans l'une d'elles.

— Qu'est-ce qu'il y avait à l'intérieur ? demanda Tolyco, fébrile.

— Je n'ai pas pu me rendre jusqu'au bout, car l'eau s'arrêtait avant… mais j'ai entendu une personne parler. Sa voix se répercutait en écho sur les parois.

— Ce devait être le sorcier qui parlait à quelqu'un, fit remarquer Tolyco.

— J'ai eu cette impression, mais je peux vous assurer que personne ne lui répondait. Je n'entendais qu'une seule voix distincte.

— Qu'est-ce que le sorcier disait ? insista Satria, tendue.

— Que la tempête de Ceithir allait frapper plus fort cette fois, répondit Adèle en se tournant vers le volcan, et que les sorciers et les fées allaient être les principales victimes de ce fléau. Ensuite, il a parlé de vous…

— Comment savez-vous qu'il s'agissait de nous ? interrogea Tolyco en sentant son cœur s'accélérer dans sa poitrine.

— Parce qu'il a nommé vos noms, Satria et Tolyco, répondit-elle en les regardant tour à tour. Il a dit qu'il n'avait pas à se tracasser, car les deux seules personnes susceptibles de l'arrêter étaient au clan Castel et encore trop jeunes pour s'aventurer jusqu'ici. Qu'ainsi rien ne pourrait l'empêcher de mener la tempête de Ceithir à son paroxysme ! J'ai dû partir avant d'en entendre davantage, car les rigoles d'eau s'asséchaient rapidement. J'ai ensuite réfléchi, parce que je voulais initialement envoyer mon message au clan Priséis, mais ce que j'ai entendu dans le volcan m'a fait hésiter. Il était prioritaire d'arrêter d'abord ce sorcier. J'ai donc décidé d'utiliser mes pouvoirs pour vous transmettre un message…

— Et vous nous avez montré le volcan et le gouffre, déduisit Satria.

— Oui. Je tenais à ce que vous preniez conscience des dangers qui allaient jalonner votre route.

— Le sorcier a-t-il précisé ce qui faisait de nous les deux seules fées capables de le stopper ? demanda Tolyco.

— Non, je n'entendais pas bien et ce sont seulement quelques bribes de phrases qui me sont parvenues.

— Vous ne savez pas comment il nous connaissait ? Ou a-t-il mentionné par quels moyens nous pourrions l'arrêter ? insista Tolyco, perplexe.

La reine secoua la tête de gauche à droite, faisant onduler ses cheveux autour de son visage.

— Qu'avez-vous donc de plus que les autres fées ? interrogea-t-elle, songeuse.

— Nos pouvoirs sont… différents, expliqua Tolyco en se demandant où cette discussion pouvait mener, car elle ne voyait pas en quoi cela pouvait les aider.

— Nous sommes nées là bas…, admit Satria.

— Vraiment ? dit Adèle en haussant un sourcil. Ce ne peut pas être un hasard.

— Mais quelle différence cela peut-il faire ! s'emporta Tolyco en faisant les cent pas. Nous ne savons pas davantage comment l'arrêter.

— Peu importe la façon dont vous vous y prendrez, rétorqua Adèle. Vous êtes les seules à pouvoir tenter quelque chose.

Elle se tourna de nouveau vers le volcan recouvert de nuages menaçants.

— La tempête est revenue depuis quelques jours et cette fois-ci, elle paraît plus stable, plus solide. Je crois qu'elle peut sévir à tout moment. Vous ne pouvez pas abandonner.

— Et vous ? Qu'allez-vous faire ? Si nous allons dans ce volcan, il se peut que nous ne revenions jamais. Personne ne pourra alors vous venir en aide.

Le regard d'Adèle s'assombrit.

— J'ai déjà sacrifié mon peuple en prenant une mauvaise décision, je ne recommencerai pas. Combien de morts y aura-t-il si cette tempête n'est pas arrêtée ? Si je dois mourir, mon sacrifice aura valu la peine, car j'aurai déployé tous les efforts pour sauver ce monde qui est le nôtre.

Tolyco croisa les bras et ne répondit rien.

— Si nous réussissons à sortir vivantes de ce volcan, nous enverrons des secours, promit Satria.

— Je vous remercie, répondit la reine en faisant une révérence. Soyez prudentes…

Elles s'envolèrent après avoir jeté un dernier coup d'œil à cette étrange reine dépourvue de royaume.

28

Le volcan Brôme

ELLES ÉTAIENT à présent beaucoup plus près du volcan, dont elles voyaient la large base qui montait vers le ciel. Son extrémité se terminait abruptement et l'on pouvait deviner, au centre, un large trou béant qui s'ouvrait comme une cheminée. La tempête faisait rage au-dessus du cratère. La pluie et la foudre se manifestaient avec plus d'insistance, se joignant aux nuages menaçants qui roulaient dans le ciel. Tolyco proposa à Satria qu'elles volent à travers les arbres. Cela les ralentirait, mais elles seraient moins visibles de loin. Elles zigzaguaient entre les branches noircies sans trop s'éloigner l'une de l'autre. Maintenant qu'elles y étaient, Satria éprouvait une certaine fébrilité, comme si elle avait hâte d'en finir, mais elle appréhendait tout de même ce qui les attendait dans le ventre du volcan. Léo était toujours présent dans son esprit et elle s'efforça de rester concentrée.

Plus loin, la forêt laissait place à une étendue de sable qui nimbait le volcan d'un inquiétant halo rouge. Elles s'arrêtèrent en prenant bien soin de rester dissimulées par les arbres.

— Ce n'est pas une grande distance qui nous sépare du volcan, déclara Tolyco après avoir évalué les alentours.

Si nous y allons en vitesse, nous pourrons nous faufiler dans l'une des crevasses avant qu'on ne détecte notre présence.

Il y avait effectivement de larges fissures sur les parois. Elles pouvaient voir un mince filet d'eau qui s'en échappait pour aller se perdre dans le sable rouge.

— Je ne sais pas…, c'est risqué, hésita Satria.

— Si tu préfères, on peut passer par en haut, mais là, on fera une entrée un peu plus remarquée…

— Non… tu as raison. Nous passerons dans cet interstice, là-bas, dit-elle en pointant une fente étroite, mais suffisamment haute pour qu'elles puissent s'y glisser.

— D'accord. Tu es prête ?

Satria était pâle, mais elle hocha la tête avec vigueur.

— On fonce à trois… un… deux… trois !

Elles décollèrent sans hésitation. Satria sentit l'adrénaline monter en elle lorsqu'elle se retrouva à découvert. Tolyco la suivit, ses pieds frôlaient le sol tandis que ses ailes battaient l'air. Sa tête pivotait constamment pour s'assurer que personne ne les suivait. Elles arrivèrent au volcan sans encombre et Satria s'engouffra dans la crevasse, suivie de près par Tolyco.

Elles s'immobilisèrent aussitôt, aux aguets. Seuls les bruits constants de la pluie qui tambourinait et du tonnerre qui grondait résonnaient contre les parois.

— Allons-y, décida Tolyco après un moment.

Elle s'enfonça dans le cœur du volcan et Satria lui emboîta le pas. À la première courbe, une noirceur totale les enveloppa. Satria approcha sa main de son visage et sentit ses doigts toucher son nez sans les voir. Elles palpèrent les murs pour se guider. Le sol sous leurs pieds était accidenté et les fit trébucher sur les roches acérées. Elles progressèrent lentement, en silence, attentives au moindre bruit. La galerie s'élargit tant qu'elles ne pouvaient toucher les parois qu'en ouvrant les bras.

— Tu entends ça ? demanda Satria d'une petite voix.

— Quoi ? souffla Tolyco en s'arrêtant net, tous les sens en alerte.

— Écoute !

Il y avait effectivement un son, une plainte qui se répercutait en écho sur les murs. Elles discernaient une voix grave qui répétait les mêmes mots incompréhensibles, comme un bourdonnement continuel.

— C'est le sorcier, tu crois ? murmura Satria.

— Je ne sais pas, mais il y a un seul moyen de le savoir.

Elle reprit la marche et Satria la suivit en écarquillant les yeux pour essayer de contrer la noirceur qui les encerclait. Le son s'amplifiait au fur et à mesure qu'elles se rapprochaient et, après une bifurcation, elles virent de la lumière.

Il s'agissait d'un pâle éclat lointain, mais c'était suffisant pour leur assurer une meilleure visibilité.

Elles accélérèrent et arrivèrent au bout de la galerie dont les murs s'étaient rapprochés, ne laissant qu'une mince brèche qui les obligea à se placer l'une derrière l'autre. Tolyco risqua un œil par l'ouverture.

Elles étaient dans le volcan et la caverne circulaire que Tolyco vit était relativement vaste et entièrement recouverte d'obsidienne, une roche volcanique noire et luisante. Une silhouette encapuchonnée était de dos et plaçait des objets que Tolyco ne pouvait identifier sur une table de marbre. La tempête qui faisait rage à l'intérieur était étrangement enfermée dans une sphère bleutée, au-dessus du sol. Elle produisait des éclairs, des tremblements de terre, de la pluie et des rafales qui n'atteignaient pourtant pas le sorcier qui continuait ses préparatifs. Tolyco remarqua tout de suite la différence entre la scène qu'elle avait vue dans les Contes à l'encre noire et ce qui se déroulait devant ses yeux. Ici, le sorcier était protégé de la tempête grâce à la sphère. Cela voulait donc dire qu'il avait de fortes chances de réussir là où les autres avant lui avaient échoué.

Tolyco vit quelque chose à sa droite. Elle détourna la tête et étouffa un cri de surprise en sursautant violemment. Une horrible tête déformée la dévisageait, ses yeux vides et gris à quelques centimètres des siens.

— Quoi ? Qu'est-ce qu'il y a ? demanda Satria en empoignant le bras de Tolyco.

— Rien… ça va. C'est… ce n'est qu'une statue.

Elle regarda plus attentivement la gargouille tournée vers elle dont le visage était à mi-chemin entre celui d'un cheval et celui d'un loup. Son corps en pierre dépourvu de cou se terminait sur de longues pattes. La bête à la gueule béante était assise. Tolyco remarqua que trois autres gargouilles identiques étaient disposées à chacun des points cardinaux autour du sorcier, mais la seule qui était tournée vers le mur était celle qui regardait Tolyco, impassible.

Tolyco recula pour rester cachée et expliqua à Satria ce qu'elle avait vu.

— Quoi ? Comment se fait-il qu'elle soit tournée vers nous ! s'exclama Satria lorsque Tolyco eut terminé de lui expliquer. Tu crois qu'elle est… vivante ?

— Non, je suis certaine que non, répondit Tolyco comme si elle essayait de se convaincre elle-même. Les sorciers ne sont pas suffisamment puissants pour animer des objets. Je ne l'ai pas vu se tourner, elle a dû être placée comme ça.

— Et si ce n'était pas un sorcier ? Tu n'as pas vu son visage, n'est-ce pas ? demanda Satria.

Tolyco n'ajouta rien et risqua encore un œil à l'intérieur du volcan.

— Écoute, renchérit-elle, je suis certaine que c'est un sorcier… et Léo aussi le croyait. Il est seul et d'après ce que j'ai vu, il est sur le point de faire éclater la tempête, alors nous devons tenter quelque chose.

— Que proposes-tu ? demanda Satria, sur qui le nom de Léo semblait avoir agi comme un stimulant.

— Il doit avoir un bouclier de protection, comme Léo nous l'avait dit. Je lancerai du feu pour essayer de briser son bouclier et pour détourner son attention. Pendant ce temps, tu feras descendre la pluie pour créer un mur d'eau qui l'aveuglera. Et si tu peux, tu tenteras de percer le bouclier avec l'eau…

Satria hocha la tête en fronçant les sourcils.

— Je vais essayer. Allons-y.

Tolyco sortit précautionneusement de la brèche. La statue toujours tournée dans leur direction n'avait pas bougé. Elle vola rapidement jusqu'à la gargouille située au sud et se cacha derrière. Satria sortit du trou à son tour et resta derrière la créature de pierre qui la regardait de ses horribles yeux vides. Elle fit un signe à Tolyco et le feu jaillit des paumes de cette dernière, qui visa et lança la flamme de toutes ses forces sur le sorcier. Le feu ne l'atteignit pas, mais éclata sur un mur invisible qui se dressait à quelques mètres de lui. Le sorcier se figea lorsqu'il sentit bouger la paroi du bouclier. Satria avait déjà commencé à rassembler la pluie afin de former une masse compacte, mais c'était difficile, car la tempête était forte et elle avait l'impression de la combattre pour lui soutirer son eau. La vibration de son cœur s'emballa, mais elle s'obligea à rester calme. Elle vit du coin de l'œil Tolyco projeter de nouveau du feu contre le dôme de protection sans attendre que les flammes touchent la cible pour en produire encore et les lancer de toutes ses forces. Ses efforts ne furent pas vains, car Satria vit le mur invisible devenir légèrement opaque et trembler à chaque nouvelle charge. Jugeant qu'elle avait recueilli suffisamment d'eau, Satria se concentra pour assembler la masse liquide. Elle dirigea le raz de marée vers le dôme qui vibra sous l'impact. C'était trop difficile, elle ne pouvait asséner son pouvoir sur tant d'eau à la fois. Elle perdit de la force et l'eau glissa sur l'écran protecteur. Elle ne pouvait presque plus distinguer le sorcier, car la sphère opaque et la fumée le masquaient.

Elle s'apprêtait à tenter de rassembler l'eau lorsqu'une voix forte prononça :

— *Gurgulio Impetum* !

La voix résonna sur les parois sombres du volcan et figea Satria. Elle ne savait pas ce que ce sortilège voulait dire, mais elle sentit que quelque chose s'était produit à son invocation. Elle tourna la tête et vit la gargouille près de Tolyco s'animer. La créature prit la fée par la taille et lui flanqua un coup d'épaule qui lui fit perdre connaissance. Satria s'envola immédiatement, mais une patte froide et dure lui attrapa la cheville et la tira si brutalement qu'elle s'écrasa au sol en se cognant durement la tête. La dernière chose qu'elle vit avant de s'évanouir fut une paire d'yeux en pierre qui la fixait.

29

Le phénix

UNE PUISSANTE NAUSÉE, suivie d'un mal de tête insoutenable, réveilla Satria. Elle poussa un gémissement et voulut palper sa tête lorsqu'elle réalisa qu'elle ne pouvait bouger les bras. Elle entrouvrit les paupières.

Elle était debout, les bras et les jambes solidement retenues par la gargouille. La créature retenait ses ailes entre ses dents pointues et, au moindre mouvement, elles seraient déchiquetées. La gargouille avait placé une de ses larges pattes autour de son cou et lui enserrait la gorge, l'empêchant ainsi de tourner la tête.

Tolyco était à ses côtés, retenue elle aussi par une gargouille et sa tête inerte tombait contre sa poitrine. Ses gémissements et sa respiration de plus en plus forte indiquèrent à Satria qu'elle était sur le point de reprendre connaissance.

Elles se trouvaient à présent au beau milieu du volcan. Le noyau de la tempête crachait son fléau au-dessus de leurs têtes sans les atteindre. Devant elles se trouvaient la table noire où étaient disposées quatre pierres précieuses à chaque point cardinal.

Tolyco se réveilla enfin. Elle redressa lentement la tête et regarda Satria, un peu perdue. Ses mains étaient collées contre son corps et la fée-d'eau la vit produire des flammes instinctivement, mais elle ne pouvait pas les lancer.

— Ah… Tolyco et Satria…

La voix qui susurrait à l'oreille de Satria la fit sursauter. Elle voulut se retourner, mais n'y parvint pas. Tolyco, qui n'était pas entravée, tourna lentement la tête et ses yeux fixèrent un point derrière Satria. La peur se peignit sur son visage. Ses yeux s'agrandirent et ses mains commencèrent à s'agiter malgré elle pour se libérer. Elle se débattait tout en continuant de fixer la même chose hors du champ de vision de Satria. Ses mains tremblaient et le feu dans ses paumes s'était éteint.

La réaction de Tolyco effraya Satria. Un froissement lui indiqua que quelqu'un se déplaçait derrière elle. Lentement, l'individu fit le tour de la gargouille et se plaça devant Satria. Elle comprit aussitôt leur immense erreur. Elles n'auraient jamais dû se rendre jusqu'au volcan seules. Elles n'auraient jamais dû croire qu'elles pouvaient venir à bout de la menace. Elles auraient dû retourner au clan Priséis et demander de l'aide, mais toute l'aide disponible aurait probablement été insuffisante face à elle.

— Vous…vous êtes…, bafouilla Tolyco.

— Une sorcière… oui.

La voix était froide, rauque et profonde… mais indubitablement féminine. Satria recula contre la pierre malgré elle.

Celle qui se tenait devant Satria et Tolyco arborait une cape vermeille et une robe noire entrelacée de fils ressemblant à des toiles d'araignées. Son visage était étrangement saillant, on pouvait deviner la forme de son crâne osseux et ses joues creuses semblaient taillées à la serpe. Satria tressaillit lorsqu'elle vit les yeux de la sorcière. Ils restaient constamment dans l'ombre, comme s'ils étaient creusés dans leurs orbites. Ses cheveux noirs et bouclés étaient rêches et partaient dans toutes les directions.

La sorcière s'approcha de Satria. Elle bougeait étrangement, comme si son corps se désarticulait à chacun de ses mouvements. Même avec son visage à quelques centimètres du sien, Satria n'arrivait pas à voir ses yeux qui se terraient dans l'ombre, formant deux taches sombres sur son visage émacié. La sorcière semblait se délecter de sa peur et resta parfaitement immobile pendant un long moment.

Satria ne savait pas si c'était une technique pour mettre ses nerfs à vif, mais si tel était le cas, le stratagème fonctionnait à merveille. La sorcière s'approcha davantage et Satria eut un mouvement de recul en voyant la petite bourse attachée à sa ceinture. Elle contenait une poudre blanche, que Satria savait mortelle.

Tolyco brisa le silence intenable.

— Je croyais qu'il n'y avait plus de sorcières, qu'elles avaient toutes été pourchassées et tuées.

Ce n'était pas la chose à dire. Les cavités insondables des yeux de la sorcière s'assombrirent davantage et elle se tourna vers Tolyco avec une telle rapidité que cette dernière tressauta. Satria ne savait pas si c'était l'effet de son imagination, mais elle avait l'impression que la poigne de la gargouille s'était resserrée sur sa gorge. Elle leva la tête et tenta de mieux inspirer.

— Vraiment ? persifla la sorcière, hors d'elle. Mais je ne suis pas n'importe quelle sorcière.

Tolyco déglutit en observant son visage fantomatique.

— Je m'appelle Nix. Et je suis probablement la sorcière la plus puissante à ce jour.

Elle avait parlé en détachant chaque syllabe distinctement.

— C'est certain que vous êtes la plus puissante si vous êtes la seule, railla Tolyco.

— Pourquoi croyez-vous que je suis la seule ?

— On nous enseigne à tous que les sorcières étaient maléfiques et qu'elles avaient été combattues et vaincues. Il n'en existerait plus aucune aujourd'hui… exception faite de vous.

— Alors, c'est ce que vous croyez, qu'il n'y a plus de sorcières, s'emporta Nix qui se détourna de Tolyco avec violence. Et vous pensez que nous sommes démoniaques !

— Eh bien… vous ne faites pas grand-chose pour aider votre cause…, ne put s'empêcher de faire remarquer Tolyco en désignant du menton les gargouilles qui les retenaient prisonnières.

— Je suis ce que vous avez fait de moi ! rugit la sorcière en se cabrant comme un animal sauvage. Nous ne sommes pas plus démoniaques que les fées ou les sorciers ! Ils ont inventé ce prétexte pour pouvoir nous détruire. Ils étaient prêts à tout pour nous empêcher de vivre. Ils nous ont dépeints comme des monstres alors que nous n'étions pas plus cruelles qu'eux !

— C'est absurde, pourquoi auraient-ils fait ça ? protesta Satria d'une voix étouffée.

— Parce que les sorcières sont plus puissantes que les sorciers ! aboya Nix. Beaucoup plus puissantes. Les sorciers étaient incapables de tolérer que nous soyons meilleures qu'eux. Ils ont donc répandu la rumeur que nous étions malfaisantes et ils nous ont chassées.

Satria sourcilla. Elle avait déjà lu plusieurs livres sur le sujet. Les sorcières étaient en effet très puissantes, beaucoup plus que les autres créatures magiques, beaucoup plus que les sorciers, mais dans tous les livres, il était écrit qu'elles étaient méchantes, cruelles, et que leurs pouvoirs provenaient de sources démoniaques, ce qui les rendaient dangereuses. Elles devaient donc être pourchassées et tuées. Cette idée était si ancrée dans la tête des gens que personne ne s'offusquait de cela. Tuer une sorcière, ce n'était pas tuer un être vivant, mais un démon.

— Si vous êtes si puissantes, comment ont-ils réussi à vous détruire ? demanda alors Tolyco.

Nix ouvrit la bouche pour répondre, mais Satria la devança :

— Parce que vous étiez moins nombreuses.

Elle se souvenait des livres qui mentionnaient cette information.

— Exact, approuva Nix. Il existait très peu de sorcières, et leurs pouvoirs avaient beau dépasser de loin ceux des sorciers, elles ne pouvaient combattre une armée d'êtres magiques. Elles ont donc décidé de s'enfuir et elles vivent depuis ce temps dans l'anonymat. Il existe quelques villages retirés constitués exclusivement de sorcières qui ont décidé de rester cachées… car nous ne pourrons pas survivre à une autre guerre.

La voix de Nix trahissait sa colère et elle avait enfoncé ses ongles dans sa peau en parlant.

— Mais ça suffit. Le jour de la vengeance est enfin arrivé…

Elle se tourna lentement vers la table.

— Mon peuple ne sera plus dans l'ombre. Je vais leur montrer, aux sorciers, aux fées et aux humains, de quoi nous sommes capables. Lorsque la tempête de Ceithir s'abattra sur eux, ils ne pourront rien faire pour se protéger.

— Vous ne pouvez pas faire ça ! explosa Tolyco en se débattant.

Nix resta immobile un instant, puis tourna son visage décharné vers Tolyco. Sa bouche était tordue en une expression de rage et sa voix siffla comme l'aurait fait un serpent :

— Savez-vous ce que c'est que de voir son peuple exterminé devant ses yeux, d'être constamment pourchassée et de vivre dans la crainte que quelqu'un vous démasque?

Tolyco resta muette.

— Non. Vous n'en avez aucune idée. Ça fait des années que j'attends ce moment. Des années que je m'y prépare. J'ai perfectionné mes pouvoirs afin que rien ne se mette en travers de mon chemin. Pas même vous.

Elle retourna à sa table et se mit à réciter des incantations en posant le bout de ses doigts sur les pierres précieuses. La tempête sembla prendre de l'ampleur. Tolyco tourna la tête vers Satria. Le feu couvrait toujours ses paumes et elle chauffait sa peau comme elle l'avait fait avec le minotaure, mais la gargouille restait parfaitement indifférente au changement de température. Elle forma les mots silencieux sur ses lèvres: «détourne son attention». Satria hocha la tête.

— Comment nous connaissez-vous? l'interrogea Satria.

— Peu importe, répondit la sorcière qui saisit une plume et traça des cercles sur la table autour des quatre pierres précieuses.

— Je crois au contraire que c'est important, insista Satria. Je sais que vous avez dit que Tolyco et moi étions les deux seules fées capables de vous arrêter…

Le corps de Nix se figea et sa tête se tourna comme si elle s'était disloquée.

— Comment savez-vous ça? demanda Nix d'une voix menaçante.

— Quelqu'un vous a entendue le dire, et nous a envoyé un message pour nous prévenir…

Nix éclata d'un rire vide et dépourvu de joie.

— Alors, cette personne n'a pas tout compris, déclara-t-elle en se tournant davantage. Ce que j'ai dit, en fait, est que si vous aviez reçu la bonne formation, vous auriez peut-être été des adversaires à ma taille… mais je suis très bien informée. Je savais qu'Amonialta vous considérait comme des exceptions, ce que vous êtes, mais elle ne voyait pas le potentiel qui sommeillait en vous… pour mon plus grand plaisir.

— Je ne comprends pas…, dit Satria, troublée. Comment savez-vous qui nous sommes ?

Nix lâcha sa plume, prit un sablier et le posa sur la table. Tandis que le sable commença à s'écouler rapidement, elle s'approcha de Satria, son visage squelettique luisant sous la lumière des éclairs qui éclatait au-dessus de leurs têtes. Nix était maintenant tout près de Satria, se délectant de la peur qui irradiait d'elle.

— Je peux bien vous le dévoiler… Disons que ce sera votre dernière volonté.

Les ombres de ses yeux dévisageaient Satria et elle enchaîna :

— Il y a un puissant sorcier… c'est le seul qui respecte les sorcières et leur pouvoir. Il n'est pas du genre à s'arrêter aux préjugés… il a su voir mon potentiel et m'a aidée à le développer. Bref, ce sorcier m'a transmis la formule de la tempête de Ceithir il y a de cela plusieurs années, lorsque j'ai fait mon premier essai. Eh oui ! ajouta Nix en voyant le visage de Satria se décomposer, ce n'est pas la première fois que je fais naître cette tempête qui atteint son paroxysme quand se conjuguent les quatre éléments : le feu, la terre, l'air et l'eau. J'avais besoin de quatre pierres précieuses, représentant chacune un élément. Je savais que j'obtiendrais le maximum de pouvoir en utilisant des pierres dotées d'un pouvoir magique. Ce que j'ai fait.

— Des gemmes de fées, comprit Satria qui sentit monter en elle un sentiment de dégoût.

— Exactement, se délecta Nix. J'ai volé quatre gemmes magiques qui auraient, en temps normal, donné la vie. J'avais besoin de leur pouvoir et la vie hypothétique de quatre fées était un bien piètre sacrifice pour que je puisse parvenir à mes fins. Il y avait un rubis pour le feu, une émeraude pour la terre, un diamant pour l'air et un saphir pour l'eau. Je suis venue ici, dans ce même volcan, il y a des années de cela, pour commencer ma tâche. J'ai patiemment attendu que les conditions soient parfaites, et lorsqu'elles furent réunies, mon travail pouvait commencer. Mais voilà, quelque chose que je n'avais pas prévu arriva… Les gemmes se sont mises à tourner sur elles-mêmes sans que je puisse les arrêter. Je n'arrivais plus à exercer mon pouvoir sur la tempête qui s'est déchaînée sur les gemmes et moi. Je croyais que j'étais perdue, mais alors même que je pensais mourir, la tempête a enveloppé les pierres et les a fait exploser. La force de la détonation m'a violemment propulsée sur la paroi du volcan et je me suis évanouie. Lorsque je suis revenue à moi, la tempête s'était dissoute et je savais que j'avais échoué, mais je n'étais plus seule. Il y avait des bébés ailés sur la table… des fées.

— Mais…

Satria chercha ses mots :

— C'était nous, les fées…, marmonna-t-elle, le cœur battant.

Nix hocha la tête lentement.

— Lorsque je me suis approchée, j'ai vu les quatre gemmes qui se trouvaient toujours sur la table… à vos côtés.

Satria ignorait ce que cela impliquait. Comment était-ce possible ? Leurs gemmes ne se trouvaient donc pas dans leur corps…

— Je suis partie avant de me faire repérer, continua Nix. Voyez-vous, il y avait beaucoup plus de Bannis qui rôdaient dans les environs à l'époque. Ils auraient bien aimé mettre la main sur une sorcière.

— Vous êtes certaine que c'était bien nous ?

— Oui. Vos ailes avaient déjà ces mêmes couleurs particulières…, lui certifia Nix.

— Vous nous avez abandonnées ici ! s'indigna Satria.

— Bien entendu ! s'exclama Nix. Je n'en avais rien à faire de vous. Je croyais que je pouvais laisser la nature s'occuper du reste, mais voilà, j'ai appris par la suite que vous aviez malheureusement survécu.

— Je ne comprends pas, dit lentement Satria en inspirant bruyamment. Comment se fait-il que les gemmes se trouvaient encore sur la table ?

Elle jeta un regard sur le sablier dans lequel le sable continuait inlassablement de s'écouler. La tempête faisait toujours rage au-dessus de leur tête. Satria n'osait pas regarder Tolyco, de peur que Nix s'aperçoive de quelque chose, mais elle espérait qu'elle avait vraiment un plan en tête et qu'elle pourrait bientôt le mettre à exécution.

— Je ne le savais pas au début, répondit Nix calmement. Lorsque j'ai su que vous étiez toujours en vie, j'ai fait des recherches. Je voulais savoir si vous pouviez constituer une menace pour moi.

— Qu'avez-vous trouvé ? demanda Satria, fascinée.

La bouche de Nix se déforma en un rictus.

— Cela m'a pris trois ans avant d'obtenir ne serait-ce qu'un semblant d'explication. Tous les écrits que j'ai consultés et les savants les plus érudits que j'ai soudoyés étaient catégoriques : il était impossible pour une fée de survivre si la gemme qui l'avait créée ne se trouvait pas à l'intérieur d'elle-même. Le phénomène ne s'était jamais vu auparavant. Il était même impensable. J'ai finalement réussi à trouver quelqu'un qui avait longuement réfléchi à la possibilité qu'une fée naisse sans qu'elle porte sa gemme en elle et aux conséquences que cela pourrait entraîner.

— Qui était-ce ? Qui vous a donné ces explications ?

— Un sorcier puissant et très intelligent. Le même qui m'a expliqué comment produire la tempête de Ceithir. Il m'a dit qu'il se pouvait qu'une fée naisse séparée de sa gemme, même si cela ne s'était encore jamais produit. Il a donné un nom à ce phénomène unique : le « phénix ». Il l'a appelé ainsi parce que ce mot désigne une chose rare, unique, exceptionnelle. D'après ses conclusions, votre magie serait très puissante et inhabituelle. Votre gemme n'étant pas à l'intérieur de vous, la magie n'est plus contenue dans la pierre, mais dans tout votre corps. Il n'y a donc pas de limites à vos pouvoirs. Il était très intéressé par votre cas. Il disait que vous étiez exceptionnelles... mais comme personne ne reconnaissait vos talents, ils sont restés inexploités et maintenant... vous ne servez plus à rien, vous êtes des fées inutiles...

Satria, ébranlée par les révélations de Nix, demanda :

— Mais... qu'est-il advenu des deux autres fées ?

— Qui ?

— Les deux autres fées ! insista Satria. La fée-d'air et la fée-de-terre ! Qu'est-il advenu d'elles ?

Nix resta interdite un instant, puis elle s'approcha, posa les mains sur la gargouille de chaque côté de Satria et parla comme si elle s'adressait à une enfant :

— Tu n'as rien compris... il n'y a pas d'autres fées. Il n'y a que vous deux. Le rubis et l'émeraude se sont touchés au moment de l'explosion, tout comme le diamant et le saphir. Satria, tu es une fée-d'eau et d'air. Tolyco est une fée-de-feu et de terre. Les deux éléments sommeillent en vous et vos caractéristiques physiques le prouvent. C'est ce qui est encore plus incroyable... vous avez créé un événement sans précédent. C'est presque dommage que vous deviez mourir, ajouta-t-elle en s'éloignant vers la table.

— Quoi, comment ça ? demanda Satria d'une petite voix.

— Votre présence ici m'a d'abord prise au dépourvu, avoua la sorcière en touchant du bout des doigts les pierres précieuses, mais je dois avouer que vous m'avez donné une idée. Voyez-vous, je craignais que la tempête ne m'emporte, mais je vais vous utiliser… comme bouclier. Vous aurez donc l'honneur d'être sacrifiées pour que je puisse mener à bien ma mission.

Satria, qui respirait laborieusement, remarqua pour la première fois les sortes de pierres qui se trouvaient sur la table.

— Ces pierres précieuses… ce sont nos gemmes ? Les mêmes que vous avez utilisées la dernière fois ?

— Absolument ! confirma la sorcière. Je me suis procuré ces gemmes au prix de grands efforts et maintenant qu'elles ne peuvent plus donner la vie, je n'ai plus rien à craindre d'elles.

Le sable cessa de s'écouler et Nix prit le sablier dans ses mains.

— C'est l'heure maintenant.

La sorcière était face à la table, Satria et Tolyco pouvaient voir son profil se dessiner sur le fond noir du volcan. Nix prit une grande inspiration en levant les yeux vers le ciel. Lentement, elle laissa tomber sa tête vers Satria. L'ombre dans ses orbites était noire comme de l'encre et un sourire cruel soulevait ses lèvres.

— J'adore la vengeance, elle me rend encore plus puissante, dit-elle d'une voix doucereuse.

La tempête avait en effet doublé d'ampleur et elle semblait plus menaçante que jamais. Un grondement continu s'élevait du tumulte au-dessus d'elles. Le vacarme provenant de l'extérieur du volcan leur indiquait que c'était bien pire dehors.

Nix leva les bras et fit glisser ses mains dans le vide. La tempête suivit aussitôt ses mouvements dans un synchronisme parfait.

— Elle est en mon pouvoir! hurla Nix avant de partir d'un rire démentiel.

30

Au cœur de la tempête

Tolyco, encore sous le choc des révélations de Nix, s'était rapidement aperçue que la chaleur n'avait aucun effet sur la gargouille. Elle avait par contre remarqué que la statue ne semblait plus animée. Peut-être fallait-il que la sorcière les commande pour qu'elles bougent?

Tolyco avait réussi à se glisser légèrement entre les bras puissants qui l'entourait et ses deux pieds étaient maintenant posés sur le sol. Elle fléchit les genoux et donna une poussée vers l'arrière. La statue bougea à peine et reprit aussitôt sa place. Tolyco recommença, mais dès qu'elle retoucha le sol, elle se servit de son élan pour pousser de toutes ses forces et créer un effet de balancier. La statue commença à tanguer de plus en plus fort et Tolyco souhaita qu'elle ne tombe pas vers l'avant. L'impact de la statue sur le sol ressemblait au grondement du tonnerre. Elle donna un dernier élan en lâchant un grognement et la gargouille resta pendant un instant en équilibre. Lentement, comme au ralenti, elle s'écrasa sur le sol dans un bruit fracassant et éclata en morceaux.

Tolyco sentit que la pression des dents sur ses ailes s'était relâchée et elle repoussa avec rapidité les morceaux qui la recouvraient. Une fumée blanche passa tout près de son oreille. Tolyco ne mit pas longtemps à identifier d'où cela provenait. Nix la regardait, furieuse, de la poudre blanche à la main. La sorcière lança la poudre et un autre jet de fumée blanche et meurtrière fonça sur Tolyco, qui eut tout juste le temps de l'esquiver avant qu'elle ne s'abatte sur la gargouille, la faisant voler en éclats.

Tolyco roula sur le sol en faisant vibrer sa gorge et lorsqu'elle se releva, du feu jaillissait de ses paumes. Elle le lança sur Nix qui ne put l'éviter. Un pan de sa cape s'enflamma et elle se cacha rapidement derrière la table afin d'échapper à Tolyco.

Cette dernière ne perdit pas une seconde et vola jusqu'à Satria qui était toujours prisonnière. Elle prit de la vitesse et se rua vers la gargouille qu'elle percuta de toutes ses forces. Une douleur fulgurante lui vrilla l'épaule tandis que la statue basculait lentement sur le côté jusqu'à ce qu'elle s'écrase au sol. Des gravats se dispersèrent partout.

Brusquement, Nix sortit de derrière la table, sa cape brûlée fumait toujours, mais le feu était éteint. Sans attendre, elle lança une autre poignée de poudre blanche en direction des deux fées qui roulèrent au sol pour l'éviter. Elles se recroquevillèrent derrière les restes de la gargouille et virent passer au-dessus de leurs têtes un éclair blanc.

— Tu dois prendre les gemmes, dit Tolyco à Satria en regardant par-dessus son épaule. Pendant ce temps, je vais la distraire.

— Je ne crois pas que ça va arrêter la tempête.

— On doit essayer.

— D'accord, sois prudente, conseilla Satria en se soulevant sur ses pieds.

Tolyco vola dans le volcan en longeant les parois noires. Nix la décela aussitôt et l'attaqua tandis qu'elle répliquait avec ses flammes.

Elles menaient un combat étourdissant et Satria en profita pour s'approcher furtivement de la table noire.

Les quatre pierres précieuses étincelaient sous la lumière des éclairs. Satria ouvrit son sac et y déposa rapidement les gemmes, le diamant était lourd dans sa main et son pouce frotta sa surface lisse.

Maintenant que Nix lui avait expliqué pourquoi elle était différente, elle avait l'impression que l'air, l'élément qu'elle avait toujours refoulé au fond d'elle, était présent, bien vivant, et qu'il frémissait en elle. Un éclat blanc détourna son attention. Elle vit Tolyco courber le dos pour éviter de justesse l'attaque de Nix et elle eut l'impression, pendant un instant, de revoir Léo tomber dans le gouffre. Un bouillonnement de rage s'empara d'elle et elle marcha droit vers la créature malfaisante qui lui tournait le dos. Lorsqu'elle fut à sa hauteur, Nix fit volte-face et Satria lui asséna un coup de poing percutant au visage. Tandis que la sorcière perdait l'équilibre, quelque chose s'échappa de sa cape. Un médaillon. Satria tendit sa main par réflexe et l'arracha du cou de la sorcière alors que celle-ci tombait sur le sol. Elle l'observa une seconde et y reconnut le même cygne noir que celui qu'elle avait vu dans la cave du sorcier Nactère.

— La Société du cygne noir, lâcha Satria dans un souffle. Vous en faites partie…

Tolyco arriva aux côtés de son amie. Dans sa paume couvaient des flammes et elle les dirigea vers Nix pour la décourager de faire un seul mouvement.

Nix se tenait la joue à deux mains et sa bouche était tordue de douleur, mais les deux orbites noires et osseuses qui trouaient son visage étaient provocantes.

— Évidemment que j'en fais partie. Seuls les meilleurs avaient le privilège d'être membres de cette société, cracha-t-elle. Le sorcier qui a fondé la Société du cygne noir est aussi celui qui m'a indiqué comment produire la tempête de Ceithir, le même qui vous a baptisé les fées-du-phénix.

Satria sentit soudainement une poigne froide et dure lui enserrer le cou. Un râle s'échappa de ses lèvres alors que sa gorge était comprimée douloureusement.

La patte massive de la gargouille l'étouffait. Tolyco lança instinctivement son feu, mais les flammes s'éteignirent sur la pierre. Nix s'était relevée et la poudre dans sa main brilla, signe qu'elle allait attaquer. Tolyco s'envola pour éviter avec plus d'aisance les assauts de son ennemie, folle de rage. Elle envoya des charges puissantes sur Tolyco qui dut les esquiver de justesse en feintant rapidement.

De ses mains, elle essayait de dégager la poigne d'acier qui lui cintrait la gorge, en vain. Elle tenta de redresser la tête pour laisser passer quelques particules d'air jusqu'au fond de sa gorge, mais la patte se resserra et sa vision se brouilla.

Tolyco voulait l'aider, mais Nix se tenait trop près. Elle lança du feu simultanément à l'attaque de la sorcière et les flammes frappèrent de plein fouet le sortilège qui dévia de sa trajectoire. Il heurta la table noire qui se brisa sous le choc. Cela donna une idée à Tolyco qui s'approcha de Nix. Elle se mit en biais, face à Satria qui se débattait avec de moins en moins de vigueur. Ses cheveux blonds couvraient une partie de son visage, mais Tolyco pouvait voir que ses yeux étaient mi-clos. Ses doigts tentaient de s'insérer entre son cou et la prise de la gargouille pour trouver un peu d'air, mais ses mains ensanglantées s'écorchaient en vain sur la pierre.

Tolyco se trouvait à quelques mètres de Nix. Elle se posa au sol, fit jaillir du feu dans ses paumes brûlantes et attendit, ses yeux en amande plissés sous la concentration. Elle n'aurait qu'une seule chance.

Nix la toisa quelques instants. Elle semblait se demander pourquoi Tolyco restait là, immobile. Les deux taches sombres sur son visage fixèrent intensément la jeune fée, jusqu'à ce que cette dernière sente un frisson remonter le long de son échine. Soudainement, Nix attaqua. Sa main s'ouvrit et de la fumée blanche s'en échappa pour fondre sur Tolyco, qui n'attendait que cela pour lancer son feu en visant avec soin. La charge de Nix frappa le feu de Tolyco et fut déviée sur la gargouille qui étranglait Satria. Le monstre explosa avec une telle force que Satria fut projetée plus loin.

Tolyco secourut sans attendre son amie et passa un bras autour de sa taille. Elle remonta aussi vite qu'elle le pouvait en tenant Satria contre elle, mais elle perdait de la vitesse et avait de la difficulté à la tenir. Elle atterrit derrière les fragments épars d'une statue éventrée, posa Satria sur le sol et jeta un coup d'œil à Nix qui, à l'aide de sortilèges, reconstruisait un bouclier autour d'elle. D'où elles étaient, la sorcière ne pouvait les atteindre.

Tolyco reporta son attention sur Satria. Elle avait les yeux ouverts, mais son souffle était rauque et une large ecchymose s'étalait sur la peau pâle de son cou.

Soudain, la dernière gargouille s'avança en marchant sur ses quatre pattes comme un loup. Elle avait un visage de démon, sa gueule ouverte laissait voir des crocs aiguisés comme des couteaux et elle les dévisageaient de ses yeux aveugles. Tolyco vit Nix à l'abri sous son dôme protecteur. Son visage calme et son sourire sardonique lui indiquèrent qu'elle devait agir vite. Nix allait visiblement ordonner à la gargouille de les attaquer.

Mais Tolyco ne savait pas quoi faire. Son feu n'avait aucun impact sur la gargouille. Si elles sortaient de leur cachette, la sorcière passerait certainement à l'offensive et Satria était encore trop faible pour éviter les charges meurtrières. Tolyco regarda désespérément autour d'elle et aperçut un éclat vert. L'émeraude ! Elle se trouvait dans le sac de Satria qui s'était ouvert.

Elle repensa à ce que Nix avait dit : la terre se trouvait en elle, inutilisée et ignorée depuis toujours. Elle n'avait jamais pensé à l'élément terre, puisqu'on lui avait toujours dit qu'elle appartenait au feu.

Elle leva ses paumes face à la gargouille qui avait courbé le dos et se préparait à sauter sur elles, et cria un «Non!» assourdissant comme elle l'avait fait pour créer du feu la première fois. Cette fois, elle ne fit pas vibrer tout son corps. Elle pouvait sentir le feu qui coulait dans ses veines, partout en elle, mais l'élément terre se trouvait enfoui au fond d'elle-même, comme une racine qui produisait sa propre force.

Elle fit vibrer sa gorge et un chant étrange sortit de ses lèvres.

Brusquement, une onde de choc, comme un tremblement de terre concentré, se répercuta à travers ses paumes et frappa la gargouille. L'attaque était maladroite, cependant la créature se fissura en milliers de morceaux avant de s'affaler au sol, dans un tas de poussière et de fragments de roche.

Un cri de rage retentit au loin.

Tolyco baissa les yeux et vit Satria qui la regardait avec un faible sourire. Elle se releva lentement et massa son cou endolori. Tolyco jeta un coup d'œil à Nix qui s'était détournée d'elles pour se concentrer afin de mener sa tâche à bien. Dans le tumulte, elle pourrait aisément supprimer les fées. Elles devaient percer le bouclier de Nix.

— Tu crois que tu peux construire un mur de pluie pendant que je lance du feu pour percer ses défenses? demanda Tolyco.

Satria essaya de maîtriser l'eau, mais le noyau de la tempête retenait toute la pluie, l'empêchant de l'utiliser.

Tolyco voulut produire du feu, mais toute l'énergie qu'elle déployait était aspirée par les éléments qui se déchaînaient plus haut avec une nouvelle force.

Nix semblait invincible.

— On doit retourner la tempête contre Nix, suggéra Satria.

— Comment?

Satria ne répondit pas tout de suite. Elle regarda par-dessus son épaule et observa Nix. Elle utilisait sa magie avec une facilité déconcertante et contrôlait les éléments avec aisance.

— Nous devons aller au cœur de la tempête.

— Tu veux dire, là-dedans? s'exclama Tolyco en pointant la sphère orageuse.

— Oui. C'est le seul moyen.

— Mais comment?

— Nous sommes nées de cette force destructrice, lui expliqua Satria. Elle est notre énergie, elle coule dans nos veines. Nous pouvons la dompter, j'en suis certaine.

Tolyco fixa son amie intensément, ses yeux noirs s'accrochant à son regard violet.

— Si nous entrons en son centre, nous n'en reviendrons probablement pas… elle risque de nous tuer, dit Tolyco.

— On n'a pas le choix, souffla Satria.

La respiration de Tolyco s'accéléra. Elle comprenait ce que voulait dire son amie. Elle avait raison. Elles seules pouvaient plonger au centre de cette tourmente et arrêter Nix.

Tolyco saisit la main de Satria et la serra.

— Allons-y.

Elles déployèrent leurs ailes et s'envolèrent. Elles prirent de la vitesse, passèrent par-dessus la sorcière et percutèrent la sphère de plein fouet.

Ce fut horrible. La tempête tenta aussitôt de les posséder. Le vent, mêlé au sable rouge, tourbillonnait autour d'elles, hurlant si fort que le vacarme couvrait tout le reste. La pluie froide les fouettait sauvagement, s'engouffrant dans leurs bouches, leurs nez, leurs yeux, les rendant aveugles. Des éclairs fulgurants les happèrent. Satria se courba sous le choc de la douleur.

Elles ne pouvaient plus rien. Elles étaient ballottées par les bourrasques sans être capables d'en sortir. Tolyco était parvenue à ne pas lâcher la main de Satria et elle l'attira à elle pour être certaine qu'elles ne se séparent pas. Il lui semblait essentiel qu'elles restent ensemble.

Satria tremblait violemment et Tolyco essaya de la couvrir pour encaisser les chocs de la foudre à sa place. Elle avait l'impression de pouvoir supporter les éclairs qui vrillaient son corps : c'était son élément, et même s'il la blessait, il ne pouvait la détruire…

… du moins pas pour l'instant.

Elle essaya d'utiliser l'énergie de la foudre tandis que Satria tentait de faire la même chose avec l'eau. Elles avaient l'impression que la tempête voulait les posséder, entrer dans leur corps pour les anéantir et elles devaient constamment résister pour l'en empêcher.

Tolyco produisit la vibration qui créait son feu et immédiatement, elle vit une différence. Toute l'électricité dans l'air changea. Comme si elle devenait palpable, manipulable. Elle la fit dévier vers elle et encaissa toute la foudre. Aussitôt, Satria, qui était repliée sur elle-même, put se redresser. Elle était faible, mais toujours consciente. Elle sentit la bouche de Tolyco contre son oreille qui cria :

— Pense à la pluie !

Maintenant que la foudre ne l'atteignait plus, elle pouvait faire vibrer sa gorge. Elle ferma les yeux et essaya de s'imaginer dans la grotte du clan Priséis, lorsqu'elle avait fait bouger l'eau sur les murs. Il y avait tant d'eau autour d'elle que Satria étendait difficilement son emprise sur la pluie cinglante.

Elle pensa alors à Léo. Ce fut immédiat. Sa force intérieure décupla et le voile argenté qui avait failli la transformer en rouge disparut. Instinctivement, elle n'eut pas peur, elle se sentait plus puissante qu'elle ne l'avait jamais été. Son chant devint si intense qu'elle réussit à faire dévier l'eau de leur visage et elles purent enfin respirer. Le vent, rempli de sable, les aveuglait toujours, mais c'était nettement mieux. Satria se concentra pour joindre chacune des gouttelettes en longs filaments qu'elle fit tournoyer autour d'elles.

Nix leva les bras vers elles et récita une formule. Tout se mit à trembler autour d'elles. Le cœur de la tempête était instable, Nix arrivait encore à le manipuler, malgré l'emprise que les fées avaient sur l'eau et le feu.

Tolyco vit le sable rouge se défaire du vent et prendre l'apparence d'un minotaure imposant qui la jaugeait avec ses yeux globuleux. À ses côtés, le vent compact prit lui aussi la forme d'un minotaure brumeux.

— Pas encore eux…, grommela Tolyco.

En plus de ces monstres, les deux fées sentaient que la tempête amenuisait leurs défenses, ce à quoi elles devaient résister, sinon elles ne survivraient pas et la tempête les engloutirait.

Les créatures se précipitèrent vers elles et Tolyco se baissa juste à temps pour éviter la hache de sable. Elle décocha un coup de pied dans les jambes du minotaure qui l'avait attaquée, mais son membre se reforma aussitôt. Elle vit Satria aux prises avec le même problème. Elle s'était reculée pour éviter la hache menaçante et s'était ruée sur le minotaure brumeux pour le pousser, mais elle avait passé à travers, sans lui causer la moindre blessure. Tolyco vola sur le côté pour éviter un autre assaut de son assaillant.

Satria la rejoignit en battant des ailes et elles unirent leurs forces pour affronter les deux bêtes.

Un combat s'engagea. Elles ne pouvaient utiliser l'eau et le feu contre les minotaures, car elles devaient sans cesse consacrer leur énergie à empêcher que la tempête les tue. Elles devaient se battre sans pouvoirs, au beau milieu d'un cataclysme, contre deux bêtes invincibles.

Elles se placèrent en position de combat et se mirent à esquiver les minotaures. Brusquement, ce fut comme si elles étaient de retour dans les bois avec Léo, recourant aux techniques de défense qu'il leur avait apprises, volant et bougeant avec précision. Satria remercia mentalement Léo alors qu'elle plongeait pour éviter un coup, comme il le lui avait montré.

Malheureusement, elles n'avaient aucun moyen de les arrêter. Leurs haches étaient solides, mais leurs corps liquides et sablonneux. Les pouvoirs de Nix étaient trop puissants. Et la tempête allait les submerger.

— Tu ne pourrais pas… leur envoyer de la foudre ? proposa Satria à Tolyco en dégageant ses cheveux de son visage, la voix éteinte.

— Je n'y arrive pas, cria Tolyco. Il faut trouver un autre moyen.

— On doit prendre possession de la terre et de l'air ! s'écria Satria en battant fortement des ailes pour reculer.

— Comment ? On y arrive à peine avec le feu et l'eau !

— On doit altérer le dôme de protection qui contient la tempête! cria Satria. C'est ce qui protège Nix.

Elles dirigèrent la pluie et la foudre contre les parois de la sphère. C'était difficile et laborieux, l'atmosphère était instable. Satria poussa l'eau sur le mur de protection de la sorcière tandis que Tolyco y projetait la foudre, mais la coquille ne céda pas. Elles avaient beau se concentrer de toutes leurs forces, Nix était trop forte. Et non seulement elles étaient incapables de briser ses défenses, mais les minotaures étaient toujours là, fendant l'air de leurs haches. Nix tissait lentement sa toile autour d'elles, comme une araignée.

Elles pouvaient rester au cœur de la tempête et diriger le feu et l'eau, mais elles n'arrivaient pas à briser la protection de Nix. Il leur fallait agir, sinon elles allaient mourir.

Nix hurla lorsqu'elle vit que les fées vacillaient.

— Vous n'êtes pas assez puissantes! Vous allez mourir, comme tous les sorciers qui se sont attaqués à la tempête de Ceithir avant vous. C'est terminé.

— Elle a raison! cria Satria. Je ne peux pas l'arrêter.

— Résiste! lui ordonna Tolyco.

Elle aussi avait de la difficulté à supporter la fureur de la tempête. Sa tête semblait sur le point d'exploser et ses yeux se remplissaient de larmes de douleur.

Satria geignit et ses mains se serrèrent sur son cœur.

— Je n'en peux plus…

Elle regarda Tolyco.

— On doit laisser la tempête nous posséder. C'est le seul moyen, murmura Satria.

Tolyco savait qu'elle avait raison. Elle savait depuis le début que cela se terminerait ainsi, mais elle n'avait pas voulu se l'avouer. Elle prit la main de son amie.

— Satria…

— Je sais. Finissons-en.

31

Des fées meurtries

ELLES LAISSÈRENT la tempête déferler en elles. Ce fut rapide. Ceithir était si intense qu'elles furent aussitôt envahies par sa puissance. La douleur submergea Satria et Tolyco d'un coup. La foudre coula dans les veines de Tolyco et tout le poids de la terre s'écrasa sur ses épaules. Elle crut que ses os allaient se briser et qu'elle allait se consumer sur place. Elle entendit un hurlement, le sien.

Satria ne pouvait plus respirer, son corps s'était rempli d'eau, fouetté par des rafales semblables à des ouragans. Elle avait l'impression de se noyer. C'était insupportable. Elle allait se briser en mille morceaux si l'eau continuait d'affluer. Elle avait de la difficulté à penser, tout était confus et douloureux. Elle se souvenait qu'elle devait détruire Nix et elle essaya d'y parvenir. Malgré tout le mal qu'elle ressentait, elle parvint à concentrer l'énergie de la tempête sur les parois de la sphère. Elle frôla le bras de Tolyco pour l'encourager à faire de même. Le feu et la terre de Tolyco se joignirent à l'eau et à l'air de Satria pour combattre Nix. Satria discerna entre les fentes de ses yeux le visage apeuré de la sorcière. Elles étaient devenues plus puissantes que Nix. Sa sphère de protection se mit à vibrer et se fendilla en milliers de morceaux, mais sans se rompre.

Satria voulait que ça finisse. Peu importe le résultat, mais pourvu que la douleur cesse, elle n'en pouvait plus, c'était une torture. Elle ne respirait plus, sa vision se brouillait. L'air poussait son sang dans ses veines à une vitesse vertigineuse, son cœur battait si vite et si fort qu'il menaçait de s'arrêter.

Tolyco arrivait tout juste à diriger la force de la tempête sur les parois de protection de la sphère. Les éclairs lui traversaient le corps en tirant leur énergie directement de son cœur. Le sable comprimait ses organes vitaux et menaçait de faire éclater ses os à tout instant. Elle se concentra une dernière fois en donnant tout que ce qu'elle pouvait.

Au prix d'un immense effort, le bouclier vibra intensément et céda enfin sous la pression.

La tempête éclata comme une onde de choc assourdissante qui se répercuta sur les parois du volcan.

Satria et Tolyco virent, comme au ralenti, la surprise sur le visage de Nix. Ses yeux s'illuminèrent d'une lueur rouge juste avant qu'elle ne soit happée et brisée par le chaos.

Le noyau dans lequel se trouvaient Satria et Tolyco explosa. Les murs du volcan s'effondrèrent violemment sous le choc. Un champignon de poussière et de feu s'éleva au-dessus de la bouche éventrée du volcan. Lorsque Tolyco se sentit libérée de la sphère cauchemardesque, elle essaya de battre des ailes, mais son corps, trop endommagé par la force de ses propres éléments, refusa de répondre. Elle glissa dans le vide, de plus en plus vite, dans une chute qui n'en finissait plus et percuta finalement le sol si fort qu'elle était convaincue que cette fois tous ses os étaient brisés.

La douleur qui la submergea une seconde plus tard le lui confirma.

Un bruit sourd tout près d'elle lui indiqua que Satria n'avait pas réussi à s'envoler elle non plus et qu'elle gisait maintenant par terre, à ses côtés. Tolyco sentait encore les éclairs traverser son corps perclus. Ils attaquaient son cœur, sans jamais vouloir s'arrêter. Elle était paralysée par la douleur. Des gravats de l'explosion tombaient sur son corps sans qu'elle puisse se protéger. Chaque inspiration la remplissait de poussière et brûlait ses poumons. Son cœur se mit à sauter un temps, puis deux. Il repartit faiblement. Elle allait mourir.

Elle puisa dans les dernières forces qu'il lui restait pour tourner la tête sur le côté. Elle réussit à entrouvrir les paupières et vit Satria, à quelques mètres d'elle. Une mare d'eau s'élargissait sous son corps et un filet de sang coulait de sa bouche. Elle regardait Tolyco avec une détresse et une douleur indicibles dans le regard. Tolyco comprit que son amie pouvait à peine respirer et qu'elle semblait se débattre avec elle-même pour réussir à absorber l'oxygène. Tolyco essaya de tendre la main vers elle ou de dire son nom, mais elle n'avait plus de force, plus rien, et ses éléments la détruisaient peu à peu. Puis, les yeux de Satria se révulsèrent et elle cessa de trembler.

C'est alors que Tolyco vit le corps de Nix qui gisait sur le sol, non loin de Satria. Ses yeux vides et rouges comme deux billes de verre fixaient Tolyco sans la voir. Sa tête formait un angle étrange avec le reste de son corps.

Tolyco aurait voulu hurler, mais elle ne pouvait pas. Son cœur s'arrêta de nouveau, provoquant une douleur dans sa poitrine. Il repartit après ce qui lui parut comme une éternité, ce qui lui causa une torture encore plus grande, car le feu avait recommencé à être propulsé à travers ses veines. Elle allait mourir. Elle le savait.

Avec Satria à ses côtés.

Sa sœur.

Elle sentit une grande tristesse l'envahir quand elle pensa à tout ce gâchis : Lili, Léo... et maintenant Satria. Tolyco avait insisté pour qu'elles partent avec Léo. C'était sa faute... elle regarda le visage inerte de son amie et un sentiment d'impuissance la submergea. « Satria, ne meurs pas, ne meurs pas », pensa-t-elle de toutes ses forces.

Dans la brume de son cerveau, une pensée traversa son esprit, comme une dernière perche avant de sombrer. Elle rassembla des forces qu'elle n'avait même plus en ne sachant pas si son dernier espoir avait une chance de réussir.

Elle inspira faiblement et laissa échapper un mince filet d'air entre ses lèvres en formant le mot :

— Paix... ral

Ses yeux se voilèrent et elle perdit connaissance.

32

Le dernier espoir

L E CŒUR DE TOLYCO déchirait encore sa poitrine par
intermittence, provoquant une souffrance plus grande
chaque fois. Elle voulait qu'il arrête. Elle n'en pouvait
plus de toutes ces secondes qui s'écoulaient à l'infini.

Le poison électrique coulait dans ses veines et elle se
demanda si un jour la foudre allait la quitter. Son corps
fourbu avait été brisé par les multiples épreuves qu'il
avait subies. Elle voulait vraiment en finir et cette
pensée la soulageait.

La tempête qui l'avait créée allait la détruire. C'était
tellement ironique, tellement absurde qu'elle éprouva
une étrange envie de rire, mais ne parvint qu'à s'étouffer. Elle était toujours paralysée. Seules ses paupières
restaient mobiles, mais elle distinguait à peine le ciel qui
était couvert par un nuage de poussière… dernier relent
de la tempête. Elle ferma les yeux alors que son cœur
s'arrêtait… pour repartir brusquement en battements
inégaux, provoquant de nouvelles ondes de douleur
dans tout son corps.

«Au moins, se dit-elle, nous avons réussi à arrêter
Nix et la tempête de Ceithir.»

Le temps passait sans que Tolyco puisse dire s'il
s'agissait de minutes ou d'heures.

Soudain, quelque chose se glissa doucement dans le creux de son dos et la souleva avec d'infinies précautions. Un gémissement s'échappa de ses lèvres lorsqu'elle sentit ses bras et ses jambes pendre dans le vide. Elle entrouvrit les yeux et vit un magnifique enchevêtrement de pelage noir et blanc. Un museau chaud et humide s'enfonça dans son cou, la réconfortant. Un frottement lui indiqua qu'elle était en mouvement et, un instant après, elle sentit le corps froid et inerte de Satria qui la frôla. Elle faillit pleurer à ce toucher et n'osa plus ouvrir les yeux. Le museau de Paixral l'effleura encore et l'immense bête laissa échapper un feulement grave et mélancolique.

Le fumarolle se propulsa avec ses pattes arrière et s'envola dans le ciel avec les deux fées qu'il retenait entre ses larges pattes, bien calées contre ses flancs, comme un trésor.

Tolyco essaya de parler, mais n'y parvint pas. Son esprit était trop confus pour qu'elle formule une phrase. Elle ne réussit qu'à balbutier quelques mots :

— Paixral... clan Castel...

Elle voulait dire Priséis, mais elle était confuse et essaya d'avertir Paixral qu'elle s'était trompée, mais elle perdit connaissance, ses forces l'ayant complètement abandonnée.

Elle reprit conscience à plusieurs reprises au cours du trajet. Chaque fois, elle ne distinguait que la fourrure chaude de Paixral au-dessus de sa tête et elle entendait le vent siffler à ses oreilles. Elle ne restait éveillée que quelques instants avant de sombrer dans un sommeil comateux. Elle devinait la présence de Satria sans la voir, car elles étaient dos à dos. Du liquide chaud, qui gouttait sur sa propre nuque et ses ailes, s'échappait en grande quantité de son amie. Tolyco souhaitait de toutes ses forces que ce ne soit pas du sang. Cela lui sembla impossible, Satria se serait déjà vidée depuis bien longtemps. Son esprit sombra à nouveau.

Tolyco ignorait combien de temps elle était restée inconsciente. Cette fois, ce n'était pas le vent qui l'avait tirée de sa torpeur, mais des voix. On se disputait près d'elle. Manifestement, Paixral s'était posé sur le sol et il était agité. Tolyco décida de garder les yeux fermés. Elle écouta les bribes de conversation qui lui parvenaient.

— … tu ne peux contrevenir à un ordre !

— Ce n'est pas d'un ordre qu'il s'agit, mais d'une loi indiscutable. Les fumarolles ont le droit d'aller où ils veulent, sans exception.

— Mais il transporte les fées…

— Ils peuvent passer, peu importe ce qu'ils transportent ! s'impatienta la voix. Et vous le voyez comme moi, ces fées sont mortes, ou en tout cas elles n'en sont pas loin. Ça m'étonnerait qu'elles puissent constituer une menace.

— Très bien, aboya la voix de Seillax, la représentante des fées-guerrières du clan Castel. Laissez-le passer, mais allez me chercher Amonialta immédiatement.

— Tout de suite.

Ainsi donc, Paixral les avait menées au clan Castel. Tolyco aurait voulu lui dire de faire demi-tour et de les amener au clan Priséis, mais elle ne pouvait plus parler.

Elle sentit des soubresauts, Paixral s'était probablement remis en vol. Quant à elle, elle s'était sûrement assoupie, car elle se réveilla au beau milieu d'une nouvelle dispute. Elle n'était plus entre les pattes rassurantes de Paixral, mais couchée dans un lit. Les yeux clos, elle écouta ce qui se disait autour d'elle.

— Il n'en est pas question ! s'insurgea une voix que Tolyco reconnut comme étant celle de Violaine, la chef des fées-soignantes.

— Votre entêtement ne sera pas toléré, Violaine, siffla la voix blanche d'Amonialta. Je suis la première fée du clan Castel ! Si j'exige d'interroger quelqu'un, et cela peu importe son état de santé, j'ai l'autorité et le droit de faire comme bon me semble.

— Satria et Tolyco…

— … sont des fées qui ont trahi leur clan, la coupa fermement Amonialta. Elles ont contrevenu à tous les règlements et mis leur propre famille en danger. Elles ont cessé d'être considérées comme des membres de notre clan quand elles ont quitté ce territoire.

— Comment pouvez-vous dire une chose pareille ?

— Ça suffit maintenant. Si vous ne voulez pas me laisser passer, les fées-guerrières vont devoir s'occuper de vous. Vous ne voudriez pas m'obliger à vous faire cela, Violaine ?

— Elles ont l'air d'avoir été torturées…, supplia Violaine. Je dois les soigner.

— Elles ont franchi les limites du territoire des Bannis.

— Alors, Allez-y ! hurla Violaine que Tolyco n'avait jamais vue s'emporter ainsi.

Violaine tourna les talons et fouilla dans un chariot, brassant des fioles en faisant un raffut qui démontrait sa fureur. Brusquement, elle posa ses deux mains sur le chariot et prit une grande inspiration. Elle se retourna lentement et reprit sur un ton sarcastique :

— Mais faites attention quand vous approcherez de Tolyco, elle a tellement d'électricité en elle qu'à chaque fois que je la touche, je reçois une décharge ! À croire qu'elle est allée se balader dans un orage électromagnétique ! Et je ne sais pas si vous avez remarqué, mais Satria est en train de se noyer ! Comment est-ce possible, vous me demanderez ? Eh bien, je n'en ai aucune

idée ! Elle est tellement gorgée d'eau qu'elle va probablement étouffer d'une minute à l'autre ! Mais allez-y !
Interrogez-les, si c'est tellement important que ça ne
peut attendre !

Tolyco entendait Violaine souffler comme un bœuf.
Elle risqua un œil et vit la fée-soignante de profil, le
visage rouge et les yeux exorbités. Amonialta se tenait
devant elle, près de la porte, et semblait hésiter.

Finalement, la fée-ivoire s'avança lentement vers elle
et ses yeux se posèrent sur ses vêtements. Tolyco devina
qu'elle venait de voir l'écusson du clan Priséis brodé sur
son corset, car elle blêmit. Son regard croisa les yeux
mi-clos de Tolyco et elles restèrent silencieuses, chacune
jaugeant l'autre. Après un long moment, Amonialta fit
demi-tour vers Violaine.

— Très bien. Soignez-les, mais je veux leur parler
dès qu'elles vont être en état... et je vais laisser deux
fées-guerrières pour les surveiller.

— C'est ça, répliqua Violaine, comme si elles pouvaient aller bien loin.

Amonialta lui jeta un regard mauvais et sortit de la
pièce.

Violaine s'approcha de Tolyco et sursauta en voyant
qu'elle était réveillée.

— Tolyco ? Ça va maintenant, ne t'inquiète pas. Je
vais m'occuper de toi.

Violaine rajusta ses couvertures et enfila des gants
pour lui toucher le front.

— Satria...

— Je... crois qu'elle va s'en sortir, la rassura Violaine
en comprenant ce que Tolyco voulait lui dire.

Violaine voulut appliquer une pommade sur Tolyco,
mais cette dernière l'en empêcha d'un geste affaibli de
la main.

— Non, occupe-toi de Satria d'abord, lui demanda-t-elle d'une voix de plus en plus éteinte.

Son cœur sauta un temps, ce qui la fit grimacer malgré elle.

— D'autres fées-soignantes s'occupent d'elle en ce moment, lui apprit Violaine. Elles sont à l'autre bout de l'infirmerie.

Tolyco tourna lentement la tête et vit effectivement un groupe de fées qui entouraient un lit au fond de la salle. Elles s'activaient toutes avec ardeur, ce qui la réconforta.

— Qu'avez-vous fait ? demanda subitement Violaine d'une voix où s'échappaient des sanglots.

Tolyco la regarda, surprise, et vit qu'elle pleurait.

— Votre disparition m'a tellement angoissée. Et là…

Elle détailla le corps inerte de Tolyco.

— Vous avez l'air d'avoir été martyrisées.

Violaine prit un mouchoir et se moucha bruyamment.

— Excuse-moi. J'étais si anxieuse, expliqua-t-elle en séchant ses larmes du revers de la main. Ne t'en fais pas maintenant. Je vais vous guérir.

Tolyco réussit à sourire faiblement. Elles ne pensaient pas qu'elles allaient manquer à quelqu'un lorsqu'elles étaient parties du clan Castel. La réaction de Violaine la surprenait beaucoup.

— Nous avons arrêté la tempête de Ceithir, murmura Tolyco. Dis-le à Amonialta.

— D'accord, je vais lui dire, promit Violaine, que cette nouvelle déconcertait.

— Merci…

— Endors-toi maintenant.

La fée-soignante lui fit boire une potion glacée avant qu'elle ne sombre dans un sommeil profond.

33

Les fées-du-phénix

Tolyco s'était souvent réveillée pendant les jours qui suivirent, mais jamais sur de longues périodes. Elle émergeait du sommeil en ayant l'impression de sortir d'un trou noir et elle y retournait peu de temps après, incapable de rester éveillée très longtemps. Violaine était presque toujours à ses côtés, appliquant des pommades sur sa peau ou lui administrant des traitements étranges nécessitant entre autres des toiles d'araignées noires étalées sur son cœur ou des ailes de papillons séchées et appliquées sur son cou. Violaine lui expliquait l'effet bénéfique de chaque traitement, mais Tolyco écoutait d'une oreille distraite. Elle était encore trop épuisée pour se concentrer.

Violaine lui raconta aussi qu'elle avait reçu plusieurs traitements magiques pendant son sommeil et que les fées-virtuoses s'étaient évertuées à trouver les meilleures incantations pour les sauver.

— C'est qu'elles prennent ce défi à cœur ! lui confia Violaine avec un large sourire, un après-midi où Tolyco était éveillée. Je crois que les deux derniers traitements que tu as reçus t'ont été profitables. Tu as réussi à marcher un peu aujourd'hui. Demain, nous recommencerons et nous agiterons tes ailes.

Violaine tapa vigoureusement les oreillers de Tolyco.

— J'ai dit à Amonialta que Satria et toi aviez enrayé la tempête de Ceithir, déclara-t-elle fièrement. Oh, elle m'a ordonné de garder cette information secrète... mais disons que j'ai malencontreusement lâché le morceau à Pialisse, une des filles de cuisine. Cette femme est une vraie pie ! Eh bien, ça n'a pris que quelques heures pour que tout le château soit au courant ! Tout le monde ne parle que de ça et je dois dire que vous êtes la fierté du clan... et que ça ne fait pas la joie d'Amonialta. Disons que maintenant, elle aura un peu plus de difficultés à vous bannir.

— Merci, Violaine, mais...

— Bien sûr, coupa Violaine en se tournant vers son chariot, si nous savions exactement ce qui vous est arrivé, nous pourrions peut-être trouver plus rapidement des remèdes pour vous remettre sur pied...

Tolyco se détourna vers la fenêtre. Elle n'avait raconté à personne ce qu'elles avaient vécu. En fait, elle n'avait pas beaucoup parlé depuis son retour au clan Castel. Ce n'est pas qu'elle ne le voulait pas, mais elle ne savait pas comment expliquer ce qui s'était passé. Elle préférait réfléchir à tout cela et savait que Satria serait probablement de son avis.

Il avait fallu plus de cinq jours avant d'arriver à assécher toute l'eau qui imbibait le corps de Satria. Son état n'était plus alarmant, mais elle était toujours faible comme Tolyco. Elles n'avaient jamais été réveillées en même temps depuis qu'elles étaient là, puisqu'elles passaient la majorité du temps à dormir, mais même si ça avait été le cas, elles n'auraient pas pu communiquer : les fées-guerrières qui gardaient la porte s'assuraient qu'elles demeuraient éloignées l'une de l'autre. Le lit de Satria se trouvait encore à l'autre bout de la salle.

Ce ne fut que quelques jours plus tard que l'occasion de parler à Satria se présenta.

Tolyco se réveilla sans savoir ce qui l'avait tiré du sommeil. Il faisait nuit, mais la lueur de la lune nimbait la pièce d'une lumière argentée. La plupart des fées-soignantes étaient couchées. Tolyco vit Violaine un peu plus loin qui malaxait des herbes avec son mortier. Les fées-guerrières gardaient la porte, mais elles étaient adossées au mur et Tolyco pensa qu'elles devaient être assoupies.

Elle tourna la tête et vit Satria. Elle s'était assise dans son lit et regardait les fées-guerrières, songeuse. Elle jeta un rapide coup d'œil à Violaine qui lui tournait le dos et, après une hésitation, elle sortit de son lit sur la pointe des pieds.

Tolyco décida de rester allongée. Elle voulait voir ce que Satria avait en tête. Son amie se dirigea vers une fenêtre qu'elle entrouvrit sans bruit. Aussitôt, l'éclat argenté de la lune éclaira son visage opalin et ses cheveux blonds. Elle monta sur la rambarde et déploya ses ailes. Après un dernier regard en arrière, elle s'envola.

Tolyco la comprenait très bien de vouloir sortir. Elles étaient toujours enfermées dans cette pièce. Amonialta refusait qu'elles sortent, arguant que si elles étaient assez fortes pour aller dehors, elles étaient assez fortes pour subir un interrogatoire. Violaine, qui semblait décidée à tenir tête à Amonialta, avait décrété que Satria et Tolyco n'étaient pas assez rétablies pour cela et elle avait fait voler les fées dans l'infirmerie pour leur dégourdir les ailes.

Tolyco attendit un peu et, voyant que le départ de Satria passait inaperçu, elle sortit à son tour des couvertures et avança doucement jusqu'à la fenêtre. Elle allait enjamber le rebord quand elle entendit une voix derrière elle qui la figea.

— Arrête !

Tolyco se retourna et vit Violaine, un mortier à la main, qui semblait plus inquiète que furieuse.

— Je vais revenir, dit Tolyco. Je veux seulement aller voir Satria.

Violaine semblait hésitante.

— Je sais où elle est, insista Tolyco. Je veux lui parler. Nous allons être revenues dans moins d'une heure. S'il te plaît, Violaine.

Elle vit la fée-soignante grimacer puis faire un geste de la main qui signifiait qu'elle pouvait y aller. Tolyco ne se le fit pas dire deux fois. Elle déploya ses ailes et plongea dans le vide.

Aussitôt, le vent sur son visage lui donna de l'énergie. Elle remonta pour passer par-dessus le château, se déplaçant dans les ombres pour éviter d'être vue, mais il ne semblait pas y avoir âme qui vive aux alentours. Elle se dirigea vers la colline Diurne, là où elles avaient pris la décision de partir avec Léo. Tolyco était à peu près certaine d'y retrouver son amie.

Elle la trouva effectivement. Elle était assise sur un tronc d'arbre, face au paysage où l'on pouvait presque voir la muraille des sorciers Bannis. Tolyco arriva par-derrière et marcha volontairement sur le sol pour annoncer son arrivée. Elle était sûre que Satria l'avait entendue, mais elle ne se retourna pas, la laissant venir à elle. Sans un mot, Tolyco s'assit à ses côtés et contempla la vue avec elle, en silence. Elles restèrent ainsi longtemps, le calme de la nuit les apaisant. Lorsque la lune atteignit son zénith, Tolyco demanda à Satria si elle voulait rentrer, mais cette dernière refusa et Tolyco n'insista pas.

— Je pensais à Nix, dit Satria après un autre silence.

— Moi aussi… je pensais au super coup de poing, magnifique, je dois l'avouer, que tu lui as administré.

Satria regarda Tolyco, surprise, puis esquissa un sourire.

— Merci, répondit-elle.

— Léo aurait été fier de toi.

Les mots de Tolyco étaient sortis de sa bouche sans qu'elle puisse les retenir.

Le sourire de Satria se figea un peu. Elle sembla indécise, mais après un instant, elle rit franchement.

— Tu as raison, il aurait aimé voir ça.

Elle fixa encore l'horizon pendant un moment avant d'ajouter :

— Nous devrons y retourner.

Tolyco acquiesça, elle comprenait très bien de quoi son amie voulait parler. Satria continua :

— Tu sais, j'y ai beaucoup pensé depuis que nous sommes revenues ici... et tout ça n'a pas de sens. Le gouffre serait présent depuis des années et personne n'aurait jamais rien fait ? C'est comme si tout le monde avait trop peur pour essayer quoi que ce soit. Je me demande qui est au courant de son existence.

— Je crois que Céleste s'en doutait, répondit aussitôt Tolyco. La sirène Adèle a aussi dit que les Bannis avaient cessé de les visiter, elle et son peuple. Comme s'ils savaient que quelque chose d'étrange existait dans cette partie de leur territoire. Et à bien y penser... je crois qu'Amonialta aussi le savait.

Satria eut l'air surprise et choquée, mais Tolyco enchaîna avant qu'elle ne proteste.

— Je pense ça parce qu'elle n'a pas voulu intervenir davantage pour le volcan. Amonialta est fonceuse et protectrice, surtout quand il s'agit de la sécurité de son clan. Elle est au courant depuis le début et c'est pour cette raison qu'elle n'a pas voulu que les fées-guerrières se rendent là-bas. Elle savait qu'elles n'en reviendraient probablement pas.

— Tu n'as pas tort, admit Satria.

— Cela veut dire que beaucoup de gens connaissent, et depuis longtemps, l'existence du gouffre et qu'ils n'ont pas eu le courage d'agir. Ils n'ont rien fait pour le détruire.

— Mais ce temps est terminé, déclara Satria à voix basse.

— Oui, approuva Tolyco. Nous allons devoir nous en occuper nous-mêmes. Et si personne ne veut nous aider, eh bien tant pis, nous nous débrouillerons seules.

Satria réfléchit. Elle songea à Léo qui était mort parce que personne n'avait osé s'attaquer au gouffre. Il était hors de question que les choses restent ainsi.

— Comment veux-tu que l'on procède ? demanda-t-elle.

— Il faut aller au château qui borde le gouffre dès que nous serons complètement rétablies.

Satria fronça les sourcils.

— Non, dit-elle d'un ton catégorique.

— Non ?

— Nous devrons d'abord aller au clan Priséis.

Tolyco bougonna et essaya d'argumenter qu'elles n'avaient pas le temps, mais Satria ne voulut rien entendre.

— Ça ne sert à rien de nous rendre jusqu'au gouffre mal préparées. Les minotaures nous auront jetées dans le tourbillon en un rien de temps. Tu as entendu ce qu'a dit Nix, nos pouvoirs sont uniques et très puissants, mais seule une maîtrise parfaite peut nous permettre de les utiliser à leur plein potentiel. Nous devrons donc aller au clan Priséis.

Satria hésita un instant, puis ajouta :

— Aussi, nous demanderons à Céleste d'aller chercher Adèle et d'avertir le père de Léo qu'il est… qu'il est mort.

— D'accord, concéda Tolyco en baissant les yeux, mais je veux accepter la proposition de Céleste de changer de clan. Ma place n'est plus ici. Nous appartenons au clan Priséis.

Elle observa le château où elle avait grandi et n'éprouva qu'un vide immense.

— Oui, dit Satria d'une voix douce. Nous n'avons jamais vraiment appartenu à ce clan.

Elles gardèrent le silence jusqu'à ce que Satria ajoute :

— Ce sera difficile et dangereux d'arrêter des forces maléfiques aussi puissantes.

— Je sais, répondit Tolyco, mais nous sommes ensemble. Et au cas où tu ne l'aurais pas remarqué, nous ne sommes plus deux fées sans défense.

Satria esquissa un sourire et regarda l'horizon, essayant de deviner la présence du gouffre qui faisait rage au loin. Elle se sentit plus forte que jamais, non pas à cause de ses pouvoirs, mais grâce à la présence de Tolyco à ses côtés.

— Tu as raison, dit Satria en souriant, tandis que ses yeux violets brillaient d'une profondeur insondable dans la nuit. Maintenant, nous sommes les fées-du-phénix.

À suivre

Remerciements

Un immense merci à…

Pierre Roy et Line Paquin, mes parents, qui m'ont appris la musique des mots.

Michelle-Alexandra Roy, ma sœur, que j'adore.

Benoit Bouchard, Véronique Lambert, Alexandre Bouchard et Noémie Bouchard, que je considère comme ma propre famille. Merci pour tout.

Laurence Langlois-Parent, mon amie précieuse, confidente et première lectrice. Merci pour tes commentaires enthousiastes et tes suggestions utiles.

Manon Racicot, mon indicible alliée qui me permet de puiser à même sa force.

Laetitia Côté, Julie Grosleau et Marie-Josée Mondoux, mes amies qui sont toujours là pour moi.

Annie Ferdais, la fille la plus vive d'esprit que je connaisse.

Carole-Anne Déry, une correctrice qui maîtrise la plume comme un chef d'orchestre et qui est devenue une amie.

Mélissa Niding, une amie et professeure de français qui a corrigé mon livre avec une grande finesse.

Mathieu Allard-Vidal, qui m'a soutenue pendant l'écriture du premier tome.

Christine Allard et Serge Daignault, qui m'ont fourni un endroit calme avec une vue magnifique pour écrire les scènes clés de mon livre.

Mes premières lectrices : José Boisy, Alice Beaudry Lagarde, Laurianne Nadeau, Maude Piché et Joëlle Fontaine.

Sonia Fontaine, éditrice, qui m'a fait vivre une expérience merveilleuse.

Magali Villeneuve, illustratrice, qui a su recréer avec brio le monde des fées sur la page couverture.

Françoise Côté, réviseure, et Christine Barozzi, correctrice, pour avoir repéré toutes les failles du texte avec un œil aiguisé.

Et finalement, merci aux Éditions Hurtubise, qui ont cru à mon projet et qui ont tout fait pour qu'il se concrétise.

Table des matières

Suivez-nous

Réimprimé en décembre 2012
sur les presses de l'imprimerie Lebonfon
Val-d'Or, Québec